DOBLE CUERPO

Tess Gerritsen

DOBLE CUERPO

Traducción de Antoni Puigròs

© 2004, Tess Gerritsen

RBA

Título original: *Body Double*

© 2004, Tess Gerritsen
© de la traducción: 2007, Antoni Puigròs
© de esta edición: 2008, RBA Libros, S.A.
Pérez Galdós, 36 - 08012 Barcelona
rba-libros@rba.es / www.rbalibros.com

Primera edición de bolsillo: junio 2008

Ref.: OBOL196
ISBN: 978-84-9867-195-7
Depósito legal: B-26499-2008
Composición: David Anglès
Impreso por Novoprint (Barcelona)

Para Adam y Danielle

PRÓLOGO

Aquel chico la estaba observando otra vez.

Alice Rose, de catorce años, procuró concentrarse de nuevo en las diez preguntas del examen que tenía encima del
pupitre, pero su mente no estaba concentrada en el inglés
del primer curso, sino en Elijah. Podía sentir la mirada del
muchacho como un rayo que le apuntara en plena cara, podía sentir su calor en la mejilla; y se dio cuenta que se estaba
ruborizando.

«¡Concéntrate, Alice!»

La siguiente pregunta del examen estaba borrosa por culpa de la fotocopiadora y tuvo que forzar la vista para descifrar las palabras.

«Charles Dickens utilizaba a menudo nombres que coincidían con los rasgos de sus personajes. Destaca algunos
ejemplos y explica por qué los nombres coincidían con esos
rasgos especiales.»

Alice mordisqueó el lápiz mientras intentaba buscar una
respuesta. Pero no podía pensar mientras él estuviera sentado
en el pupitre de al lado, tan cerca que podía inhalar el olor
a jabón de pino y a humo de madera que desprendía. Olores masculinos. Dickens, Dickens... ¿A quién le importaban
Charles Dickens, Nicholas Nickleby ni el aburrido inglés de

primer curso, cuando el fabuloso Elijah Lank la estaba mirando? Oh, Dios mío, era tan atractivo, con su cabello negro y sus ojos azules. Los ojos de Tony Curtis. La primera vez que vio a Elijah pensó eso mismo, que se parecía al mismísimo Tony Curtis, cuyo rostro le sonreía desde las páginas de sus revistas favoritas: *Modern Screen* y *Photoplay*.

Inclinó la cabeza hacia delante y el cabello le cayó sobre la cara. Entonces, a través de la cortina de rubios cabellos, lanzó de soslayo una mirada furtiva. Sintió que el corazón le daba un vuelco al confirmar que, en efecto, él la estaba observando, y no con el desdén con que la miraban todos los demás chicos del colegio, aquellos chicos perversos que la hacían sentir lerda y boba. Que murmuraban sus mofas por debajo de su capacidad auditiva, en voz demasiado baja para entender lo que decían. Sabía que hablaban de ella, porque siempre la miraban cuando cuchicheaban. Aquellos chicos eran los mismos que habían pegado con celo la foto de una vaca en su taquilla, que mugían si por casualidad les rozaba al pasar por el pasillo. Elijah, en cambio, la miraba de forma totalmente distinta... Sus ardientes ojos. Los ojos de una estrella de cine.

Poco a poco levantó la cabeza y le devolvió la mirada, en esta ocasión no a través del velo protector del cabello, sino con el reconocimiento sincero de que había captado la suya. Elijah había llenado la hoja del examen y la tenía vuelta hacia abajo, el lápiz guardado en el pupitre. Concentraba en ella toda su atención y Alice apenas podía respirar bajo el hechizo de su mirada.

«Le gusto. Lo sé. Le gusto.»

Levantó la mano hasta la garganta, al botón superior de la blusa. Los dedos rozaron la piel, dejando un rastro de calor. Pensó en la mirada de Tony Curtis derritiéndose por Lana Turner, esa mirada capaz de lograr que a una chica se le trabara la lengua y le temblaran las rodillas. La mirada que precedía al inevitable beso. Ahí era cuando, inevitablemente, las películas se desenfocaban. ¿Por qué siempre ocurría eso? ¿Por qué siempre se hacía la imagen borrosa, justo en el momento en que más deseaba ver...?

—Se acabó el tiempo. Por favor, entreguen los exámenes.

Al instante, Alice dirigió de nuevo su atención al pupitre, al papel fotocopiado del examen, donde la mitad de las preguntas todavía estaban sin responder. ¡Oh, no! ¿Por dónde se había escurrido el tiempo? Conocía las respuestas. Sólo necesitaba unos minutos más...

—Alice. ¡Alice!

Alzó la mirada y vio a la señora Meriweather con la mano tendida.

—¿No me ha oído? Ha llegado el momento de que entregue el examen.

—Pero yo...

—No quiero excusas. Tiene que empezar prestando atención, Alice.

La señora Meriweather le arrebató el examen y se alejó por el pasillo. A pesar de que apenas podía oír los murmullos, Alice supo que las chicas que estaban justo detrás chismorreaban a propósito de ella. Se volvió y descubrió que tenían juntas las cabezas y que con las manos se tapaban la boca, sofocando las risitas. «Alice puede leer los labios, no dejemos que vea qué decimos de ella.»

Entonces vio que algunos chicos también se reían, al tiempo que la señalaban. ¿Cuál era la gracia?

Alice bajó la vista. Descubrió con horror que el botón superior de la blusa se le había caído, haciendo que ésta se le abriera.

En ese momento sonó el timbre, anunciando el fin de la clase.

11

Alice cogió la cartera de los libros, la apretó contra el pecho y salió presurosa del aula. No se atrevía a mirar a nadie a los ojos.

Se limitó a seguir caminando cabizbaja. Las lágrimas se le agolpaban en los ojos. Entró corriendo en los lavabos y se encerró en uno de los reservados. Mientras otras chicas entraban y se reían, arreglándose ante los espejos, Alice permaneció oculta tras la puerta cerrada con pestillo. Podía oler los diferentes perfumes, sentir el silbido del aire cada vez que la puerta se abría. Aquellas chicas resplandecientes, con sus jerseys de estreno. A ellas nunca se les caían los botones, nunca iban al colegio con faldas de segunda mano ni zapatos con suelas de cartón.

«Largaos. Por favor, que se vaya todo el mundo.»

Por fin dejaron de entrar y salir.

Con la oreja pegada a la puerta del reservado, Alice forzó el oído para comprobar si aún quedaba alguien en los lavabos. Atisbó por la rendija y no vio a nadie de pie ante el espejo. Sólo entonces salió.

El pasillo también estaba desierto, todos se habían marchado ya a sus casas. No había nadie para atormentarla. Con los hombros encogidos como para protegerse, avanzó por el largo pasillo repleto de taquillas estropeadas y pósters anunciando para dentro de dos semanas el baile de Halloween. Un baile al que con toda seguridad no iba a asistir. Aún le escocía la humillación del baile de la semana anterior y, con toda probabilidad, le seguiría escociendo siempre. Las dos horas que había pasado sola, de pie contra la pared, aguardando, con la esperanza de que algún chico la sacara a la pista. Cuando por fin se le acercó uno, no fue para bailar, sino que de repente se dobló por la cintura y le vomitó encima de los zapatos. No habría más bailes para ella. Llevaba sólo dos meses en aquella ciudad y ya deseaba que su madre volviera a hacer las maletas y se trasladara otra vez, que los llevara a algún sitio donde pudieran empezar de nuevo. Donde las cosas fuera distintas.

«Sólo que nunca lo eran.»

Salió del colegio por la puerta principal y avanzó bajo el sol otoñal. Se hallaba inclinada sobre la bicicleta, tan concentrada en abrir el candado que no oyó los pasos. Hasta que la sombra no se cernió sobre su cara no descubrió que Elijah estaba a su lado.

—Hola, Alice.

Dio tal respingo al erguirse, que volcó la bicicleta. ¡Oh, Dios, era una idiota! ¿Cómo podía ser tan torpe?

—Ha sido un examen difícil, ¿verdad? —preguntó él, pronunciando con claridad, arrastrando las palabras.

Era otra de las cosas que le gustaban de Elijah: a diferencia de los demás chicos, su voz era siempre nítida, nunca farfullaba. Y siempre permitía que le viera los labios. Conoce mi secreto, pensó. Y, aun así, quiere ser amigo mío.

—¿Respondiste a todas las preguntas? —inquirió él.

Alice se inclinó para levantar la bicicleta.

—Me sabía todas las respuestas, pero habría necesitado más tiempo.

Al incorporarse, vio que la mirada de él permanecía fija en su blusa. En la abertura que había dejado el botón caído. Alice se ruborizó y cruzó los brazos.

—Tengo un alfiler —dijo él.

—¿Qué?

Elijah buscó dentro del bolsillo y sacó un imperdible.

—Yo siempre pierdo los botones. Resulta un poco embarazoso. Ven, deja que te lo cierre.

Alice contuvo la respiración cuando él tendió la mano hacia la blusa. Y apenas pudo reprimir los temblores al deslizar él los dedos bajo la tela para cerrar el imperdible. «¿Notará los latidos de mi corazón?», se preguntó. «¿Advertirá que siento mareos apenas me roza?»

En cuanto él se apartó, Alice soltó el aire de los pulmones. Bajó los ojos y vio que la abertura estaba pudorosamente cerrada con el alfiler.

—¿Mejor así?

—¡Oh, sí! —Se interrumpió para recuperar la calma, y luego, con majestuosa dignidad, añadió—: Gracias, Elijah. Has sido muy amable.

Transcurrió un momento de silencio. Los cuervos graznaron y las hojas de otoño fueron como llamas resplandecientes que consumieran las ramas en lo alto.

—¿Crees que podrías ayudarme un poco, Alice? —preguntó él.

—¿En qué?

Oh, qué respuesta más estúpida. ¡Tendría que haberme limitado a responder que sí! Sí, por ti haría cualquier cosa, Elijah Lank.

—Se trata de ese proyecto que estoy haciendo para biología. Necesito un colega que me ayude con él, y no se me ocurre nadie más a quien se lo pueda pedir.

—¿Qué tipo de proyecto es?

—Te lo enseñaré. Pero tendríamos que ir a mi casa.

Su casa. Alice nunca había ido a casa de un chico. Asintió.

—Antes pasemos por la mía para dejar los libros.

Elijah sacó su bicicleta del aparcamiento. Estaba casi tan abollada como la de ella, oxidados los guardabarros, el vinilo del asiento medio pelado. Aquella vieja bicicleta hizo que él le cayera todavía mejor. «Formamos una auténtica pareja», pensó. «Tony Curtis y yo.»

Primero fueron a casa de ella. Alice no le invitó a entrar. La abochornaba demasiado que viera el mobiliario viejo y pasado de moda, la pintura desconchada de las paredes. Corrió al interior, soltó la cartera de los libros sobre la mesa de la cocina y salió presurosa.

Por desgracia, Buddy, el perro de su hermano, también hizo lo mismo. Justo en el instante en que ella salía por la puerta de la calle, el perro se escapó veloz como una mancha negra y blanca.

—¡Buddy! —le gritó—. ¡Vuelve acá!

—No parece oír muy bien, ¿verdad? —le preguntó Elijah.

—Porque es un perro estúpido. ¡Buddy!

El chucho miró hacia atrás, meneó la cola y luego trotó calle abajo.

—Oh, no te preocupes —dijo ella—. Ya volverá cuando quiera. —Montó en la bicicleta—. ¿Dónde vives?

—En lo alto de Skyline Road. ¿Has ido alguna vez por allí?

—No.

—Es un largo trayecto cuesta arriba por la colina. ¿Crees que podrás?

Ella asintió. «Por ti soy capaz de cualquier cosa.»

Pedalearon alejándose de su casa. Confiaba en que doblaran por la calle mayor y pasaran por delante de la tienda de batidos donde los chicos siempre remoloneaban al salir de clase, ponían monedas en el tocadiscos automático o bebían refrescos. Verían que vamos juntos en bicicleta, pensó. ¿No haría eso chismorrear a las chicas? Ahí va Alice con Elijah, el de los ojos azules.

Pero él no enfiló por la calle mayor, sino que dobló por Locust Lane, donde apenas había casas, sólo la parte trasera de algunos comercios y el aparcamiento de los empleados de la fábrica de conservas Neptune's Bounty. En fin. Al menos estaba paseando en bicicleta con él, ¿no? Lo bastante cerca detrás de Elijah para observar sus muslos al pedalear, su trasero apoyado en el sillín.

Elijah se volvió a mirarla, y su cabello negro ondeó al viento.

—¿Sigues sin dificultad, Alice?

—Voy bien.

Aunque la verdad era que se estaba quedando sin aliento, pues habían salido del pueblo y empezaban a ascender la montaña.

Elijah debía subir en bicicleta a Skyline todos los días, así que estaría acostumbrado; apenas se le veía jadear y movía las piernas como potentes pistones. En cambio ella resollaba, hacía grandes esfuerzos para avanzar. El destello de una pelambrera captó su atención. Miró hacia un lado y vio que Buddy les había seguido. Parecía cansado también, la lengua le colgaba fuera mientras corría para mantenerse a su altura.

—¡Largo, a casa!

—¿Qué has dicho? —preguntó Elijah, mirando hacia atrás.

—Es ese estúpido perro otra vez —jadeó ella—. No deja de seguirnos. Se va a... Se perderá.

Miró colérica a Buddy, pero el perro seguía trotando a su lado, con sus alegres y absurdos andares caninos. «Bueno, continúa», pensó ella. «Fatígate. A mí no me importa.»

Siguieron ascendiendo por la montaña, donde la carretera serpenteaba en suave zigzag. Entre los árboles atisbaba de vez en cuando imágenes lejanas de Fox Harbor abajo, el agua como cobre fundido bajo el sol de la tarde. Luego los árboles se hicieron más densos y sólo pudo ver el bosque, vestido con brillantes colores rojos y anaranjados. La carretera cubierta de hojas se curvaba ante ellos.

Cuando Elijah se detuvo al fin, Alice notó las piernas tan

cansadas que apenas podía sostenerse de pie sin temblar. Buddy había desaparecido de su vista, y sólo confió en que fuera capaz de encontrar el camino de regreso a casa. Pero no cabía la menor duda de que ella no iría a buscarle. Al menos de momento, con Elijah allí de pie, mirándola con ojos centelleantes. El chico apoyó la bicicleta contra un árbol y se colgó la cartera del hombro.

—¿Dónde está tu casa? —preguntó ella.

—Es en aquel camino de acceso. —Señaló más adelante, hacia un buzón oxidado en un poste.

—¿No vamos a ir a tu casa?

—No. Hoy, mi prima está enferma en casa. Se pasó la noche vomitando; será mejor que no entremos. De todos modos, mi proyecto está ahí fuera, entre los árboles. Deja la bicicleta. Tenemos que caminar.

Apoyó la bicicleta junto a la de él y le siguió, con las piernas todavía inestables por la subida a la montaña. Entraron con paso firme en el bosque. Los árboles crecían densos, el suelo estaba alfombrado con una gruesa capa de hojas. Le siguió animosa, apartando los mosquitos con la mano.

—¿Así que tu prima vive contigo? —preguntó.

—Sí, vino para quedarse con nosotros el año pasado. Supongo que ahora ya es permanente. No tiene ningún otro sitio donde ir.

—¿Y a tus padres no les importa?

—Sólo está papá. Mamá murió.

—Oh. —Alice no supo qué decir al respecto, y al final murmuró un sencillo «Lo siento».

Pero no pareció que él la hubiese oído.

El matorral era cada vez más espeso, y los espinos le arañaban las piernas desnudas. Tenía dificultades para mantener el mismo paso que él. Elijah avanzaba delante, dejándola con la falda enganchada en los vástagos de una zarza.

—¡Elijah!

No le contestó. Siguió avanzando como un explorador intrépido, con la cartera de los libros colgada del hombro.

—¡Espera!

—¿Quieres ver esto o no?

—Sí, pero...

—Entonces apresúrate.

Su voz había adquirido un matiz de impaciencia que la sorprendió. Se había detenido unos metros más adelante, con la mirada fija en ella, y Alice advirtió que tenía las manos cerradas como puños.

—Está bien —contestó sumisa—. Ya voy.

Unos metros más allá, los árboles se abrieron de repente para formar un claro. Alice vio viejos cimientos de piedra, todo cuanto quedaba de una granja que había dejado de existir hacía mucho tiempo. Elijah se volvió a mirarla; tenía el rostro moteado por la luz de la tarde.

—Es aquí —dijo.

—¿Qué es?

Él se inclinó y apartó dos tablas de madera, dejando al descubierto un agujero profundo.

—Echa un vistazo —dijo él—. Tardé tres semanas en cavar esto.

Se acercó al pozo con cautela y miró dentro. La luz de la tarde caía sesgada por detrás de los árboles y el fondo del agujero estaba en sombras. Sólo pudo atisbar una capa de hojas muertas acumuladas en lo más hondo. A un lado había una cuerda enrollada.

—¿Es una trampa para osos o algo por el estilo?

—Podría serlo. Si colocase unas ramas encima para ocultar la abertura, podría atrapar un montón de cosas. Incluso un ciervo. —Señaló el interior del hoyo—. Mira, ¿lo ves?

Alice se acercó un poco más. Abajo, entre las sombras,

algo brillaba de forma tenue: pedacitos blancos que asomaban bajo las hojas desperdigadas.

—¿Qué es?

—Es mi proyecto.

Elijah cogió la cuerda y tiró hacia sí.

En el fondo del pozo las hojas crujieron, entraron en ebullición. Alice vio que la cuerda se tensaba mientras Elijah izaba algo de entre las sombras. Una cesta.

La sacó del agujero y la depositó en el suelo. Al apartar las hojas descubrió aquello de color blanco que relucía en el fondo del pozo.

Era una pequeña calavera.

Mientras Elijah quitaba las hojas, Alice vio amasijos de pelo negro y costillas delgadas y largas. Los nudos de una columna vertebral. Los huesos de las patas tan delicados como pequeñas ramitas.

—¿No es fantástico? Ya ni siquiera huele —dijo él—. Lleva casi siete meses ahí abajo. La última vez que lo comprobé todavía tenía algo de carne encima. Hay que ver con qué constancia desaparece. Empezó a pudrirse muy rápido cuando los días fueron más calurosos, allá por mayo.

—¿Qué es?

—¿No lo adivinas?

—No.

Elijah cogió el cráneo, le dio un pequeño giro y lo separó de la columna vertebral. Alice dio un respingo cuando lo volvió con brusquedad hacia ella.

—¡No! —chilló.

—¡Miau!

—¡Elijah!

—Bueno, has preguntado qué era.

Alice se quedó mirando las cuencas vacías de los ojos.

—¿Un gato?

Elijah sacó una bolsa de tela de la cartera de los libros y empezó a meter los huesos en ella.

—¿Qué piensas hacer con el esqueleto?

—Es mi proyecto científico. El paso de gatito a esqueleto en siete meses.

—¿Y dónde conseguiste el gato?

—Lo encontré.

—¿Encontraste un gato muerto?

Elijah alzó la vista. Sus ojos azules sonreían. Pero ya no eran los ojos de Tony Curtis. Aquellos ojos la asustaron.

—¿Quién ha dicho que estuviera muerto?

De repente, a Alice el corazón empezó a latirle con celeridad. Retrocedió un paso.

—Oye, será mejor que regrese a casa.

—¿Por qué?

—La tarea. Tengo que hacer los deberes.

Él estaba de pie, se había levantado sin el menor esfuerzo. La sonrisa se había extinguido en su rostro, sustituida por una mirada de tranquila expectación.

—Yo... te veré en el colegio —dijo ella.

Alice retrocedió, mirando los árboles que a derecha e izquierda parecían los mismos. ¿De qué parte habían llegado? ¿En qué dirección debía marchar?

—Pero si acabas de llegar, Alice.

Elijah sostenía algo en la mano. Sólo cuando la levantó por encima de la cabeza Alice vio qué era.

Una piedra.

El golpe la hizo caer de rodillas. Inclinada sobre el suelo, con la vista casi nublada y las piernas entumecidas. No sintió dolor, sólo la estúpida incredulidad de que él la había golpeado. Empezó a arrastrarse, pero no podía ver adónde se dirigía. Entonces Elijah la agarró de los tobillos y tiró de ella hacia atrás. La cara le golpeó contra el suelo mientras él la arrastraba por los pies. Alice intentó patear para liberarse, intentó gritar, pero la boca se le llenó de tierra y de ramitas a medida que él la llevaba hacia el pozo. Justo en el momento en que sus pies cayeron por el borde, se aferró al retoño de un arbusto y detuvo la caída. Las piernas le colgaban dentro del agujero.

—Suéltalo, Alice —dijo él.

—¡Súbeme! ¡Súbeme!

—He dicho que lo sueltes.

Elijah levantó una piedra y la dejó caer sobre la mano de ella.

Alice soltó un alarido, perdió la rama y se deslizó hasta aterrizar sobre un lecho de hojas muertas.

—Alice. Alice.

Atontada por la caída, miró el círculo de cielo que se recortaba arriba y divisó la silueta de la cabeza de Elijah inclinado hacia delante, atisbando para verla.

—¿Por qué me haces esto? —inquirió ella entre sollozos—. ¿Me puedes decir por qué?

—No es nada personal. Sólo quiero ver cuánto tiempo tarda. Siete meses para un gatito. ¿Cuánto crees que tardarás tú?

—¡No puedes hacerme esto!

—Adiós, Alice.

—¡Elijah! ¡Elijah!

Vio cómo las tablas de madera tapaban la abertura, eclipsando el círculo de luz. Su último atisbo del cielo se desvaneció. «Esto no es real», pensó. «Es una broma. Sólo pretende asustarme. Me dejará aquí abajo sólo unos minutos y luego volverá para sacarme. Claro que volverá.»

Entonces oyó que algo golpeaba sobre la cubierta del pozo. «Piedras. Está apilando piedras.»

Alice se levantó e intentó escalar fuera del hoyo. Encontró el resto de una enredadera seca, que de inmediato se desintegró entre sus manos. Dio arañazos en la tierra, pero no consiguió encontrar un sitio donde agarrarse, no podía siquiera subir un palmo sin caer otra vez. Sus gritos taladraron la oscuridad.

—¡Elijah! —chilló.

La única respuesta que obtuvo fueron los golpes de las piedras al caer sobre la madera.

Pesez le matin que vous n'irez peut-être pas jusqu'au soir,
Et au soir que vous n'irez peut-être pas jusqu'au matin.

(Reflexiona por la mañana que quizá no llegues a la noche,
y por la noche que tal vez no llegues a mañana.)

PLACA ESCULPIDA EN LAS CATACUMBAS DE PARÍS

Una hilera de calaveras relucía en lo alto del muro de fémures y tibias apilados de manera confusa. A pesar de que era junio y la doctora Maura Isles sabía que en las calles de París, veinte metros más arriba, brillaba el sol, sintió un escalofrío al avanzar por el oscuro corredor cuyas paredes estaban forradas de restos humanos casi hasta el techo. A pesar de estar familiarizada con la muerte, incluso tutearse con ella, de haberse enfrentado con ella en múltiples ocasiones sobre la mesa de autopsias, se quedó anonadada ante la magnitud de esa exhibición, ante la cantidad de huesos almacenados en aquella red de túneles debajo de la Ciudad Luz. La excursión de un kilómetro le había permitido ver sólo una pequeña parte de las catacumbas. Prohibidos a los turistas, había numerosos túneles secundarios y cámaras repletas de huesos, con sus oscuras bocas abiertas seductoramente tras las rejas cerradas con candado. Allí estaban los restos de seis millones de parisienses que en el pasado habían sentido el sol en sus caras, que habían experimentado el hambre, la sed y el amor, que habían sentido en su pecho los latidos del propio corazón, la ráfaga del aire al entrar y salir de sus pulmones. Tal vez nunca llegaran a imaginar que un día desenterrarían sus huesos de su lugar de reposo en el cementerio y los trasladarían a aquel lóbrego osario debajo de la ciudad.

Que algún día los exhibirían para que grupos de turistas los contemplasen embobados.

Ciento cincuenta años atrás, con el fin de dejar espacio a la continua afluencia de muertos en los abarrotados cementerios de París, habían desenterrado los esqueletos y los habían trasladado a la enorme colmena que formaban las antiguas canteras de piedra caliza que se extendían debajo de la ciudad. Los peones que trasladaron los esqueletos no los habían amontonado de cualquier manera; habían realizado su macabra tarea con sentido artístico, apilándolos de modo que adoptaran formas caprichosas. Al igual que albañiles esmerados, habían levantado altos muros decorados con capas alternas de calaveras y huesos largos, transformando la descomposición en manifestación artística. Y habían colgado placas grabadas con citas sombrías, recordatorio para todos los que recorrían aquellos pasillos de que nadie escapa a la muerte.

Una de aquellas placas captó la atención de Maura y se detuvo entre la marea de turistas para leer lo que decía. Mientras se esforzaba por traducir las palabras utilizando el vacilante francés que había aprendido en el instituto, oyó el discordante sonido de risas de niños en los oscuros pasillos y el acento nasal de un hombre de Texas que murmuraba a su esposa:

—¿Puedes creer que exista un sitio así, Sherry? Me pone carne de gallina...

La pareja de Texas se alejó y sus voces se extinguieron en el silencio. Por un momento, Maura se quedó a solas en la cámara, respirando el polvo de los siglos. Bajo la tenue penumbra de la luz del túnel, el moho había crecido entre las calaveras, cubriéndolas con una capa verdosa. En la frente de una de ellas, como una especie de tercer ojo, se abría el agujero de una bala.

«Sé cómo te llegó la muerte.»

El frío de los túneles se le había filtrado en los huesos, pero no se movió, decidida a traducir aquella placa, a sofocar el horror acometiendo esa tarea intelectual inútil. «Vamos, Maura. ¿Tres años de francés en el instituto y no puedes descifrar esto?» En aquellos momentos se había convertido ya en un reto personal, que mantenía a raya todas las ideas sobre la mortalidad. Entonces las palabras adquirieron significado y Maura sintió que se le helaba la sangre...

Dichoso aquel que siempre se enfrenta a la hora de su muerte y todos los días se prepara para su fin.

De pronto fue consciente del silencio. No había voces, ni eco de pasos. Dio media vuelta y abandonó aquella lóbrega cámara. ¿Cómo había podido quedarse tan rezagada de los demás turistas? Estaba sola en el túnel, a solas con los muertos. Pensó en repentinos apagones de luz, en deambular por el camino equivocado en medio de la más absoluta oscuridad. Había oído comentar que, un siglo atrás, unos trabajadores parisienses se habían extraviado en aquellas catacumbas y habían muerto de hambre. Apresuró el paso, ansiosa por alcanzar al resto del grupo, por unirse a la compañía de los vivos. Sintió que el apremio de la muerte era demasiado cercano en aquellos túneles. Pensó que las calaveras la miraban con resentimiento; que eran un coro de seis millones recriminándole su curiosidad morbosa.

Hubo una vez en que estuvimos tan vivos como tú. ¿Crees poder escapar al futuro que aquí contemplas?

Cuando por fin salió de las catacumbas y llegó a la zona soleada de la calle Remy Dumoncel, respiró profundas bocanadas de aire. Por una vez agradeció el ruido del tráfico, las prisas de la gente, como si se le acabara de conceder una segunda oportunidad de vivir. Los colores le parecieron más brillantes, los rostros más afables. «Mi último día en París», pensó, «y sólo ahora aprecio de veras la belleza de esta ciudad.» Pasó gran parte de la semana anterior encerrada en salas de reuniones, asistiendo a la Conferencia Internacional de Patología Forense. Había dispuesto de muy poco tiempo para visitar la ciudad y hasta las excursiones programadas por los organizadores de la conferencia estaban relacionadas con la muerte y las enfermedades: el museo de la Historia de la Medicina, el antiguo anfiteatro de la Escuela de Cirugía.

Las catacumbas.

De todos los recuerdos que se iba a llevar de París, resultaba irónico que el más intenso fuera el de restos humanos. «Eso no es saludable», pensó mientras permanecía en la terraza de un café, saboreando la última taza de café exprés y una tartita de fresas. «Dentro de dos días estaré de regreso en mi sala de autopsias, rodeada de acero inoxidable, aislada de la luz del sol. Respiraría sólo aire frío, filtrado, procedente de los aparatos de refrigeración. Este día semejará un recuerdo del paraíso.»

Se tomó su tiempo para grabar aquellos recuerdos. El olor del café, el sabor de la pasta mantecosa. Los pulcros hombres de negocios con el móvil pegado a la oreja, los complicados nudos de las pañoletas que revoloteaban en torno al cuello de las mujeres. Se entretuvo con la fantasía que sin duda había rondado por la cabeza de todos los estadounidenses que alguna vez habían visitado París: «¿Qué pasaría si perdiera el avión, si me quedara aquí, en este café, en esta espléndida ciudad, para el resto de mi vida?».

Sin embargo, al final se levantó de la mesa y paró un taxi para que la llevara al aeropuerto. Al final se alejó de la fantasía, de París, pero sólo con la promesa de que algún día volvería. Lo malo es que no sabía cuándo.

El vuelo de regreso a su país llevaba tres horas de retraso. Habría podido pasar esas tres horas paseando junto al Sena, pensó mientras aguardaba contrariada en el aeropuerto Charles de Gaulle. Tres horas en las que habría podido deambular por el Marais o curiosear por Les Halles. En cambio, estaba atrapada en un aeropuerto tan abarrotado de viajeros que no encontraba sitio donde sentarse. Cuando por fin subió a bordo del avión de Air France, se sentía cansada y dominada por el malhumor. Un vaso de vino con la cena que les sirvieron fue lo único que necesitó para quedarse profundamente dormida, sin soñar.

No despertó hasta que el avión empezaba a descender sobre Boston. Le dolía la cabeza y el sol poniente fulguró en el interior de sus ojos. El dolor de cabeza se intensificó mientras aguardaba en la recogida de equipajes, examinando maleta tras maleta, ya que ninguna de las que se deslizaban por la cinta era la suya. Más tarde, mientras hacía cola para rellenar el formulario reclamando el equipaje extraviado, el dolor se intensificó y se convirtió en martilleo implacable. Había oscurecido cuando subió al taxi sin más equipaje que el de mano. Lo único que ansiaba era un baño caliente y una

27

generosa dosis de Advil. Se hundió en el asiento trasero del taxi y de nuevo se refugió en el sueño.

El brusco frenazo del coche la despertó.

—¿Qué ocurre ahí? —oyó que decía el taxista.

Maura se enderezó y, a través de los ojos legañosos, observó las centelleantes luces azules. Necesitó un segundo para identificar lo que estaba viendo. Entonces comprendió que habían doblado por la calle donde vivía y se sentó erguida, repentinamente alerta, alarmada por lo que veía. Había cuatro coches patrulla de la policía de Brookline aparcados; las luces del techo cercenaban la oscuridad.

—Parece que hubiera alguna emergencia —comentó el taxista—. Ésta es su calle, ¿verdad?

—Y aquella de allí es mi casa. Hacia la mitad de la manzana.

—¿Donde están los coches de la policía? No creo que nos dejen pasar.

Como para confirmar las palabras del conductor, se acercó un agente haciendo señas de que dieran media vuelta. El taxista sacó la cabeza por la ventanilla.

—Traigo aquí una pasajera a quien debo dejar. Vive en esta calle.

—Lo siento, amigo. Toda la manzana está acordonada.

Maura se inclinó hacia delante y le dijo al chófer:

—Oiga, yo me bajo aquí.

Le tendió el importe del trayecto, cogió el equipaje de mano y bajó del taxi. Poco antes se había sentido torpe y embotada, ahora incluso la cálida noche de julio parecía haberse cargado de electricidad con la tensión. Avanzó por la acera; la sensación de ansiedad era cada vez mayor a medida que se acercaba a la concentración de curiosos, al descubrir que todos los vehículos oficiales estaban aparcados delante de su casa. ¿Le habría ocurrido algo a alguno de los vecinos?

Un montón de posibilidades terribles cruzaron por su mente. Suicidio. Homicidio. Pensó en el señor Telushkin, un hombre soltero, ingeniero de robótica, que vivía en la casa de al lado. ¿No tenía un aspecto llamativamente melancólico la última vez que lo vio? Pensó también en Lily y en Susan, sus vecinas del otro lado, dos abogadas lesbianas cuyo activismo en defensa de los derechos de los gays las convertía en objetivos destacados. En ese instante divisó a Lily y a Susan, de pie al lado de los curiosos, las dos vivas y coleando; su preocupación volvió al señor Telushkin, a quien no veía entre los espectadores.

Lily miró de soslayo y vio que Maura se acercaba. No la saludó con la mano; se quedó mirándola sin decir nada, antes de dar un fuerte codazo a Susan. Ésta se volvió y, al ver a Maura, se quedó boquiabierta. Todos los vecinos se volvieron a mirarla. Y en todos los rostros, asombro. La perplejidad era evidente.

«¿Por qué me miran?», se preguntó Maura. «¿Qué habré hecho?»

—¿Doctora Isles? —Había un policía de Brookline a su lado, con la boca abierta—. Es... Es usted, ¿verdad? —preguntó.

Bueno, la pregunta era una estupidez, pensó.

—Aquélla es mi casa. ¿Qué ocurre, agente?

El policía dejó escapar una aguda exhalación.

—Yo... Creo que será mejor que me acompañe.

La cogió del brazo y la guió entre la gente. Los vecinos se apartaban solemnes ante ella, como si dejaran paso a un condenado. Su silencio resultaba escalofriante, el único ruido era el crepitar de las emisoras de la policía. Llegaron ante la barrera de cinta amarilla de la policía, que colgaba entre diversas estacas, algunas clavadas en el patio delantero del señor Telushkin. «Está orgulloso de su jardín, y esto no le hará ninguna gracia», fue su primer pensamiento, del todo disparatado. El policía levantó la cinta y ella se agachó para pasar por debajo, cruzando lo que comprendió que era el escenario de un crimen.

Supo que era el escenario de un crimen porque en el centro distinguió una silueta familiar. Incluso desde el otro lado del césped, Maura reconoció a la detective de homicidios Jane Rizzoli. Embarazada de ocho meses, la pequeña Rizzoli parecía una pera madura embutida en un traje pantalón. Su presencia era otro detalle que la desconcertaba. ¿Qué hacía en Brookline una detective de Boston, fuera de su jurisdicción habitual? Rizzoli no vio acercarse a Maura; tenía fija la mirada en un coche aparcado en la acera, frente a la casa del señor Telushkin. Claramente alterada, sacudía la cabeza y los oscuros rizos le salían disparados con el desorden habitual.

Fue el colega de Rizzoli, el detective Barry Frost, quien vio primero a Maura. La miró, luego miró hacia otro lado y, acto seguido, como si lo hubiera vuelto a pensar, la miró de nuevo. Sin decir palabra, tiró del brazo de su colega.

Rizzoli se quedó muda, y los destellos estroboscópicos de las luces azules de los coches patrulla iluminaron su expresión de incredulidad. Como si estuviera en trance, empezó a caminar hacia Maura.

—¿Doc? —preguntó Rizzoli, a media voz—. ¿Eres tú?

—¿Quién iba a ser, si no? ¿Por qué todo el mundo me lo pregunta? ¿Por qué me miráis como si fuese un fantasma?

—Porque... —Rizzoli se interrumpió y sacudió la cabeza, haciendo oscilar los indómitos bucles—. Dios, por un instante he pensado que sí, que eras un fantasma.

—¿Por qué?

Rizzoli se volvió y llamó:

—¡Padre Brophy!

Maura no había visto al clérigo, que se mantenía apartado en la periferia. Entonces salió de entre las sombras, el alzacuello era un destello blanco sobre la garganta. Su rostro, por lo general atractivo, parecía demacrado, la expresión anonadada. «¿Por qué está aquí Daniel?» No era habitual que llamaran a un sacerdote al escenario del crimen, a no ser que algún familiar de la víctima necesitara consuelo. Y su vecino, el señor Telushkin, no era católico sino judío. No había razón alguna para que llamaran a un clérigo.

—Por favor, padre, ¿podría acompañarla dentro de la casa? —le pidió Rizzoli.

—¿Alguien va a decirme qué ocurre? —inquirió Maura.

—Ve adentro, Doc. Por favor. Ya te lo explicaremos después.

Maura sintió el brazo de Brophy en torno a la cintura, su firme presión comunicándole que aquél no era el momento para resistirse. Dejó que él la guiara hacia la puerta de entrada y advirtió la secreta emoción del estrecho contacto entre los dos, el calor de su cuerpo pegado al de ella. Era tan consciente de que él permanecía a su lado, que las manos se le enredaron al meter la llave en la cerradura. A pesar de que ambos eran amigos desde hacía meses, nunca había invitado a Daniel Brophy a entrar en su casa; y la reacción ante su presencia en aquellos momentos fue un recordatorio de por qué había mantenido con tanto cuidado la distancia entre los dos. Entraron y se dirigieron a la sala, donde las luces estaban ya encendidas gracias a un temporizador automático. Maura se detuvo un momento junto al sofá, indecisa acerca de qué debía hacer.

Fue el padre Brophy quien tomó la iniciativa.

—Siéntate —le dijo, indicando el sofá—. Te traigo algo para beber.

—En mi casa eres el invitado; debería ser yo quien te ofreciera algo de beber —dijo ella.

—En estas circunstancias, no.

—Ni siquiera sé cuáles son «estas circunstancias».

—La detective Rizzoli te lo explicará.

El padre Brophy salió de la sala y regresó con un vaso de agua: no era la bebida que ella hubiese elegido para aquel momento, pero no consideró apropiado pedirle a un sacerdote que le trajera una botella de vodka. Tomó un sorbo de agua y sintió cierto desasosiego bajo la mirada de él. Brophy se sentó en el sillón frente a ella, mirándola como si temiera que fuera a desvanecerse.

Entonces oyó que Rizzoli y Frost entraban en la casa y murmuraban algo con una tercera persona en el vestíbulo, una voz que Maura no reconoció. «Secretos», pensó. «¿Por qué secretea todo el mundo? ¿De qué quieren que no me entere?»

Alzó la mirada cuando los dos detectives entraron en la sala de estar. Con ellos iba un hombre, que se presentó como el detective Eckert, de Brookline, nombre que con toda probabilidad olvidaría al cabo de pocos minutos. Dedicó toda su atención a Rizzoli, con quien había trabajado con anterioridad. Una mujer que le caía muy bien y además respetaba.

Los detectives se sentaron en distintas sillas, Rizzoli y Frost frente a Maura, al otro lado de la mesita de centro. Maura se sintió superada en número: cuatro contra uno, la mirada de todos fija en ella. Frost sacó el bloc de notas y el bolígrafo. ¿Por qué se disponía a tomar notas? ¿Por qué tenía la sensación de que era el inicio de un interrogatorio?

—¿Qué tal estás, Doc? —preguntó Rizzoli. Estaba tan atónita que hablaba con un hilo de voz.

Maura rió ante la trivialidad de la pregunta.

—Estaría mucho mejor si supiera qué sucede.

—¿Puedo preguntarte dónde has estado esta noche?

—Venía del aeropuerto.

—¿Qué hacías en el aeropuerto?

—Acabo de llegar de París. Salí del Charles de Gaulle. Ha sido un vuelo largo, y no me siento con ánimos para contestar una veintena de preguntas.

—¿Cuánto tiempo has estado en París?

—Una semana. Me marché el miércoles pasado. —Maura creía haber detectado cierto matiz incriminatorio en la brusquedad de las preguntas de Rizzoli y su irritación se estaba transformando en cólera—. Si no me crees, puedes preguntárselo a Louise, mi secretaria. Es quien me hizo la reserva de los vuelos. Viajé allí para asistir a una reunión...

—A la Conferencia Internacional de Patología Forense. ¿Es así?

Maura se quedó desconcertada.

—¿Ya lo sabías?

—Nos lo ha dicho Louise.

«Han estado preguntando cosas de mí. Han hablado con mi secretaria incluso antes de que yo llegase a casa.»

—Nos dijo que tu avión debía aterrizar en Logan a las cinco de la tarde —añadió Rizzoli—. Ahora son casi las diez. ¿Dónde has estado?

—Salimos con retraso del Charles de Gaulle. Algo relacionado con medidas de seguridad extraordinarias. Las líneas aéreas se están volviendo tan paranoicas que fue una suerte despegar con sólo tres horas de retraso.

—¿Así que salisteis con tres horas de retraso?

—Es lo que acabo de decir.

—¿A qué hora aterrizasteis?

—No lo sé. En torno a las ocho y media.

—¿Y has necesitado una hora y media para llegar a casa desde Logan?

—Mi maleta no apareció. He tenido que rellenar los impresos de reclamación de Air France. —Maura se interrum-

pió, de repente había llegado al límite—. ¡Maldita sea! Oye,
¿a qué viene todo esto? Antes de contestar a más preguntas
tengo derecho a saber qué ocurre. ¿Me estáis acusando de
algo?

—No, Doc. No te acusamos de nada. Sólo tratamos de
ajustar horarios.

—¿Horarios de qué?

—¿Ha recibido amenazas, doctora Isles? —le preguntó
Frost.

—¿Cómo? —Maura le miró perpleja.

—¿Conoce a alguien que quisiera hacerle daño?

—No.

—¿Está segura?

Maura soltó una risa de contrariedad.

—Bueno, ¿hay alguien que pueda estar seguro de algo?

—Debes de haber tenido algunos casos en los tribunales
donde tu testimonio ha fastidiado a alguien —apuntó Rizzoli.

—Sólo si se sienten fastidiados por la verdad.

—En los tribunales se ganan enemigos. Tal vez hayas ayudado a condenar a alguien.

—Estoy segura de que tú también, Jane. Por el simple
hecho de hacer tu trabajo.

—¿Has recibido alguna amenaza específica? ¿Cartas o
llamadas telefónicas?

—El número de mi teléfono no figura en la guía. Y Louise
nunca da mi dirección.

—¿Y qué me dices de las cartas que te envían al centro
de medicina forense?

—De vez en cuando se recibe alguna carta extraña. Todos
las recibimos.

—¿Extraña?

—La gente escribe sobre extraterrestres del espacio o

conspiraciones. O nos acusa de intentar encubrir la verdad a propósito de determinada autopsia. Nos limitamos a guardar esas cartas en el archivo de los chiflados. A no ser que se trate de una amenaza verosímil, en cuyo caso las enviamos a la policía.

Maura vio que Frost garabateaba algo en su bloc de notas y se preguntó qué estaría escribiendo. A esas alturas ya no estaba enfadada, sólo ansiaba alargar la mano por encima de la mesita de centro y arrancarle el bloc de las suyas.

—Doc —dijo Rizzoli, con voz suave—, ¿tienes una hermana?

La pregunta, formulada de forma tan imprevista, sobresaltó a Maura que, olvidando de repente su irritación, miró a la detective.

—¿Cómo dices?

—¿Tienes una hermana?

—¿Por qué preguntas eso?

—Porque necesito saberlo.

Maura soltó un profundo suspiro.

—No, no tengo ninguna hermana. Y sabes muy bien que soy adoptada. ¿Cuándo diablos vas a decirme a qué viene todo esto?

Rizzoli y Frost se miraron.

Frost cerró el bloc de notas.

—Supongo que ha llegado el momento de enseñárselo.

Rizzoli se encaminó hacia la puerta de entrada. Maura salió a la calle y se encontró en la cálida noche de verano, iluminada como un vistoso carnaval por las luces centelleantes de los coches patrulla. El cuerpo todavía le funcionaba con el horario de París, donde en aquellos momentos eran las cuatro de la madrugada. Lo veía todo como a través de la neblina del agotamiento en esa noche tan surrealista como un mal sueño.

En cuanto salió de la casa, todos los rostros se volvieron a mirarla. Vio que sus vecinos, concentrados al otro lado de la calle, la observaban desde detrás de la cinta que delimitaba el escenario del crimen. En calidad de médico forense, estaba habituada a ser objeto de la atención general, a que tanto la policía como los medios de comunicación siguieran cada uno de sus movimientos. Pero esa noche la atención era en cierto modo distinta; más impertinente, atemorizante incluso. Se alegró de tener a Rizzoli y a Frost a su lado, como si la amparasen de las miradas curiosas, a medida que avanzaba por la acera en dirección al Ford Taurus oscuro aparcado junto al bordillo, delante de la casa del señor Telushkin.

Maura no reconoció el coche, pero sí al hombre barbudo que estaba al lado con las recias manos embutidas dentro de guantes de látex. Era el doctor Abe Bristol, su colega del centro forense. Abe era un hombre de buen apetito y el contorno de su cintura reflejaba afición a alimentos sustanciosos; el vientre le caía por encima del cinturón con toda su fofa abundancia. Fijó los ojos en Maura y exclamó:

—¡Dios, sí que es extraño! Habría podido engañarme. —Señaló el coche con la cabeza. Confío en que estés preparada para esto, Maura.

«¿Preparada para qué?»

Maura miró el Taurus aparcado. Entre los haces de las linternas vio a contraluz la silueta de una persona caída sobre el volante. Salpicaduras negras oscurecían el parabrisas. «Sangre.»

Rizzoli enfocó la linterna hacia la puerta del pasajero. Al principio, Maura no entendió qué se suponía que debía mirar, aún mantenía centrada su atención en el parabrisas manchado de sangre y en el ocupante en tinieblas del asiento del conductor. Entonces vio lo que la linterna de la detective iluminaba. Justo debajo de la manecilla de la puerta había tres arañazos paralelos, profundamente grabados en el acabado de la pintura del coche.

—Parece la marca de una zarpa —comentó Rizzoli, curvando los dedos como si quisiera dar un arañazo.

Maura examinó las marcas. «No es ninguna zarpa», pensó, al tiempo que un escalofrío le recorría la espalda. «Es la garra de un ave de rapiña.»

—Acércate al lado del conductor —indicó Rizzoli.

Maura no hizo preguntas mientras seguía a la detective por detrás del Taurus.

—Matrícula de Massachusetts —dijo Rizzoli al barrer con el haz de la linterna el parachoques trasero.

Pero era sólo un detalle dicho de paso. La detective siguió hasta la puerta del conductor. Allí se detuvo y se volvió a Maura.

—Esto es lo que tanto nos ha impresionado —explicó, mientras dirigía el foco al interior del coche.

El rayo de luz cayó de lleno sobre el rostro de la mujer, que miraba hacia la ventanilla. Tenía la mejilla derecha apoyada en el volante y mantenía los ojos abiertos.

Maura fue incapaz de pronunciar palabra. Miró pasmada la piel marfileña, el cabello negro, los labios carnosos y ligeramente separados, como paralizados por la sorpresa. Se tambaleó hacia atrás, las piernas le flaquearon, y tuvo la vertiginosa sensación de que se alejaba flotando, como si el cuerpo se liberara del anclaje de la tierra. Alguien la agarró del brazo, sosteniéndola. Era el padre Brophy, que estaba justo detrás de ella. Maura ni siquiera había advertido que estuviera allí.

Entonces comprendió por qué todos se habían sorprendido al verla llegar. Observó el cadáver del interior del coche con el rostro iluminado por la luz que proyectaba la linterna de Rizzoli.

«Soy yo. Esa mujer soy yo.»

2

Maura permanecía sentada en el sofá, dando pequeños sorbos de vodka con soda mientras los cubitos de hielo tintineaban contra el vaso. Al diablo con el agua. Aquel susto requería una medicina más contundente y el padre Brophy era lo bastante comprensivo para prepararle una bebida más fuerte, de modo que se la había dado sin hacer ningún comentario. Verse a sí misma muerta no era algo que sucediera todos los días. No ocurría todos los días que te acercaras al escenario de un crimen y te encontraras sin vida a tu doble.

—Es sólo una coincidencia —murmuró—. Esa mujer se parece a mí, eso es todo. Muchas mujeres tienen el cabello negro. Y su cara... ¿Cómo puedes ver con claridad su cara en ese coche?

—No sé, Doc —dijo Rizzoli—. La semejanza es bastante aterradora.

La detective se dejó caer en el sillón y soltó un gemido cuando los almohadones engulleron su pesado cuerpo de embarazada. Pobre Rizzoli, pensó Maura. En el octavo mes de embarazo, las mujeres no deberían verse obligadas a investigar un homicidio.

—Su estilo de peinado es distinto —dijo Maura.

—Lleva el cabello algo más largo, eso es todo.

—Yo llevo flequillo y ella no.

—¿No crees que es un detalle superficial? Mira su rostro. Podría ser tu hermana.

—Espera a verla con más luz. Es posible que no se me parezca en absoluto.

—La semejanza es evidente, Maura —intervino el padre Brophy—. Todos lo vimos. Es tu vivo retrato.

—Además, está dentro de un coche en tu vecindario —dijo Rizzoli—. Aparcado casi delante de tu casa. Y tenía esto en el asiento de atrás.

La detective levantó una bolsa de pruebas. A través del plástico transparente, Maura vio que contenía un artículo recortado de *The Boston Globe*. El titular era bastante grande para que pudiera leerlo incluso desde el otro lado de la mesita de centro.

EL BEBÉ DE LOS RAWLIN ERA UNA CRIATURA MALTRATADA, DECLARA LA MÉDICA FORENSE.

—Es una foto tuya, Doc —añadió Rizzoli—. Y en el pie de la foto pone: «La médica forense doctora Maura Isles abandona el juzgado después de declarar en el juicio de los Rawlin». —Se volvió de nuevo hacia Maura—. La víctima tenía esto en su coche.

Maura sacudió la cabeza.

—¿Por qué?

—Es la pregunta que todos nos hacemos.

—El juicio de los Rawlin... eso fue hace casi dos semanas.

—¿Recuerdas haber visto a esta mujer en la sala de justicia?

—No, nunca la había visto.

—Pero es indudable que ella sí te vio. Al menos en el

periódico. Y luego se presenta aquí. ¿Te buscaba? ¿Te vigilaba?

Maura se quedó mirando la bebida. El vodka le provocaba la sensación de que la cabeza le flotara. Pensó que no hacía siquiera veinticuatro horas estaba paseando por las calles de París, disfrutando del sol, saboreando los olores que emanaban de las cafeterías. «¿Cómo he podido dar un cambio tan brusco para caer en esta pesadilla?»

—¿Tienes algún arma, Doc? —preguntó Rizzoli.

Maura se puso rígida.

—¿A qué viene esa pregunta?

—No, no te acuso de nada. Sólo quiero saber si tienes algo para defenderte.

—No, no tengo armas. He visto los daños que pueden provocar en un cuerpo humano. No quiero ninguna en casa.

—Está bien. Sólo era una pregunta.

Maura dio otro sorbo al vodka; necesitaba el valor de la bebida para la siguiente pregunta.

—¿Qué habéis averiguado de la víctima?

Frost sacó el bloc de notas y pasó las hojas como un oficinista puntilloso. En muchos aspectos, Barry Frost le recordaba a Maura al funcionario de suaves modales, con su pluma siempre a punto.

—Según su permiso de conducir, se llama Anna Jessop, de cuarenta años, con una dirección de Brighton.

Maura levantó la cabeza.

—Eso es a pocos kilómetros de aquí.

—La residencia está en un edificio de pisos. Sus vecinos no saben gran cosa de ella. Todavía estamos intentando ponernos en contacto con la casera para que nos deje entrar en el inmueble.

—¿Te suena el apellido Jessop? —preguntó Rizzoli.

Negó con un movimiento de cabeza.

—No conozco a nadie con ese apellido.

—¿Conoces a alguien en Maine?

—¿Por qué lo preguntas?

—Llevaba una multa por exceso de velocidad en el bolso. Parece que la policía la paró hará dos días. Conducía hacia el sur por la autopista de peaje de Maine.

—No conozco a nadie allí. —Respiró hondo antes de preguntar—: ¿Quién la ha encontrado?

—Nos avisó tu vecino, el señor Telushkin —explicó Rizzoli—. Estaba paseando a su perro cuando descubrió el Taurus aparcado sobre el bordillo de la acera.

—¿A qué hora fue eso?

—Alrededor de las ocho.

«Claro», pensó Maura. El señor Telushkin paseaba su perro a la misma hora todas las noches. Los ingenieros eran así, precisos y previsibles. Pero esa noche se había encontrado con lo imprevisible.

—¿Y no había oído nada? —preguntó Maura

—Dice que unos diez minutos antes oyó lo que pensó que era el tubo de escape de un coche. Pero no vio lo ocurrido. Después encontró el Taurus y telefoneó al nueve, uno, uno. Informó que alguien acababa de disparar a su vecina, la doctora Isles. Los primeros en acudir fueron la policía de Brookline junto con el detective Eckert. Frost y yo llegamos alrededor de las nueve.

—¿Por qué? —inquirió Maura: por fin la pregunta que se le había ocurrido apenas vio a Rizzoli de pie en el césped frente a su casa—. ¿Por qué habéis venido a Brookline? No es vuestro territorio.

Rizzoli miró al detective Eckert.

—Ya sabe —dijo éste, algo cohibido—, el año pasado sólo tuvimos un homicidio en Brookline. Dadas las circunstancias, pensamos que lo más razonable era llamar a Boston.

Sí, era lo más razonable, pensó Maura. Brookline era poco más que un suburbio dormitorio atrapado dentro de la ciudad de Boston. El año anterior, el departamento de policía de Boston había investigado sesenta homicidios. La práctica conducía a la perfección, tanto por lo que se refería a las investigaciones de un asesinato como a cualquier otra cosa.

—De todos modos, para este caso habríamos venido —dijo Rizzoli—. Después de saber quién era la víctima. O quién pensábamos que era. —Hizo una breve pausa. Debo reconocer que en ningún momento se me ha ocurrido imaginar que no fueras tú. Bastaba echar un vistazo a la víctima para dar por sentado que...

—A todos nos pasó lo mismo —intervino Frost.

Se produjo un silencio.

—Sabíamos que debías llegar de París esta tarde —dijo Rizzoli—. Es lo que nos dijo tu secretaria. Lo único que no tenía sentido para nosotros era el coche. El hecho de que estuvieras al volante de un coche registrado a nombre de otra mujer.

Maura apuró el vaso y lo depositó en la mesita auxiliar. Una copa era todo cuanto podría aguantar esa noche. Ya notaba adormecidas las piernas y tenía dificultades para concentrarse. La sala se había difuminado hasta convertirse en un trazo confuso, las lámparas lo envolvían todo con un cálido resplandor. «Esto no es real», pensó. «Estoy dormida en un avión que sobrevuela algún lugar del Atlántico. Al despertar descubriré que acabo de aterrizar. Que nada de esto ha sucedido.»

—Todavía no hemos averiguado nada sobre Anna Jessop —comentó Rizzoli—. Todo cuanto sabemos, lo que hemos visto con nuestros propios ojos, es que, sea quien sea ella, es idéntica a ti, Doc. Tal vez su pelo sea un poco más largo. Tal vez haya algunas diferencias aquí o allá. Pero lo esencial es que nos engañó. A todos. Y eso que nosotros te conocemos. —Hizo una pausa. Entiendes adónde quiero ir a parar con eso, ¿verdad?

Sí, Maura lo entendía, pero no quiso admitirlo. Se limitó a permanecer sentada con la vista fija en el vaso que había sobre la mesita. En los cubitos de hielo que se derretían.

—Si nos engañó a nosotros, pudo engañar a cualquier otro —dijo Rizzoli—. Incluso a quien le disparó esa bala a la cabeza. Fue justo antes de las ocho cuando tu vecino oyó la detonación. Ya había oscurecido. Y allí estaba ella, sentada en el interior de un coche aparcado a sólo unos metros de tu entrada. Cualquiera que la viera habría dado por sentado que eras tú.

—¿Piensas que el objetivo era yo? —preguntó Maura.

—Parece lógico, ¿no crees?

Maura negó con la cabeza.

—Nada de esto es lógico.

—Tienes un trabajo muy expuesto a la curiosidad del público. Testificas en los procesos de homicidio. Apareces en los periódicos. Eres la reina de los muertos.

—No me llames así.

—Es como te llaman todos los polis. Como te llama la prensa. Lo sabes, ¿no?

—Pero no significa que me guste el apodo. No lo soporto.

—Sin embargo, significa que no pasas inadvertida. No sólo por lo que haces sino también por tu aspecto. Sabes que los tíos reparan en ti, ¿verdad? Tendrías que ser ciega para no verlo. Una mujer atractiva siempre atrae la atención. ¿No es así, Frost?

Frost dio un respingo; era indudable que no esperaba que le pusieran en semejante compromiso y se le colorearon las mejillas. Pobre Frost, era tan fácil hacer que se ruborizara.

—Está en la naturaleza humana —reconoció.

Maura miró al padre Brophy, pero éste no le devolvió la mirada. Se preguntó si también él estaría sujeto a las mismas leyes de la atracción. Quería pensar que sí, quería creer que Daniel no era inmune a las mismas ideas que le recorrían la mente a ella.

—Una mujer bonita que está en el foco de la atención general —dijo Rizzoli—. La acechan y la atacan frente a su residencia. Ha ocurrido otras veces. ¿Cómo se llamaba aquella actriz de Los Ángeles? La que asesinaron.

—Rebecca Schaeffer —dijo Frost.

—Exacto. Y luego tenemos el caso de Lori Hwang aquí. ¿La recuerdas, Doc?

Sí, Maura la recordaba porque había hecho la autopsia de la presentadora del Canal Seis. Lori Hwang llevaba sólo un año en el puesto cuando la mataron de un disparo frente al estudio. Nunca se había dado cuenta de que la seguían. El asesino la había visto en la televisión y le había escrito algunas cartas como cualquier admirador. Y luego, un día, la esperó en la puerta del estudio. Cuando Lori salió y se dirigía hacia su coche, le disparó un tiro en la cabeza.

—Son los riesgos de trabajar de cara al público —comentó Rizzoli—. Nunca sabes quién te vigila al otro lado de las pantallas del televisor. Nunca sabes quién va en el coche de atrás cuando te diriges a casa por la noche, después del trabajo. Es algo en lo que ni siquiera pensamos, en que alguien nos sigue. Que fantasea sobre nosotras. —Rizzoli hizo una pausa, luego prosiguió en voz baja—. Yo misma lo he experimentado. Sé lo que significa ser el foco de la obsesión de alguien. No es que yo sea atractiva hasta ese punto, pero me ocurrió.

Levantó ambas manos, dejando ver las cicatrices que tenía en las palmas. El recuerdo permanente de su pelea con el hombre que en dos ocasiones había intentado quitarle la vida. Un hombre que aún vivía, si bien atrapado en un cuerpo de cuadripléjico.

—Por eso te he preguntado si habías recibido alguna carta extraña —explicó Rizzoli—. Pensaba en ella, en Lori Hwang.

—¿Detuvieron al asesino? —le preguntó el padre Brophy.

—Sí.

—¿Entonces no insinúa que se trata del mismo hombre?

—No. Sólo señalo los paralelismos. Un único tiro en la cabeza. Mujeres con un trabajo público. Eso da que pensar.

Rizzoli forcejeó para incorporarse. Le costó bastante esfuerzo salir del sillón. Frost se apresuró a ofrecerle la mano, pero ella hizo caso omiso. Aunque muy adelantada en su embarazo, no era de las que solicitaban ayuda. Se colgó el bolso al hombro y dirigió a Maura una mirada escrutadora.

—¿Prefieres quedarte en algún otro lugar esta noche?

—Ésta es mi casa. ¿Por qué voy a ir a otro sitio?

—Sólo era una pregunta. Supongo que no hace falta decirte que cierres con llave todas las puertas.

—Siempre lo hago.

Rizzoli se volvió hacia Eckert.

—¿Puede la policía de Brookline vigilar la casa?

Él asintió.

—Haré que una patrulla pase de vez en cuando.

—Aprecio la oferta —dijo Maura—. Muchas gracias.

Acompañó a los tres detectives hasta la puerta y se quedó observando mientras se dirigían a sus vehículos. Era más de medianoche. Fuera, la calle se había transformado de nuevo en el vecindario tranquilo que ella conocía. Los coches patrulla de la policía de Brookline ya se habían marchado y habían remolcado el Taurus hasta el laboratorio de investigación criminal. Incluso la cinta amarilla de la policía había desaparecido. «Por la mañana», pensó, «cuando despierte, voy a creer que he imaginado todo esto.»

Se volvió de cara al padre Brophy, que aún seguía de pie en el recibidor. Maura nunca se había sentido tan turbada ante su presencia como en aquel momento, los dos solos en la casa. Sin duda las posibilidades estaban en la mente de ambos. «¿O sólo en la mía? Por la noche, a solas en tu cama, ¿alguna vez has pensado en mí, Daniel? ¿De la misma forma que yo pienso en ti?»

—¿Seguro que estarás a salvo, aquí sola? —preguntó el padre Brophy.

—No me pasará nada.

«¿Y cuál es la alternativa? ¿Qué pases la noche aquí conmigo? ¿Es eso lo que me ofreces?»

Él se dirigió hacia la puerta.

—¿Quién te ha avisado, Daniel? —preguntó Maura—. ¿Cómo te has enterado?

El padre Brophy se volvió para mirarla.

—Por la detective Rizzoli. Me dijo que... —Se interrumpió—. Ya sabes, a menudo recibo llamadas así de la policía. Un muerto en la familia; a veces necesitan de un sacerdote. Siempre estoy dispuesto a responder. Pero esta vez... —Hizo una pausa—. Cierra las puertas con llave, Maura —dijo—. No quiero volver a pasar nunca una noche como ésta.

Maura le observó mientras salía de su casa y subía al coche. No puso el motor en marcha de inmediato; quería asegurarse de que ella entraba a salvo en la casa para pasar la noche.

Maura cerró la puerta y echó la llave.

Por la ventana de la sala de estar vio cómo se alejaba Daniel. Y por un instante se quedó mirando el bordillo vacío, sintiéndose de repente abandonada. En ese momento deseó poder llamarle para que regresara. Pero, ¿qué sucedería entonces? ¿Qué quería ella que sucediese entre los dos? Era preferible mantener a raya ciertas tentaciones, pensó. Escudriñó por última vez la oscura calle, luego se apartó de la ventana, consciente de que la luz de la sala la enmarcaba. Corrió las cortinas y fue de una habitación a otra para revisar las cerraduras y las ventanas. En aquella cálida noche de junio, por lo general habría dormido con la ventana del dormitorio abierta. Pero esa noche lo cerró todo y puso en marcha el aire acondicionado.

Se despertó temprano por la mañana, tiritando a causa del aire frío que salía por el conducto de ventilación. Había soñado con París. Que paseaba bajo un cielo azul, que pasaba ante cubos llenos de rosas y de lirios estrellados, y por un momento no recordó dónde estaba. «Ya no en París, sino en mi cama», pensó. «Y ha ocurrido algo terrible.»

Sólo eran las cinco de la mañana, y sin embargo se sintió despierta por completo. «En París son las once», pensó. «El sol brillaría y, de encontrarme aún allí, me habría tomado ya la segunda taza de café». Sabía que los efectos del cambio de horario la afectarían más tarde, que aquel estallido de energía temprano por la mañana se habría esfumado por la tarde, pero no podía obligarse a dormir más tiempo.

Se levantó y se vistió.

Frente a su casa, la calle tenía el mismo aspecto de siempre. Los primeros rayos del amanecer iluminaron el cielo. Observó que las luces se encendían en la casa de al lado, la del señor Telushkin. Era un hombre madrugador, por lo general salía para el trabajo una hora antes que ella; pero esa mañana había sido ella la primera en despertar, y contempló con ojos nuevos su vecindario. Vio que los aspersores automáticos del otro lado de la calle se ponían en marcha y que el agua siseaba trazando círculos sobre el césped. Vio pasar en bicicleta al muchacho que repartía los periódicos. Llevaba la gorra de béisbol con la visera vuelta hacia atrás. Oyó el golpe sordo de *The Boston Globe* al caer en el porche delantero. «Todo parece igual», pensó, «pero no lo es. La muerte ha visitado mi barrio, y todos los que viven aquí lo recordarán. Por las ventanas del frente mirarán la acera donde estaba aparcado el Taurus y se estremecerán al pensar en lo cerca que estuvo la muerte de rozar a uno de nosotros».

Los faros de un coche doblaron la esquina y el vehículo avanzó por la calle, aproximándose con lentitud a su casa. Un coche patrulla de la policía de Brookline.

«No, ya nada es igual», pensó mientras observaba pasar al patrullero.

Nada volvería a serlo.

Maura llegó al trabajo antes que su secretaria. A las seis estaba ya en su escritorio, revisando la larga pila de transcripciones e informes de laboratorio que se habían acumulado en la bandeja de asuntos pendientes durante la semana que había estado en la conferencia de París. Había revisado ya una tercera parte cuando oyó pasos. Levantó la vista y vio a Louise de pie en el umbral.

—¿Ya está aquí? —murmuró su secretaria.

Maura la saludó con una sonrisa:

—*Bonjour!* He pensado en venir temprano para echar una ojeada a todo este papeleo.

Louise la miró un momento, luego entró en el despacho y se sentó en la silla frente al escritorio de Maura, como si de repente se sintiera demasiado cansada para permanecer de pie. Aunque tenía cincuenta años, Louise siempre daba la sensación de que tenía el doble de energía que Maura, incluso a pesar de que ésta era diez años más joven. Sin embargo, aquella mañana el aspecto de Louise era de agotamiento,

tenía el rostro delgado y demacrado bajo la luz de los fluorescentes.

—¿Se encuentra bien, doctora Isles? —preguntó Louise,
sin levantar la voz.

—Estoy bien. Un poco bajo los efectos del *jet lag*.

—Me refiero a... después de lo que ocurrió anoche. El
detective Frost parecía tan seguro de que se trataba de usted,
en aquel coche...

Maura asintió, y la sonrisa se extinguió de su rostro.

—Fue como entrar en la Dimensión Desconocida, Louise. Llegar a casa y encontrar aquellos coches de la policía
delante de mi puerta.

—Fue terrible. Todos pensamos... —Louise tragó saliva
y bajó la mirada a su regazo—. Sentí un gran alivio cuando
el doctor Bristol me telefoneó anoche... para hacerme saber
que había sido una equivocación.

Se produjo un silencio cargado de reproches. De pronto, Maura comprendió que debería haber sido ella quien
telefoneara a su secretaria. Tendría que haber imaginado que
Louise estaría afectada y querría oír su voz. «Llevo tanto
tiempo viviendo sola y sin compromisos», pensó, «que ni
siquiera se me ocurrió que hay gente en el mundo a quien
puede interesarle lo que a mí me ocurra.»

Louise se levantó para salir.

—Me alegro mucho de verla de regreso, doctora Isles.
Sólo quería decirle eso.

—Louise.

—¿Sí?

—Le he traído un pequeño detalle de París. Sé que esto
suena a una disculpa poco convincente, pero está en mi maleta, y la compañía aérea la ha extraviado.

—Oh —rió Louise—. Bueno, si son bombones, no cabe la
menor duda de que mis caderas no los necesitan.

—No es nada calórico, se lo prometo. —Echó una ojeada al reloj que tenía encima del escritorio—. ¿No ha llegado todavía el doctor Bristol?

—Acaba de llegar. Le he visto en el aparcamiento.

—¿Sabe cuándo piensa hacer la autopsia?

—¿Cuál? Hoy tiene dos.

—La de la víctima del disparo de anoche. La mujer.

Louise le dirigió una intensa mirada.

—Creo que es la segunda.

—¿Han averiguado algo más acerca de ella?

—No lo sé. Tendrá que preguntárselo al doctor Bristol.

3

Aunque en su programa no tenía autopsias ese día, Maura bajó a las dos y se cambió para ponerse el uniforme de trabajo. Estaba sola en el vestuario de mujeres y se tomó su tiempo para quitarse la ropa de calle. Dobló la blusa y los pantalones, y los colocó en ordenado montoncito dentro de la taquilla. Notó crujiente la tela sobre la piel desnuda, como sábanas recién lavadas y encontró consuelo en la rutina familiar de atarse la cinta del pantalón y meter el cabello dentro del gorro. Se sintió acolchada y protegida por el algodón limpio y por el papel que desempeñaba con ese uniforme. Echó un vistazo al espejo, a un reflejo tan frío como el de una desconocida. Sintió todas las emociones blindadas contra su imagen. Abandonó los vestuarios, avanzó por el pasillo y empujó la puerta de acceso a la sala de autopsias.

Rizzoli y Frost ya estaban de pie junto a la mesa, ambos con bata y guantes, obstaculizándole con la espalda la vista de la víctima. El primero que vio a Maura fue el doctor Bristol. Estaba de cara a ella y su generosa barriga llenaba la bata de cirujano extra grande. La mirada del forense coincidió con la de Maura al entrar en la sala. Frunció el entrecejo por encima de la mascarilla, y Maura adivinó el interrogante en sus ojos.

—He pensado en darme una vuelta por aquí para presenciar ésta —comentó ella.

Entonces Rizzoli se volvió para mirarla. También ella frunció las cejas.

—¿Estás segura de que quieres estar presente?

—¿No sentirías tú curiosidad?

—Pero no estoy segura de que quisiera presenciarlo. ¿A ti te parece bien, Abe?

El doctor Bristol se encogió de hombros.

—Bueno, qué diablos, supongo que yo también sentiría curiosidad —dijo—. Únete al grupo.

Se colocó al lado de la mesa donde estaba Abe y, al ver por primera vez el cadáver sin obstáculos, la garganta se le secó. Había visto su cuota de horrores en aquel laboratorio, había contemplado la carne en todos sus estados de deterioro, cuerpos tan dañados por el fuego o por los traumatismos que apenas podría calificarlos de humanos. Pero la mujer que había encima de la mesa estaba, por lo que se refería a su experiencia, notablemente indemne. Le habían limpiado la sangre y la herida por donde había entrado la bala, en el lado izquierdo del cuero cabelludo, aparecía oculta por el negro cabello. El rostro no había sufrido daños, el torso estaba sólo estropeado por las manchas naturales de la piel. Había marcas recientes de pinchazos en la ingle y en el cuello, donde Yoshima, el ayudante del depósito de cadáveres, había sacado sangre para los análisis del laboratorio. Pero, salvo esos detalles, el torso estaba intacto: el escalpelo de Abe aún no había realizado una sola incisión. De haber tenido ya el pecho abierto y expuesta la cavidad, la vista del cadáver no habría sido tan inquietante. Los cadáveres abiertos eran anónimos. Los corazones, pulmones y bazos no eran más que órganos, tan carentes de individualidad que se podían trasplantar, como piezas de recambio de un automóvil, entre un cuerpo y otro. Pero aquella mujer todavía estaba entera y sus rasgos eran reconocibles de forma asombrosa. La noche anterior, Maura había visto el cuerpo vestido por completo y en sombras, iluminado sólo por el rayo de la linterna de Rizzoli. Ahora sus rasgos estaban expuestos con dureza a la luz de las lámparas de la mesa de autopsias, la ausencia de ropa revelaba el torso desnudo, y aquellos rasgos le resultaban algo más que familiares.

«Dios mío, es mi propia cara, mi propio cuerpo lo que hay encima de la mesa.»

Sólo ella sabía cuán exacto era el parecido. Nadie más en aquella sala había visto la forma de los pechos desnudos de Maura, la curva de sus muslos. Sólo conocían lo que ella les había permitido ver, su rostro, su cabello. Era imposible que supieran que las similitudes entre aquel cadáver y ella llegaban a la intimidad de los tonos castaño rojizo del vello púbico.

Observó las manos de la mujer, los dedos largos y estilizados como los de la propia Maura. Manos de pianista. Los dedos estaban ya manchados de tinta. También le habían hecho radiografías del cráneo y de la dentadura. Esta última radiografía estaba expuesta en la caja luminosa: dos blancas hileras de dientes relucían como en la mueca del gato de Cheshire. ¿Sería ése el aspecto de mi radiografía? ¿Somos idénticas incluso en el esmalte de nuestros dientes?

—¿Habéis averiguado algo más acerca de ella? —preguntó con un tono de voz que le sorprendió por su falsa tranquilidad.

—Todavía estamos comprobando el nombre de Anna Jessop —dijo Rizzoli—. Todo lo que tenemos hasta el momento es ese permiso de conducir de Massachusetts, expedido hace cuatro meses. En él pone que tiene cuarenta años, cabello negro, ojos verdes, mide un metro sesenta y nueve y pesa cincuenta y cinco kilos. —Rizzoli echó un vistazo al cadáver de encima de la mesa. Yo diría que concuerda con la descripción.

«Y yo también», pensó Maura. «Tengo cuarenta años y mido un metro sesenta y nueve. Sólo el peso es diferente. Yo peso cincuenta y siete.» Sin embargo, ¿qué mujer no mentiría sobre su peso para el permiso de conducir?

Observó en silencio cómo Abe completaba el examen externo. De vez en cuando efectuaba anotaciones sobre el diagrama impreso del cuerpo de una mujer. Herida de bala en la sien izquierda. Manchas naturales en el bajo torso y los muslos. La cicatriz de una apendicectomía. Luego dejó el bloc y se trasladó a los pies de la mesa para recoger muestras vaginales. Cuando Yoshima y él hicieron girar los muslos para exponer el perineo, la mirada de Maura se centró en el abdomen del cadáver. Se quedó mirando la cicatriz de la apendicectomía, una delgada línea blanca sobre la marfileña piel.

También yo tengo una.

Recogido el frotis, Abe se acercó a la bandeja del instrumental y cogió el escalpelo.

Observar el primer corte fue casi insoportable. De hecho, Maura se llevó la mano al pecho como si sintiera la hoja penetrando en su propia carne. «Esto ha sido un error», pensó mientras Abe practicaba la incisión en forma de «Y». «No sé si seré capaz de presenciarlo.» Pero se quedó anclada en su sitio, atrapada por la fascinación del horror mientras veía a Abe separar la piel de la caja torácica, desollándola con celeridad, como si fuera una pieza de caza. Trabajaba sin darse cuenta del horror de Maura, centrada toda su atención en la tarea de abrir el torso. Un patólogo eficiente podía efectuar una autopsia complicada en menos de una hora y, en aquel punto del análisis del cadáver, Abe no perdería el tiempo con una disección innecesariamente elegante. Maura siempre había pensado en Abe como en un hombre simpático, muy aficionado a la comida, la bebida y la ópera, pero en aquellos instantes, con su abultado abdomen y su enorme cuello de toro, le recordaba a un carnicero obeso en el momento de clavar el cuchillo en la carne.

La piel del pecho estaba ya abierta, los pechos ocultos debajo de los colgajos separados, costillas y músculos a la vista. Yoshima se inclinó encima con las tijeras y cortó las costillas. Cada golpe seco provocaba en Maura un respingo. «Con qué facilidad se quiebran los huesos humanos», pensó. «Creemos que nuestro corazón está protegido en el interior de una recia caja de costillas, y sin embargo basta con el apretón de las agarraderas, el corte de la tijera y, una tras otra, las costillas se rinden al acero templado. Estamos hechos de un material muy frágil.»

Yoshima cortó el último hueso y Abe cercenó las hebras de los tendones y de los músculos. Los dos retiraron la coraza del pecho como si levantaran la tapa de una caja.

En el interior del tórax abierto brillaron el corazón y los pulmones. «Órganos jóvenes», fue el primer pensamiento que acudió a Maura. «Pero no», reflexionó. A los cuarenta años no se es tan joven, ¿verdad? No era fácil reconocer que, a los cuarenta años, ella estaba ya en la mitad de su vida. Que, al igual que la mujer tendida sobre la mesa, no se podía considerar una joven.

Los órganos que vio en el pecho abierto tenían apariencia normal, sin señales evidentes de patología. Mediante cortes precisos, Abe separó los pulmones del corazón y los depositó en una palangana de metal. Bajo las intensas luces realizó cortes para ver el parénquima del pulmón.

—No era fumadora —informó a los dos detectives—. No hay edema. Un tejido sano y hermoso.

Excepto por el hecho de que estaba muerto.

Volvió a dejar los pulmones en la palangana, donde formaron un montoncito rosado y cogió el corazón. Cabía con facilidad en su enorme mano. De pronto, Maura fue consciente de su propio corazón, que palpitaba con fuerza en el pecho. Al igual que el de aquella mujer, cabría en la mano de Abe. Sintió un atisbo de náusea sólo de pensar en que él pudiera sostenerlo, que le diera la vuelta para inspeccionar los vasos coronarios tal como hacía en aquellos momentos. Aunque sólo fuera una simple bomba mecánica, el corazón estaba situado en el mismo centro del cuerpo, y verlo expuesto a la vista de todos hizo que sintiera un vacío en el pecho. Respiró hondo y el olor de la sangre empeoró la sensación de náusea. Apartó la vista del cadáver y se encontró con la mirada de Rizzoli que, sin duda, habría visto demasiado en ella. Ambas se conocían desde hacía casi dos años y habían trabajado juntas en bastantes casos, hasta el punto de tener la máxima consideración mutua como profesionales. Sin embargo, al lado de aquella consideración había cierta cautela respetuosa. Maura sabía hasta qué punto eran agudos los instintos de Rizzoli y, mientras ambas se miraban por encima de la mesa, supo que la otra había advertido cuán cerca estaba de salir de estampida de la sala. Ante la muda pregunta de los ojos de Rizzoli, Maura se limitó a apretar la mandíbula. La reina de los muertos reafirmó su carácter invencible.

Se concentró de nuevo en el cadáver.

Abe, inconsciente de la tensión oculta que recorría la sala, había abierto las cavidades del corazón.

—Las válvulas parecen normales —comentó—. Las coronarias están blandas y los vasos limpios. Dios, confío en que mi corazón tenga un aspecto tan sano como éste.

Maura echó un vistazo a la enorme barriga y dudó de que

fuera así, consciente de la pasión que él sentía por el *foie gras* y las salsas grasientas. Disfruta de la vida mientras puedas, era la filosofía de Abe. Satisfaz tus apetitos ahora, porque todos acabaremos, más pronto o más tarde, como nuestros amigos sobre esta mesa. ¿De qué sirven coronarias saludables si has vivido una existencia privada de placeres?

Abe dejó el corazón en la palangana y prosiguió su labor con el contenido del abdomen. El escalpelo penetró hondo a través del peritoneo y fue sacando el estómago, el hígado, el bazo, el páncreas... El olor a muerte, a órganos fríos, le era familiar a Maura. Sin embargo, en esa ocasión también le resultó turbador. Dejó de ser la fría patóloga y, al ver cómo Abe iba cortando con las tijeras y el cuchillo, la brutalidad del procedimiento la horrorizó. «Dios mío, esto es lo que yo hago todos los días, sólo que cuando mi escalpelo corta, lo hace en la carne poco familiar de un desconocido.»

«Pero a esta mujer no la siento como a una desconocida.»

Se deslizó dentro de un vacío entumecedor, como si observara de lejos el trabajo de Abe. Fatigada por la noche de insomnio y el *jet lag*, sintió que se apartaba de la escena que se desarrollaba sobre la mesa, que retrocedía a una atalaya más segura desde la cual pudiera observar con las emociones amortiguadas. Lo que había encima de la mesa era sólo un cadáver. Sin conexión. Nadie a quien conociera. Abe liberó con celeridad los intestinos delgados y dejó caer la espiral dentro de la palangana. Con las tijeras y el cuchillo destripó el abdomen, dejando sólo un caparazón vacío. Transportó la palangana, ahora pesada con las entrañas, hasta la encimera de acero inoxidable, donde las sacó una a una para hacer una inspección más detallada. En la tabla de cortar, partió el estómago y vertió el contenido en una palangana más pequeña. El olor de los alimentos sin digerir hizo que Rizzoli y Frost se apartaran, con una mueca de repugnancia en el rostro.

—Parece que aquí hay restos de la cena —comentó Abe—. Diría que comió ensalada de mariscos. Veo lechuga y tomates. A lo mejor gambas...

—¿Qué lapso hay entre la hora de la muerte y la última comida? —preguntó Rizzoli con voz extrañamente nasal y la mano sobre la cara, bloqueando los olores.

—Una hora, tal vez más. Intuyo que comió fuera, dado que la ensalada de mariscos no es el tipo de comida que yo me prepararía en casa. —Abe se volvió a Rizzoli. ¿Encontraron alguna factura de restaurante en su bolso?

—No. Pero pudo pagar en efectivo. Aún estamos a la espera del informe de la tarjeta de crédito.

—¡Dios! —exclamó Frost, todavía apartando la mirada—. Esto está a punto de abortar cualquier curiosidad que haya sentido alguna vez por las gambas.

—Oiga, no debe dejar que esto le preocupe —dijo Abe, que estaba hurgando en el páncreas—. A fin de cuentas, todos estamos hechos del mismo material básico. Grasa, carbohidratos y proteínas. Cuando come un jugoso bistec, lo que come es un músculo. ¿Cree que alguna vez he despreciado un bistec sólo porque es el tejido que disecciono día a día? Todos los músculos tienen los mismos ingredientes bioquímicos, pero algunas veces ocurre que el olor es mejor que otras. —Cogió los riñones, cortó delgadas rodajas de cada uno y dejó caer las pequeñas muestras de tejido en el interior de un frasco con formol—. De momento, todo normal —comentó, y se volvió a Maura—. ¿Estás de acuerdo?

Ella asintió con un gesto mecánico, pero no dijo nada, distraída de repente con la nueva serie de radiografías que Yoshima acababa de colgar del expositor iluminado. Eran del cráneo. En la toma lateral se podía ver el tejido blando, como el espectro semitransparente de un rostro de perfil.

Maura cruzó hasta el expositor y miró la densidad en

58

forma de estrella, alarmantemente lustrosa contra la sombra más suave del hueso. Se había alojado contra la tapa superior del cráneo. La decepcionante pequeñez de la entrada de la bala en el cuero cabelludo facilitaba pocos indicios acerca de los destrozos que aquel proyectil devastador podía hacer en el cerebro humano.

—Dios mío —musitó—. Es una bala Black Talon.

Abe apartó al vista de la palangana con los órganos.

—Hacía tiempo que no veía una de ésas. Tenemos que ir con mucho cuidado. Las puntas metálicas de esa bala son afiladas como una navaja. Cortan incluso después de atravesar el guante. —Miró a Yoshima, que llevaba trabajando en el centro forense más años que cualquiera de los patólogos y les servía de memoria institucional.— ¿Cuándo fue la última vez que tuvimos una víctima con una Black Talon?

—Hará unos dos años, creo —dijo Yoshima.

—¿Tan poco?

—Recuerdo que el doctor Tierney se encargó del caso.

—¿Podrías pedirle a Stella que lo compruebe? Mira si el caso se cerró. Este tipo de bala es lo bastante inusual para que nos preguntemos si existe alguna relación.

Yoshima se quitó los guantes y se dirigió al interfono para llamar a la secretaria de Abe.

—Hola. ¿Stella? El doctor Bristol querría que investigaras el último caso relacionado con una bala Black Talon. Se encargó el doctor Tierney...

—He oído hablar de ellas —dijo Frost, que se había acercado al expositor para examinar de cerca la radiografía—, pero es la primera vez que veo a la víctima de una.

—Tienen la punta hueca y las fabricaba la Winchester —explicó Abe—. Están diseñadas para expandirse y cortar los tejidos blandos. Cuando penetran en la carne, la cubierta de cobre se abre formando una estrella de seis puntas, cada punta es tan afilada como una garra. —Se trasladó junto a la cabeza del cadáver—. Las retiraron del mercado en 1993, después de que un loco de San Francisco las utilizara para cargarse a nueve personas en un asesinato en masa. Winchester obtuvo una publicidad tan negativa que decidieron dejar de fabricarlas. Pero todavía quedan algunas en circulación por ahí. De vez en cuando aparece alguna en una víctima, pero son bastante raras.

Maura aún mantenía fija la mirada en la radiografía, en aquella estrella de blancura letal. Pensó en lo que Abe acababa de decir: «Cada punta afilada como una garra.» Y recordó las rayas marcadas en la puerta del coche de la víctima. «Como la marca de la garra de un ave de rapiña.»

Regresó a la mesa justo en el momento en que Abe completaba la incisión en el cuero cabelludo. Y en aquel breve instante, antes de que él doblara el colgajo de piel hacia delante, Maura no pudo evitar mirar el rostro de la mujer. La muerte había moteado sus labios con un azul negruzco. Mantenía abiertos los ojos, y las córneas se veían secas y empañadas por la exposición al aire. El brillo de los ojos en vida era sólo el reflejo de la luz en las córneas húmedas; cuando los ojos ya no pestañeaban, cuando el fluido ya no bañaba la córnea, los ojos se volvían secos y opacos. No es la partida del alma lo que seca la apariencia de vida en los ojos, sino que ya no se produce el reflejo del parpadeo. Maura miró las dos franjas nubladas que cruzaban la córnea y, por un instante, imaginó cómo debían de haber sido aquellos ojos en vida. Fue una asombrosa mirada al interior del espejo. Había tenido la idea repentina, vertiginosa, de que en realidad era ella la que estaba tendida sobre aquella mesa. De que estaba observando su propio cadáver mientras le practicaban la autopsia. ¿Acaso los fantasmas no merodean por los mismos lugares que frecuentaban cuando estaban vivos? «Éste es el lugar que yo frecuento», pensó. «El laboratorio de autopsias. Aquí es donde estoy condenada a pasar a la eternidad.»

Abe apartó hacia delante el cuero cabelludo y la cara se deformó como una máscara de goma.

Maura se estremeció. Al apartar la vista, descubrió que Rizzoli de nuevo la estaba observando. «¿Me mira a mí o mira a mi fantasma?»

El zumbido de la sierra pareció como si perforara justo el interior de su cerebro. Abe cortó la bóveda del cráneo puesto al descubierto, al tiempo que conservaba el fragmento donde había penetrado la bala. Con suavidad, hizo palanca y quitó la tapa de hueso. La Black Talon salió del cráneo abierto y tableteó dentro de la palangana que Yoshima sostenía debajo. Allí relució, con las puntas metálicas abiertas hacia fuera como pétalos de una flor letal.

El cerebro estaba moteado de sangre oscura.

—Hemorragia masiva en ambos hemisferios. Justo lo que esperaba por las radiografías —dijo Abe—. La bala entró por aquí, en el hueso temporal izquierdo. Pero no salió. Pueden verlo allí, en las fotos.

Señaló el expositor luminoso, donde la bala se destacaba como la explosión de una estrella, paralizada contra la curva interna del hueso occipital izquierdo.

—Es curioso que acabara en el mismo lado del cráneo por donde entró —comentó Frost.

—Lo más probable es que se produjera rebote. La bala penetró en el cráneo y saltó de un lado a otro, destrozando el cerebro. Expulsó toda su energía en los tejidos blandos. Como el giro de las cuchillas de una licuadora.

—¿Doctor Bristol?

Era Stella, su secretaria, por el interfono.

—¿Sí?

—He encontrado ese caso de la Black Talon. El nombre

61

de la víctima era Vassily Titov. El doctor Tierney hizo la autopsia.

—¿Qué detective se encargó del caso?

—A ver... Aquí está. Los detectives Vann y Dunleavy.

—Lo consultaré con ellos —dijo Rizzoli—. Veremos qué recuerdan del caso.

—Gracias, Stella —gritó Bristol, luego se volvió a Yoshima, que tenía la cámara a punto—: Vale, dispara ya.

Yoshima empezó a tomar fotos del cerebro expuesto, captando un registro permanente de su aspecto antes de que Abe lo sacara del estuche óseo. «Aquí es donde yacen los recuerdos de toda una vida», pensó Maura mientras observaba los relucientes pliegues de materia gris. El ABC de la infancia. Cuatro por cuatro dieciséis. El primer beso, el primer amante, el primer sufrimiento. Todo depositado, como paquetes del mensajero ARN, en aquella compleja serie de neuronas. La memoria era sólo bioquímica y, sin embargo, definía a cada ser humano como individuo.

Mediante unos cuantos golpes de escalpelo, Abe liberó el cerebro y lo llevó con ambas manos, como si fuera un tesoro, hasta la encimera. No iba a diseccionarlo en aquellos momentos, sino que lo sumergiría en un recipiente con fijador para cortarlo más tarde. Sin embargo, no hacía falta microscopio para ver los efectos del traumatismo. Estaban allí, en la sanguinolenta decoloración de la superficie.

—Aquí tenemos la herida de entrada, en la sien izquierda —dijo Rizzoli.

—Sí, y el agujero de la piel coincide a la perfección con el del cráneo —acotó Abe.

—Esto concuerda con un tiro directo en el lateral de la cabeza.

Abe asintió.

—El asesino sin duda apuntó a través de la ventanilla

del conductor. Y la ventanilla estaba abierta, ya que ningún cristal desvió la trayectoria.

—De modo que ella estaba allí sentada —dijo Rizzoli—. La noche era cálida. La ventanilla estaba bajada. Eran las ocho y oscurecía... Así que él se acerca sigiloso al coche, se limita a apuntar el arma y dispara... —Sacudió la cabeza.— ¿Por qué?

—No se llevó el bolso —comentó Abe.

—Por tanto, no fue para robarle —añadió Frost.

—Lo cual nos deja un crimen pasional. O un asesinato premeditado —dijo Rizzoli, volviéndose hacia Maura.

Allí estaba de nuevo, la posibilidad de un asesinato selectivo.

«¿Habría liquidado al objetivo correcto?»

Abe sumergió el cerebro en un cubo con formalina.

—Hasta el momento no hay sorpresas —comentó al regresar para realizar la disección del cuello.

—¿Piensas realizar análisis de toxicidad? —preguntó Rizzoli.

Abe se encogió de hombros.

—Podemos pedir que hagan uno, pero no estoy muy seguro de que sea necesario. La causa de la muerte está ahí. —Señaló con la barbilla el expositor luminoso, donde la bala se destacaba contra la sombra del cráneo—. ¿Tienes algún motivo para pedirlo? ¿Encontraron los de la policía científica algún tipo de droga o jeringuillas en el coche?

—Nada. En el coche todo estaba en orden. Es decir, salvo la sangre.

—¿Y toda pertenecía a la víctima?

—En cualquier caso, toda era del grupo B positivo.

Abe se volvió hacia Yoshima.

—¿Has clasificado ya a nuestra chica?

Yoshima asintió:

—Coincide. Es del B positivo.

Nadie estaba mirando a Maura. Nadie vio cómo la barbilla se le cerraba de golpe ni percibió que la respiración se le aceleraba. Se volvió con brusquedad para que no pudieran verle la cara, se desató la mascarilla y se la quitó de un tirón.

Mientras se dirigía al cubo de desperdicios, Abe la llamó:

—¿Ya te has aburrido de nosotros, Maura?

—El *jet lag* hace mella en mí —dijo mientras se quitaba la bata—. Creo que tendré que largarme temprano. Te veré mañana, Abe.

Salió del laboratorio sin mirar hacia atrás.

El viaje de regreso a casa transcurrió en una especie de neblinosa confusión. Sólo cuando llegó a las afueras de Brookline, el cerebro se despejó de forma repentina. Y sólo entonces pudo escapar del lazo obsesivo de los pensamientos que no paraban de recorrerle la mente. «No pienses en la autopsia. Apártala de la cabeza. Piensa en la cena, en cualquier cosa que no sea lo que has visto hoy.»

Se detuvo en el colmado. Tenía vacía la nevera y, a menos que quisiera comer atún y guisantes congelados esa noche, necesitaba hacer la compra. Fue un alivio concentrarse en otra cosa. Iba echando artículos en el carro con la perentoriedad de una maníaca. Era mucho más seguro pensar en comida, en lo que iba a cocinar para el resto de la semana. «Deja de pensar en salpicaduras de sangre y órganos femeninos en palanganas de acero inoxidable. Necesito pomelos y manzanas. ¿No tienen un aspecto excelente estas berenjenas?» Cogió un manojo de perejil e inhaló con avidez el aroma, agradecida de que su acritud borrara, aunque sólo fuera un instante, el recuerdo de todos los olores del laboratorio donde se practicaban las autopsias. Una semana de platos franceses poco condimentados la había dejado necesitada de especias. «Esta noche», pensó, «cocinaré un curry verde tailandés, tan picante que me abrasará la lengua.»

En casa se cambió, se puso pantalones cortos, camiseta y empezó a preparar la cena. Daba pequeños sorbos de un Burdeos blanco frío, mientras troceaba el pollo o picaba la cebolla y el ajo. La ligera fragancia del arroz de jazmín llenó la cocina. No tenía tiempo para pensar en la sangre del grupo B ni en la mujer de cabello negro porque el aceite humeaba en la cacerola. Era el momento de saltear el pollo y añadir la pasta de curry. Incorporó una lata de leche de coco y tapó la cacerola para dejar que hirviera poco a poco. Alzó la vista hacia la ventana de la cocina y de repente se descubrió reflejada en el cristal.

«Me parezco a ella. Soy idéntica a ella.»

La recorrió un escalofrío al pensar que el rostro que se reflejaba en el cristal no fuera el suyo sino un fantasma que la estuviera mirando. La tapa de la cacerola empezó a traquetear ante la presión del vapor. Los fantasmas intentaban salir. Estaban desesperados por captar su atención.

Apagó el fuego, se dirigió al teléfono y marcó el número de un buscador que sabía de memoria.

Al cabo de unos instantes, Jane Rizzoli la llamó. Oyó sonar el eco de otro teléfono: así que la detective no estaba en casa todavía, sino probablemente sentada ante su escritorio en Schroeder Plaza.

—Siento molestarte —comentó Maura—, pero necesito preguntarte algo.

—¿Te encuentras bien?

—Sí, sólo quiero saber otra cosa acerca de ella.

—¿De Anna Jessop?

—Sí. ¿Dijiste que su permiso de conducir estaba expedido en Massachusetts?

—Así es.

—¿Qué fecha de nacimiento figura en él?

—¿Cómo?

—Hoy, en la sala de autopsias, dijiste que tenía cuarenta años. ¿Qué día nació?

—¿Por qué?

—Por favor. Necesito saberlo.

—Está bien. Aguarda.

Maura oyó ruido de pasar páginas. Luego Rizzoli regresó al teléfono.

—Según el permiso, su fecha de nacimiento es el 25 de noviembre.

Durante unos segundos, Maura no hizo ningún comentario.

—¿Todavía estás ahí? —preguntó Rizzoli.

—Sí.

—¿Qué ocurre, Doc? ¿Algún problema?

Maura tragó saliva.

—Necesito que me hagas un favor, Jane. Te parecerá una locura.

—Ponme a prueba.

—Quiero que el laboratorio de criminología coteje mi ADN con el de ella.

Maura oyó que, al otro lado de la línea, el segundo teléfono dejaba al fin de sonar.

—Repítelo —dijo Rizzoli—, porque creo que no te he oído bien.

—Quiero saber si mi ADN coincide con el de Anna Jessop.

—Oye, reconozco que existe una gran semejanza...

—Hay otra cosa.

—¿De qué otra cosa estás hablando?

—Ambas tenemos el mismo grupo sanguíneo. B positivo.

—¿Y cuántas otras personas tienen el B positivo? —inquirió Rizzoli, con toda razón—. ¿Cuántos serían? ¿El diez por ciento de la población?

—Y la fecha de nacimiento. Has dicho que nació el 25 de noviembre. Yo también, Jane.

Esta confesión provocó un silencio repentino.

—Está bien —dijo Rizzoli, con voz queda—, has conseguido que se me ponga la piel de gallina.

—Entiendes adónde quiero ir a parar, ¿verdad? Todo en ella..., desde su apariencia, el tipo de sangre, la fecha de nacimiento... —Maura hizo una pausa—. Ella soy yo. Quiero saber de dónde procede. Quiero saber quién es esa mujer.

Se produjo un largo silencio. Luego Rizzoli comentó:

—Responder a esta pregunta va a ser mucho más complicado de lo que yo imaginaba.

—¿Por qué?

—Esta tarde nos llegó un informe de su tarjeta de crédito. Hemos descubierto que su MasterCard sólo tiene seis meses de antigüedad.

—¿Y qué?

—El permiso de conducir es de hace cuatro meses. La matrícula del coche se emitió hace tres meses.

—¿Y qué pasa con su residencia? Tenía una dirección en Brighton, ¿no? Tienes que haber hablado con los vecinos.

—Anoche, al final pudimos dar con su casera. Dijo que hace sólo tres meses que alquiló el piso a Anna Jessop. Nos dejó entrar en el apartamento.

—¿Y?

—Está vacío, Doc. Ni un solo mueble, ni una sartén, ni un cepillo de dientes. Alguien pagó la televisión por cable y una línea de teléfono, pero nadie vivía allí.

—¿Y los vecinos?

—Nunca la han visto. La llamaban «el fantasma».

—Tiene que existir alguna dirección anterior. Otra cuenta bancaria…

—Los buscamos. No hemos podido encontrar nada de esta mujer que la remita a una fecha anterior.

—¿Y eso qué significa?

—Significa… —dijo Rizzoli— que hasta hace seis meses Anna Jessop no existía.

4

Cuando Rizzoli entró en J. P. Doyle's encontró a los sospechosos habituales en torno a la barra. La mayoría policías que intercambiaban las batallitas del día frente a una cerveza y cacahuetes. Situado justo en la calle donde estaba la subcomisaría de policía de Jamaica Plain, Doyle's era con toda probabilidad el bar más seguro de Boston. Si llegaras a hacer un movimiento en falso, una docena de polis saltarían sobre ti como una horda de patriotas de Nueva Inglaterra. La detective conocía a aquellos parroquianos, y todos la conocían a ella. Se apartaron para dejar paso a la señora embarazada y Rizzoli descubrió algunas sonrisas mientras avanzaba entre la gente. Su vientre abría la marcha como la proa de un barco.

—¡Jesús, Rizzoli! —le gritó alguien—. ¿Has engordado o qué?

—Sí —contestó riendo—. Pero, a diferencia de ti, en agosto ya habré adelgazado.

Se dirigió hacia los detectives Vann y Dunleavy, que la saludaron desde el fondo del bar. Sam y Frodo, así llamaban todos a la pareja. El Hobbit gordo y el Hobbit flaco, compañeros desde hacía tanto tiempo que actuaban como un viejo matrimonio, y, con toda probabilidad, pasaban más tiempo el uno con el otro que con sus respectivas esposas. Raras veces Rizzoli los veía por separado e imaginaba que era sólo cuestión de tiempo antes de que empezaran a vestirse con trajes que hicieran juego.

Le sonrieron y la saludaron con pintas de Guinness idénticas.

—Hola, Rizzoli... —dijo Vann.

—...Llegas tarde —añadió Dunleavy.

—Ya vamos por la segunda ronda...

—¿Quieres una?

Jesús, cada uno concluía las frases que iniciaba el otro.

—Hay mucho ruido aquí —dijo ella—. Vayamos a la otra sala.

Se encaminaron al comedor, hacia el reservado habitual situado bajo la bandera irlandesa. Dunleavy y Vann se sentaron frente a ella, muy cómodos uno al lado del otro. Rizzoli pensó en su colega Barry Frost, un tipo agradable, incluso simpático, pero con quien no tenía absolutamente nada en común. Al final de la jornada, ella seguía su camino y Frost el suyo. Los dos se caían bien, pero ella no creía que pudiera soportar más intimidad que ésa. Y, sin la menor duda, no tanta como mostraban aquellos dos tipos.

—Así que te ha tocado la víctima de una Black Talon —comentó Dunleavy.

—Anoche, en Brookline —contestó—. La primera desde tu caso... ¿Cuánto hace de eso? ¿Dos años?

—Sí, más o menos.

—¿Cerrado?

Dunleavy se rió.

—Sellado como un ataúd.

—¿Quién fue el autor del disparo?

—Un tipo llamado Antonin Leonov. Un inmigrante ucraniano, un elemento de tres al cuarto que jugaba a hacerse el

70

importante. De no haberle arrestado nosotros primero, al final la mafia rusa se lo habría cargado.

—Menudo imbécil —bufó Vann—. No tenía la menor idea de que le teníamos vigilado.

—¿Y por qué le vigilabais? —preguntó Rizzoli.

—Nos llegó el soplo de que estaba esperando una entrega de Tayikistán —añadió Dunleavy—. Heroína. Una entrega importante. Le pisábamos los talones desde hacía casi una semana y nunca nos descubrió. Así que le seguimos hasta la casa de su socio Vassily Titov. Vimos cómo Leonov entraba en casa de su socio. Debió de cabrearse con él, o algo por el estilo, porque oímos disparos y luego Leonov salió.

—Pero nosotros le estábamos esperando —dijo Vann—. Como ya he dicho, un imbécil.

Dunleavy levantó su Guinness para brindar.

—Caso abierto y cerrado. Asesino atrapado con el arma. Nosotros estábamos allí y fuimos testigos. No sé por qué se molestó siquiera en declararse inocente. El jurado tardó menos de una hora en regresar con el veredicto.

—¿En algún momento os dijo dónde había conseguido aquellas Black Talons? —preguntó Rizzoli.

—¿Estás bromeando? —inquirió Vann—. No podía decirnos nada porque apenas hablaba inglés. Aunque no cabe la menor duda de que conocía el término *Miranda*, porque exigió que se le leyeran sus derechos.

—Mandamos un equipo para que registrara su casa y su negocio —explicó Dunleavy—. Encontraron ocho cajas de Black Talons guardadas en el almacén, ¿te lo puedes creer? No sabemos cómo consiguió semejante cantidad, pero era todo un alijo. —Se encogió de hombros—. Y eso es todo sobre Leonov. No veo nada que lo relacione con tu asesinato.

—Aquí sólo ha habido dos asesinatos con Black Talon en cinco años —dijo ella—. Vuestro caso y el mío.

—Sí, bueno, es posible que por ahí todavía queden algunas balas, circulando a través del mercado negro. Consulta la página de subastas de eBay. Todo cuanto te puedo decir es que cogimos a Leonov, y nada más. —Dunleavy acabó la pinta de cerveza. Tendrás que buscar a otro asesino.

Una pista que ya podía dar por concluida. Unos cuantos mafiosos rusos de hacía dos años no parecían importantes en relación con el asesinato de Anna Jessop. Aquella bala Black Talon era un eslabón perdido.

—¿Me prestaríais ese expediente sobre Leonov? —preguntó—. Sigo interesada en echarle un vistazo.

—Mañana lo tendrás en tu escritorio.

—Gracias, muchachos.

Se deslizó fuera del banquillo y tuvo que apoyarse para ponerse en pie.

—¿Para cuándo piensas soltarlo? —preguntó Vann, al tiempo que le señalaba el vientre.

—No veo la hora.

—Los muchachos han organizado una apuesta. Sobre el sexo de la criatura.

—Bromeas.

—Creo que está a setenta pavos a favor de que es una niña, cuarenta a que es un chico.

Vann soltó una risita burlona.

—Y veinte pavos a que es… otra cosa.

Cuando Rizzoli entraba en su piso sintió que el bebé le daba una patada. «Estate quieto, pequeño», pensó. «Ya es suficiente con que me hayas golpeado como si fuera un saco de arena todo el día. ¿Piensas seguir así toda la noche también?» Rizzoli no sabía si llevaba encima un niño, una niña o cualquier otra cosa; todo cuanto sabía era que su bebé estaba ansioso por nacer.

«Deja ya de intentar abrirte paso con pases de kung-fu»

Dejó el bolso y las llaves sobre la encimera de la cocina, se quitó los zapatos junto a la puerta y arrojó la chaqueta encima de una silla del comedor. Hacía dos días que su marido, Gabriel, había salido para Montana. Formaba parte de un equipo del FBI que investigaba un alijo paramilitar de armas. Ahora el piso recobraba la misma anarquía confortable que había reinado en él antes de su matrimonio. Antes de que Gabriel se instalara allí e insuflase cierta apariencia de disciplina. Antes de permitir que un antiguo *marine* le ordenara cazos y sartenes según su tamaño.

En el espejo del dormitorio descubrió su reflejo y apenas se reconoció. Mejillas hinchadas, bamboleo, vientre abultado bajo los pantalones elásticos de maternidad. «¿Cuándo voy a desaparecer?», pensó. «¿Aún sigo ahí, escondida en algún lugar de ese cuerpo deformado?» Se comparó con el reflejo de aquella desconocida, acordándose de lo plano que era antes su vientre. No le gustaba la forma en que se le había hinchado la cara, el hecho de que las mejillas se le hubiesen vuelto sonrosadas como las de un niño pequeño. El fulgor del embarazo, así lo llamaba Gabriel, esforzándose por convencer a su esposa de que en realidad no se parecía a una ballena de hocico reluciente. «En realidad, esa mujer de ahí no soy yo», pensó. «No es la poli capaz de derribar una puerta de una patada o arrestar a un asesino.»

Se dejó caer de espaldas sobre la cama, con los brazos extendidos a cada lado en el colchón, como un pájaro a punto de levantar el vuelo. Percibió el olor de Gabriel en las sábanas. «Te echo de menos esta noche», pensó. Se suponía que el matrimonio no debía ser así. Dos profesiones, dos obsesos por el trabajo. Gabriel de viaje, ella en aquel piso. Pero, pensándolo bien, desde un principio había sabido que no sería fácil. Que habría muchas noches como aquélla, en que el trabajo de él, o el de ella, los mantendría separados. Rizzoli pensó en volver a telefonearle, pero ya habían hablado dos veces aquella mañana y, tal como estaban las cosas, Verizon ya se llevaba un buen pellizco de su paga.

«¡Oh, qué diablos!»

Rodó de costado, bajó los pies de la cama y se disponía a coger el teléfono que había encima de la mesita de noche cuando, de repente, empezó a sonar. Sobresaltada, miró la pantalla de identificación de llamadas. Un número que no le era familiar. No era el de Gabriel.

Descolgó el auricular.

—¿Diga?

—¿Detective Rizzoli? —preguntó la voz de un hombre.

—Yo misma.

—Disculpe por telefonear a estas horas. Acabo de regresar a la ciudad esta noche y...

—¿Quién llama, por favor?

—El detective Ballard, del departamento de policía de Newton. He sabido que usted lleva la investigación del asesinato que se cometió anoche en Brookline. Una víctima llamada Anna Jessop.

—Sí, así es.

—El año pasado tuve un caso aquí, en el cual estaba involucrada una mujer llamada Anna Jessop. No sé si es la misma persona, pero...

—¿Dice que pertenece a la policía de Newton?

—Sí.

—¿Identificaría a la señora Jessop? Me refiero a si viera sus restos.

Se produjo un silencio.

—Lo creo necesario. Necesito estar seguro de que se trata de ella.

—¿Y si lo es?

—En ese caso sé quién la mató.

74

Incluso antes de que el detective Rick Ballard sacara su placa, Rizzoli podría haber adivinado que aquel hombre era policía. Cuando ella entró en el edificio de medicina forense, él se levantó de inmediato, como si fuera a ponerse en postura de «firmes». Sus ojos miraban directos y eran de un azul cristalino; el corte del cabello, de color castaño, conservador; la camisa estaba planchada con pulcritud militar. Tenía el mismo aire de autoridad pausada que poseía Gabriel, la misma mirada sólida que parecía decir: en caso de necesidad, cuenta conmigo. Por un instante le hizo desear tener de nuevo la cintura esbelta, recuperar su atractivo. Ambos se estrecharon la mano y, mientras ella echaba un vistazo a la placa, sintió que él le estudiaba el rostro.

Un poli, sin la menor duda, pensó.

—¿Está preparado para lo que ha venido a ver? —le preguntó; y cuando él asintió, Rizzoli se volvió a la recepcionista—. ¿Está abajo el doctor Bristol?

—Ahora mismo está finalizando una autopsia. Ha dicho que pueden reunirse con él abajo.

Cogieron el ascensor hasta el sótano y entraron en la antesala del depósito de cadáveres, en cuyas taquillas había todo un surtido de protectores para zapatos, mascarillas y gorros de papel. Al otro lado de la enorme cristalera de observación se veía el laboratorio de las autopsias, donde el doctor Bristol y Yoshima trabajaban inclinados sobre un hombre descarnado de cabello gris. Bristol les descubrió al otro lado del cristal y les saludó con la mano.

—¡Diez minutos más! —les avisó.

Rizzoli asintió.

—Esperamos.

Bristol acababa de hacer la incisión en el cuero cabelludo, y retiró el colgajo de piel, que cayó sobre la cara.

—Siempre he aborrecido esta parte —explicó Rizzoli—.

Cuando empiezan a manosear la cara. El resto me siento capaz de soportarlo.

Ballard no dijo nada. Le miró y vio que tenía rígida la espalda, el rostro torvamente estoico. Dado que no era un detective de homicidios, lo más probable era que no hiciese muchas visitas al depósito de cadáveres y el proceso que iba a desarrollarse al otro lado del cristal sin duda le resultaría sobrecogedor. Rizzoli recordó la primera visita que había hecho allí siendo aspirante al cuerpo de policía. Formaba parte de un grupo de la academia, la única mujer entre los seis fornidos cadetes, que la superaban en estatura. Todos esperaban que la chica fuera la remilgada, la única en desviar la mirada durante la autopsia. Pero se había plantado delante en el centro y había observado todo el proceso sin arredrarse. Fue uno de los hombres, el más fornido de todos, quien palideció y se tambaleó hasta llegar a una silla cercana. Rizzoli se preguntó si Ballard haría lo mismo. Bajo la luz de los fluorescentes, su piel había adquirido la palidez del que tiende a marearse.

En la sala de autopsias, Yoshima empezó a serrar el cráneo sin cuero cabelludo. El zumbido de la sierra contra el hueso era más de lo que Ballard podía soportar. Se volvió y fijó la mirada en las cajas de guantes apiladas en el estante según su tamaño. Rizzoli sintió un poco de pena por él. Debía de resultar muy humillante ser un tipo duro como Ballard y ver cómo una chica policía era testigo de que se le doblaban las rodillas.

Empujó un taburete junto a él y cogió otro para ella. Soltó un suspiro al sentarse.

—Ahora no pudo estar de pie mucho rato.

También él se sentó, aliviado al poder centrarse en otra cosa que no fuera el zumbido de la sierra contra el hueso.

—¿Es el primero? —preguntó, señalándole el vientre.

—Sí.

—¿Niño o niña?

—No lo sabemos. Sea lo que sea, nos hará felices.

—Así es como me sentí cuando nació mi hija. Diez dedos en las manos y diez en los pies, eso era todo cuanto pedía... —Se interrumpió y tragó saliva mientras la sierra seguía con su zumbido.

—¿Qué edad tiene su hija ahora? —preguntó Rizzoli, procurando distraerlo.

—Oh, catorce. Va para los quince. Ahora no es lo que se dice una fuente de alegría.

—Una edad difícil para las chicas.

—¿Ha visto cómo me salen las canas?

Rizzoli se echó a reír.

—Mi madre solía decir lo mismo. Se señalaba la cabeza y decía: «Todos estos cabellos grises son por tu culpa». Tengo que admitir que no era agradable estar a mi lado a los catorce años. Es cosa de la edad.

—Bueno, hemos tenido algunos problemas también. Mi esposa y yo nos separamos el año pasado. Katie siente que tiran de ella en direcciones opuestas. Dos padres que trabajan, dos hogares...

—Eso tiene que ser difícil para una criatura.

El zumbido de la sierra se mostró compasivo y cesó. Rizzoli vio que Yoshima retiraba la tapa del cráneo. Luego que Bristol liberaba el cerebro, lo cogía delicadamente con ambas manos y lo extraía del estuche. Ballard seguía evitando mirar al otro lado del cristal, fija su atención en la detective.

—Es duro, ¿verdad? —inquirió.

—¿Qué?

—Trabajar como policía. En su estado y todo eso.

—Al menos en estos días nadie espera que derribe puertas a patadas.

77

—Mi esposa era una novata cuando se quedó embarazada.

—¿En la policía de Newton?

—De Boston. Quisieron que dejara de patrullar. Les dijo que estar embarazada era una ventaja. Que los delincuentes se mostraban mucho más respetuosos.

—¿Los delincuentes? Nunca se han mostrado respetuosos conmigo.

En la sala contigua, Yoshima cosía las incisiones del cadáver con aguja e hilo de sutura, un sastre macabro que no cosía tela sino carne. Bristol se quitó los guantes, se lavó las manos y luego salió para reunirse con los visitantes.

—Perdonen el retraso. Me ha llevado más tiempo del que esperaba. El tipo tenía tumores por todo el abdomen y nunca había visitado a un médico. En cambio, me ha visitado a mí... —Tendió la regordeta mano, todavía húmeda, para saludar a Ballard. ¿Detective? Así que ha venido a echar un vistazo a nuestra víctima de un disparo.

Rizzoli vio que la cara del detective Ballard se tensaba.

—La detective Rizzoli me lo pidió.

Bristol asintió.

—Bien, vayamos, pues. Está en la cámara frigorífica.

Les precedió por la sala de autopsias y les guió hasta el umbral que comunicaba con la amplia unidad de refrigeración. Su apariencia era como la de cualquier cámara para conservar grandes piezas de carne, con diales que indicaban la temperatura y una gruesa puerta de acero inoxidable. En la pared de al lado colgaba una pizarra con el registro de las entregas. El nombre del sujeto a quien Bristol acababa de hacer la autopsia figuraba ya en la lista: entregado a las once de la noche del día anterior. A nadie debía de atraerle la idea de figurar en aquella lista.

Bristol abrió la puerta y una nube de vaho salió planeando. Entraron y poco faltó para que el olor a carne fría provocase arcadas a Rizzoli. Desde que se había quedado embarazada era incapaz de tolerar cualquier atisbo de olor corrupto; hasta el menor indicio de podredumbre la enviaba corriendo al lavabo más cercano. Esta vez consiguió reprimir las náuseas mientras observaba con hosca determinación la hilera de camillas en la cámara. Había cinco bolsas de cadáveres, amortajados con plástico blanco.

Bristol paseó ante la hilera de camillas mientras revisaba las distintas etiquetas. Se detuvo ante la cuarta.

—Aquí está nuestra chica —dijo, y descorrió la cremallera de la bolsa lo bastante para dejar al descubierto la parte superior del torso, la incisión en forma de Y cosida con suturas de empleado de pompas fúnebres: en gran parte obra de Yoshima.

Cuando Bristol separó el plástico, Rizzoli no miró a la mujer muerta sino a Rick Ballard. El detective guardó silencio mientras mantenía la mirada en el cadáver. La vista de Anna Jessop parecía haberle petrificado.

—¿Y bien? —inquirió Bristol.

Ballard dio un respingo, como si de repente saliera de un trance. Dejó escapar un suspiro.

—Es ella —musitó.

—¿Está seguro?

—Sí —dijo, tragando saliva—. ¿Qué ocurrió? ¿Qué ha encontrado?

Bristol miró a Rizzoli, una muda solicitud para que le autorizase a facilitar la información. Ella asintió.

—Un único disparo en la sien izquierda —dijo Bristol, señalando la herida de entrada en el cráneo—. Amplios destrozos en el temporal izquierdo, así como en ambos lóbulos parietales, debido al rebote dentro del cráneo. Abundante hemorragia intracraneal.

—¿Es la única herida?

—En efecto. Rápido, muy eficiente.

Ballard había deslizado la mirada por el torso. A los pechos. Era una respuesta masculina nada sorprendente cuando se enfrentaban al desnudo de una mujer joven, pero aun así turbó a Rizzoli. Viva o muerta, Anna Jessop tenía derecho a conservar su dignidad. Rizzoli se sintió aliviada cuando el doctor Bristol, de manera rutinaria, cerró la bolsa, devolviendo su intimidad al cadáver.

Salieron de la sala y Bristol cerró la pesada puerta de la cámara frigorífica.

—¿Conoce usted los nombres de sus familiares? —inquirió—. ¿Alguien a quien debamos notificar?

—No hay nadie.

—Está usted muy seguro de eso.

—No tiene ningún deudo... —De repente su voz se apagó: se había detenido y miraba al otro lado del cristal, hacia el laboratorio.

Rizzoli se volvió para ver qué estaba mirando; y de inmediato supo qué era lo que había llamado su atención. Maura Isles acababa de entrar en el laboratorio, trayendo consigo un sobre de radiografías. Cruzó hasta el expositor, colocó las películas y encendió la luz. Mientras observaba las imágenes de los huesos astillados de unas extremidades, no se dio cuenta de que también la observaban a ella. De que tres pares de ojos la miraban al otro lado del ventanal.

—¿Quién es? —inquirió Ballard, cuchicheando.

—Una de nuestras forenses —contestó Bristol—. La doctora Maura Isles.

—El parecido es asombroso, ¿verdad? —dijo Rizzoli.

Ballard asintió sobresaltado.

—Por un instante he pensado...

—Todos lo pensamos cuando vimos a la víctima.

En la sala contigua, Maura volvió a meter las radiografías en el sobre y salió del laboratorio sin darse cuenta de que la estaban mirando. «Qué fácil es seguir a otra persona», pensó Rizzoli. «No existe un sexto sentido que nos informe de que otros nos están observando. No sentimos la mirada del perseguidor en nuestra espalda, sólo cuando se nos echa encima nos damos cuenta de que estaba allí.»

Rizzoli se volvió a Ballard.

—Bien, ya ha visto a Anna Jessop. Ha confirmado que la conocía. Díganos ahora quién es ella en realidad.

5

Era el no va más en automóviles. Así decían los anuncios y así repetía Dwayne; y Mattie Purvis conducía aquel potente automóvil por la West Central Street, parpadeando para reprimir las lágrimas, al tiempo que pensaba: «Tienes que estar ahí. Por favor, Dwayne, tienes que estar.» Pero no sabía si estaría. Había tantas cosas sobre su marido que no entendía últimamente, como si un desconocido se hubiese apoderado de él, un desconocido que apenas le prestaba atención. Apenas la miraba. Quiero que mi marido regrese. Pero ni siquiera sé cómo lo he perdido.

El enorme letrero de PURVIS BMW la saludó al frente. Mattie entró en el aparcamiento, pasó ante las hileras de relucientes automóviles último modelo y divisó el coche de Dwayne, aparcado junto a la entrada de la sala de exposición.

Se detuvo en la plaza contigua al coche de él y apagó el motor. Se quedó sentada un momento, respirando hondo. Inspiraciones purificadoras, tal como le habían enseñado en las clases de Lamaze. Las clases a las que Dwayne había dejado de asistir un mes atrás, porque pensaba que eran una pérdida de tiempo. Eres tú quien va a tener al bebé, no yo. ¿Para qué necesito estar allí?

Cielos, demasiadas inspiraciones profundas. De repente

mareada, se tambaleó hacia delante sobre el volante. Sin querer golpeó contra el claxon y dio un respingo ante el fuerte bocinazo. Miró hacia el escaparate y vio que uno de los mecánicos la estaba observando. A ella, a la esposa idiota de Dwayne, que tocaba el claxon sin motivo. Ruborizada, abrió la puerta, sacó su enorme vientre de detrás del volante y entró en la sala de exposición de los BMW.

Allí dentro olía a cuero y a cera de coches. Un afrodisíaco para los tíos, según Dwayne, aquel banquete de olores le provocó una ligera náusea. Se detuvo en medio de las voluptuosas sirenas de la exposición, los nuevos modelos del año, curvas sensuales y cromados que refulgían bajo los focos. Un hombre podía perder el alma en aquel salón. Bastaría con pasar la mano sobre ese flanco azul metálico, demorarse mirando su reflejo en el parabrisas y empezaría a ver sus sueños hechos realidad. Vería al hombre que podría llegar a ser sólo con poseer uno de aquellos coches.

—¿Señora Purvis?

Mattie se volvió y vio que Bart Thayer, uno de los vendedores de su esposo, le hacía señas.

—Ah, hola —saludó ella.

—¿Busca a Dwayne?

—Sí. ¿Dónde está?

—Creo que... —Bart miró hacia las oficinas del fondo—. Deje que vaya a ver.

—No se preocupe. Ya lo encuentro yo.

—¡No! Quiero decir... Deje que vaya a buscarle, ¿vale? Tome asiento, mejor que esté sentada. En su estado no debería estar de pie mucho rato.

Curiosa observación para que la dijera Bart, cuyo vientre era más voluminoso que el de ella. Logró esbozar una sonrisa.

—Estoy embarazada, Bart, no lisiada.

—¿Para cuándo es el gran día?

—Dentro de dos semanas. Eso creemos, en cualquier caso. Nunca se sabe.

—Es verdad. Mi primer hijo no quería salir. Nació con tres semanas de retraso y, desde entonces, siempre llega tarde a todo. —Le hizo un guiño—. Deje que vaya a buscar a Dwayne.

Vio que se encaminaba hacia las oficinas del fondo y le siguió con la suficiente celeridad para observar cómo llamaba a la puerta del despacho de Dwayne.

No obtuvo respuesta, así que volvió a llamar. Al final se abrió la puerta y Dwayne asomó la cabeza. Dio un respingo al ver a Mattie, que le saludaba desde la sala de exposición.

—¿Puedo hablar contigo? —le preguntó casi gritando.

Dwayne salió enseguida del despacho y cerró la puerta a sus espaldas.

—¿Qué haces aquí? —le espetó.

Bart miró al uno y al otro varias veces. Luego se apartó poco a poco en dirección a la salida.

—Oye, Dwayne... —dijo—. Creo que voy a salir a tomar un café.

—Sí, sí —murmuró Dwayne—. Puedes ir.

Bart salió presuroso de la sala de exposición, dejando a marido y esposa frente a frente.

—Te estuve esperando —dijo Mattie.

—¿Para qué?

—Para mi cita con el tocólogo, Dwayne. Dijiste que vendrías conmigo. La doctora Fishman esperó unos veinte minutos, luego ya no pudo esperar más. Te has perdido la ecografía.

—¡Oh, Dios! Se me olvidó... —Dwayne se pasó la mano por la cabeza, alisándose el negro cabello: siempre se preocupaba por el cabello, por la camisa, por la corbata. «Cuando comercializas un producto de primera», le gustaba decir, «tienes que aparentar que también lo eres»—. Lo siento.

Mattie buscó dentro del bolso y sacó una Polaroid.

—¿Quieres al menos dar un vistazo a la foto?

—¿Qué es?

—Es tu hija. Es la foto de la ecografía.

Dwayne echó una ojeada a la foto y se encogió de hombros.

—No se ve gran cosa.

—Aquí puedes ver el brazo, aquí la pierna. Y, si te fijas bien, casi el rostro.

—Sí, fantástico. —Se la devolvió—. Esta noche llegaré un poco tarde, ¿sabes? A eso de las seis viene un tipo para probar un coche. Ya cenaré por ahí.

Mattie volvió a meter la foto en el bolso y suspiró.

—Dwayne...

Él le dio un beso apresurado en la frente.

—Deja que te acompañe afuera. Vamos.

—¿No puedes salir a tomar un café o algo?

—Espero clientes.

—Pero no hay nadie en la tienda.

—Mattie, por favor. Deja que haga mi trabajo, ¿vale?

La puerta del despacho de Dwayne se abrió de repente. Mattie se volvió a tiempo para ver que salía una mujer, una rubia larguirucha que se alejó presurosa por el pasillo y se metió en otro despacho.

—¿Y ésa quién es? —preguntó Mattie.

—¿Quién?

—Esa mujer que acaba de salir de tu despacho.

—¡Ah, ella! —carraspeó—. Es una nueva adquisición. Pensé que ya era hora de contratar a una vendedora. Ya sabes, para diversificar el equipo. Ha resultado un elemento muy valioso. El mes pasado vendió más coches que Bart, y eso ya es decir...

Mattie se quedó mirando en actitud pensativa la puerta cerrada de Dwayne. Entonces fue cuando había empezado todo. El mes anterior. Cuando todo cambió entre los dos. Desde que la desconocida se había incorporado al equipo de Dwayne.

—¿Cómo se llama? —preguntó.

—Oye, de veras tengo que regresar al trabajo.

—Sólo quiero saber su nombre.

Mattie se volvió, miró a su esposo y, en ese instante, vio la culpa en su mirada, tan luminosa como un tubo de neón.

—¡Oh, Dios! —Dwayne le volvió la espalda—. Lo que me faltaba.

—Señora Purvis —era Bart, que la llamaba desde la entrada de la tienda—. ¿Sabe que lleva una rueda pinchada? El mecánico acaba de decírmelo.

Aturdida, se volvió y le miró.

—No. Yo... no lo sabía.

—¿Cómo? ¿No te has dado cuenta de que llevabas la rueda deshinchada? —inquirió Dwayne.

—Es posible que... Bueno, la conducción era un poco pesada, pero...

—¡Verlo para creerlo!

Dwayne se dirigía ya hacia la salida. «Huye de mí, como siempre», pensó ella. «Y ahora se ha enfadado. ¿Por qué siempre acaba siendo mía la culpa?»

Bart y ella le siguieron hasta el coche. Dwayne, en cuclillas junto a la rueda posterior derecha, sacudía la cabeza.

—¿Te puedes creer que no se haya dado cuenta de esto? —le preguntó a Bart—. ¡Mira esta rueda! ¡Ha destrozado el jodido neumático!

—Oye, a veces ocurre —dijo Bart, y dirigió a Mattie una

mirada de comprensión—. Escucha, le pido a Ed que le ponga una nueva. No es ningún problema.

—¡Pero observa la llanta! La ha echado a perder. ¿Cuántos kilómetros crees que habrá conducido de esta manera? ¿Cómo puede alguien ser tan lerdo?

—Vamos, Dwayne —dijo Bart—. No es tan grave.

—No me di cuenta —protestó Mattie—. Lo siento.

—¿Y has conducido así desde la consulta del médico? —Dwayne la miró por encima del hombro, y la rabia que ella advirtió en sus ojos la asustó. ¿Soñabas con las musarañas o qué?

—Dwayne, no me di cuenta.

Bart dio una palmadita en el hombro de Dwayne.

—Quizá sea mejor relajarse un poco, ¿no crees?

—¡No te metas en lo que no te importa! —dijo Dwayne.

Bart retrocedió con las manos levantadas en señal de sumisión.

—Está bien, está bien. —Dirigió una rápida mirada a Mattie, una mirada que decía «buena suerte, querida», y se largó.

—No es más que una llanta.

—Debes de haber levantado chispas por toda la carretera. ¿Cuántas personas crees que te habrán visto conduciendo así?

—¿Y eso qué importa?

—¡Dios! Esto es un BMW. Al conducir un coche como éste, transmites una imagen. La gente que ve este coche espera que el que lo conduzca sea un poco espabilado, algo más que un simple aficionado. De manera que cuando vas por ahí circulando sobre una llanta, echas a perder esa imagen. Haces que los demás conductores de un BMW se sientan mal. Y haces que yo me sienta mal.

—Es sólo una llanta.

—¡Deja ya de repetirlo!

—Pero es que es así.

Dwayne soltó un bufido de fastidio y se puso en pie.

—Me rindo.

Mattie reprimió las lágrimas.

—No es por la llanta, ¿verdad, Dwayne?

—¿Qué?

—Esta discusión es por nosotros. Algo va mal entre nosotros.

El silencio de él no hizo más que empeorar las cosas. No la miró; dio media vuelta para encararse con el mecánico que se les acercaba.

—Eh —gritó el operario—. Ha dicho Bart que me acerque a cambiar esa rueda.

—Sí, encárgate de esto, ¿quieres?

Dwayne se calló. Había trasladado su atención a un Toyota que acababa de entrar en el aparcamiento. Un hombre bajó del coche y se quedó mirando un BMW. Se inclinó para leer el adhesivo del concesionario en la ventanilla. Dwayne se alisó el cabello, de un tirón se ajustó la corbata e hizo el amago de dirigirse al nuevo cliente.

—Dwayne —le interrumpió Mattie.

—Tengo un cliente.

—Pero yo soy tu esposa.

Su marido se volvió con brusquedad y le dirigió una mirada llena de odio.

—No sigas por ahí. Déjalo ya, Mattie.

—¿Qué tengo que hacer para llamar tu atención? —gritó ella—. ¿Comprarte un coche? ¿Es eso lo que hace falta? Porque no conozco otra forma. —La voz se le quebró. No conozco otro sistema.

—Entonces quizá debieras desistir de intentarlo. Porque yo no veo razón para que insistas.

Ella le miró mientras se alejaba. Le vio detenerse un segundo para cuadrarse de hombros y adoptar una sonrisa. De repente, su voz surgió cálida y amistosa al saludar al nuevo cliente en el aparcamiento.

—¿Señora Purvis? ¿Señora?

Mattie parpadeó. Se volvió hacia el mecánico.

—Necesito las llaves del coche, por favor. Para meterlo en el garaje y montar esa rueda. —Le tendió la mano manchada de grasa.

Sin decir palabra, ella le dio la llave, luego se volvió a mirar a Dwayne. Pero él ni siquiera la miró. Como si fuera invisible. Como si no fuera nadie.

Apenas recordó el viaje de regreso a casa.

De repente se encontró sentada ante la mesa de la cocina, todavía con las llaves en la mano y la correspondencia del día apilada delante de ella. Encima estaba la factura de la tarjeta de crédito, dirigida al señor y la señora Purvis. Señor y señora. Se acordó de la primera vez que la llamaron señora Purvis y de la alegría que experimentó al oír ese nombre. Señora Purvis, señora Purvis...

«Señora Nadie.»

Las llaves resbalaron al suelo. Dejó caer la cara entre las manos y empezó a llorar. Lloró mientras la criatura que llevaba dentro le daba patadas, lloró hasta que le dolió la garganta y las lágrimas empaparon el correo.

«Quiero que vuelva a ser el de antes. Cuando me amaba.»

A través de la confusión de los sollozos oyó el chirrido de la puerta. Procedía del garaje. Levantó la cabeza, la esperanza se le expandió por el pecho.

«¡Está en casa! ¡Ha venido para decirme que se arrepiente!»

Se levantó con tal celeridad que volcó la silla. Medio mareada, abrió la puerta y entró en el garaje. Desconcertada, pestañeó en la penumbra. El único coche aparcado en el garaje era el suyo.

—¿Dwayne? —llamó.

Una franja de luz solar le dio en los ojos. La puerta que conducía al patio lateral estaba abierta de par en par. Cruzó el garaje para cerrarla. Acababa de empujarla cuando oyó pasos a su espalda. Se quedó petrificada, el corazón le latía desbocado. Y en aquel preciso instante comprendió que no estaba sola.

Se giró y, a medio volverse, la oscuridad salió a su encuentro.

90

6

Maura abandonó el sol de la tarde para entrar en la fría penumbra de la iglesia de Nuestra Señora de la Luz Divina. Por un instante sólo consiguió ver sombras, el vago perfil de los bancos y la silueta de una feligresa sentada delante, con la cabeza inclinada. Maura se deslizó entre dos bancos y se sentó.

Dejó que el silencio la envolviera mientras adecuaba la vista al oscuro interior. En las emplomadas vidrieras de arriba, fulgurantes con sus tonalidades sombrías, una mujer de rizada cabellera miraba con veneración el árbol del que colgaba una manzana roja como la sangre. Eva en el Paraíso Terrenal. La mujer tentadora, seductora. Destructora. Mientras observaba la vidriera experimentó una fuerte sensación de inquietud y desvió la mirada hacia otra. Aunque la habían educado padres católicos, no se sentía a sus anchas en la iglesia. Contempló las coloreadas imágenes de los santos mártires enmarcados en aquellas vidrieras y pensó que, a pesar de que ahora se les venerase como santos, estaba convencida de que cuando eran de carne y hueso no podían ser tan perfectos. Que su estancia sobre la tierra sin duda estuvo empañada por pecados, yerros y deseos mezquinos. Ella sabía, mejor que muchos, que la perfección no era humana.

Se levantó, se volvió hacia el pasillo y se detuvo. El padre Brophy estaba allí de pie. La luz de una de las vidrieras proyectaba un mosaico de colores sobre su rostro. Se había acercado con tanto sigilo que ni siquiera le había oído llegar y ahora estaban uno frente a otro, sin que ninguno de los dos se atreviera a romper el silencio.

—Confío en que no te vayas aún —dijo él, al fin.

—Sólo entré para meditar unos minutos.

—Entonces me alegro de haberte encontrado antes de que te fueras. ¿Te gustaría que habláramos?

Maura miró las puertas que tenía a sus espaldas, como si contemplara la posibilidad de escapar. Entonces soltó un suspiro.

—Sí, creo que me gustaría.

La mujer del banco de delante se había vuelto para observarles. «¿Y qué verá?», pensó Maura. «A un sacerdote apuesto y joven. A una mujer atractiva. Intercambio de cuchicheos controlados bajo la mirada de los santos.»

El padre Brophy dio la impresión de compartir el desasosiego de Maura. Echó un vistazo a la otra feligresa y dijo:

—No tiene por qué ser aquí.

Entraron en el Jamaica Riverside Park y continuaron por el sendero que seguía el curso del agua, bajo la sombra de los árboles. En aquella cálida tarde, compartían el parque con aficionados a las caminatas, ciclistas y madres que empujaban cochecitos de bebés. En un sitio público como aquél, un cura que paseara con una apesadumbrada feligresa apenas despertaría chismorreos. «Así será siempre entre nosotros», pensó ella mientras se agachaban bajo las ramas colgantes de un sauce. «Sin el menor asomo de escándalo, sin atisbo de pecado. Lo que más deseo de él es aquello que no puede darme. Y, sin embargo, aquí estoy.»

«Aquí estamos los dos.»

—Me preguntaba cuándo vendrías a verme —dijo él.

—Quería hacerlo, pero ha sido una semana dura. —Maura se interrumpió y contempló el río. El rumor del tráfico procedente de la carretera cercana ahogaba el ruido del agua. —En estos días he experimentado mi propia muerte.

—¿No la habías sentido nunca?

—De esta manera no. Cuando la semana pasada presencié aquella autopsia…

—Has visto muchas.

—No sólo las he visto, Daniel. Las he practicado. Sostengo el escalpelo con la mano y corto. Lo hago casi a diario en mi trabajo y nunca me había turbado. Quizá signifique que he perdido contacto con los seres humanos. Me he distanciado tanto que ni siquiera me doy cuenta de que es carne humana lo que disecciono. Pero ese día, observándola, me resultó todo muy personal. La miraba a ella y me veía a mí sobre la mesa. Ahora no puedo coger un escalpelo sin pensar en aquella mujer. En cómo pudo ser su vida, en lo que sentía, en lo que pensaba cuando… —Maura se interrumpió y suspiró—. Ha sido duro regresar al trabajo. Eso es todo.

—¿Tenías que hacerlo?

Perpleja ante la pregunta, se quedó mirándolo.

—¿Tenía otra opción?

—Haces que suene como si fuera una servidumbre impuesta.

—Es mi trabajo. Es lo que sé hacer.

—No es, en sí mismo, una razón para hacerlo. Así que… ¿por qué lo haces?

—¿Y tú por qué eres cura?

Entonces le tocó a él quedarse perplejo. Pensó un momento en la pregunta, de pie muy quieto a su lado; el azul de sus ojos parecía apagado por la sombra de los sauces.

—Hace mucho que tomé esa decisión —dijo él—. Ya no pienso demasiado en ello. Ni me lo planteo.

—Debiste de creer en lo que hacías.

—Y todavía creo.

—¿Y eso no basta?

—¿De veras crees que lo único que se requiere es la fe?

—No, por supuesto que no.

Maura se volvió y de nuevo echó a andar. A lo largo de un sendero moteado de luces y sombras. Temerosa de encontrarse con la mirada de él, temerosa de que Daniel pudiera ver demasiadas cosas en la de ella.

—A veces es bueno enfrentarse a la propia mortalidad —dijo él—. Hace que reconsideremos nuestra existencia.

—Preferiría no hacerlo.

—¿Por qué?

—No soy muy buena en lo que respecta a la introspección. Me exasperaban las clases de filosofía. Todas aquellas preguntas sin respuesta. En cambio, la física y la química me resultaban comprensibles. Me confortaban porque enseñaban principios reproducibles y ordenados. —Se interrumpió para observar a una joven con patines que empujaba un cochecito con un bebé—. No me gusta lo que no se puede explicar.

—Sí, lo sé. Siempre quieres ver resueltas las ecuaciones matemáticas. Por eso lo pasas tan mal con el asesinato de esa mujer.

—Porque es un interrogante sin respuesta. Es el tipo de cosas que aborrezco.

Maura se sentó en un banco de madera frente al río. La luz del día se apagaba y el agua fluía negra bajo las sombras cada vez más densas. También él se sentó y, aunque no se rozaron, Maura fue tan consciente de la presencia de él, sentado muy cerca a su lado, que casi sintió su calor contra el brazo desnudo.

—¿Has sabido algo más del caso por la detective Rizzoli?

—No puede decirse que me tenga muy informada.

—¿Esperabas lo contrario?

—Como policía, no. No lo haría.

—¿Y como amiga?

—De eso se trata. Yo pensaba que éramos amigas. Pero me ha contado muy poco.

—No debes culparla. Ten presente que encontraron a la víctima delante de tu casa. Tenía que hacer preguntas...

—¿Como cuáles? ¿Si incluirme en la lista de sospechosos?

—O si eras el blanco que buscaban. Es lo que todos pensamos aquella noche, que eras tú quien estaba en aquel coche. —Miró hacia el otro lado del río—. Has dicho que no puedes dejar de pensar en aquella autopsia. Bien, pues yo no puedo dejar de pensar en esa noche, de pie en tu calle con todos aquellos coches de la policía. No podía creer en nada de lo que estaba sucediendo. Me negaba a creer.

Los dos guardaron silencio. Ante ellos discurría un río de aguas oscuras; a sus espaldas un río de coches.

—¿Querrías cenar conmigo esta noche? —preguntó ella de repente.

Por unos instantes él no contestó y sus dudas hicieron que ella se ruborizara avergonzada. Una pregunta estúpida. Le habría gustado volver atrás, borrar los últimos sesenta segundos. Habría sido mucho mejor limitarse a decir adiós y marcharse. En cambio, había farfullado aquella invitación irreflexiva, una invitación que ambos eran conscientes de que él no debía aceptar.

—Lo siento —farfulló Maura—. Supongo que no es muy buena...

—Sí —la interrumpió él—. Me encantaría.

Ella estaba en la cocina, cortando tomates para la ensalada, la mano le temblaba al empuñar el cuchillo. En el fuego hervía poco a poco un guiso de pollo al vino, que dejaba escapar el vaho fragante de los aromas del vino y del pollo. Un plato fácil y familiar, que podía cocinar sin consultar la receta, sin tener que detenerse a pensar en ella. No era capaz de enfrentarse a una comida más complicada. Tenía la mente centrada por completo en el hombre que en aquel momento servía dos copas de Pinot Noir.

Daniel depositó una de las copas junto a Maura, sobre la encimera.

—¿Qué más puedo hacer?

—Nada.

—¿Preparar el aliño de la ensalada? ¿Limpiar la lechuga?

—No te he invitado para que trabajes. Simplemente he pensado que era preferible comer aquí en vez de hacerlo en un restaurante, un sitio quizá demasiado público.

—Debes de estar cansada de ser siempre objeto del interés público —dijo él.

—Pensaba más bien en ti.

—Incluso los curas salen a comer a los restaurantes, Maura.

—No, me refería a… —sintió que volvía a ruborizarse y regresó a su labor con los tomates.

—Supongo que intrigaría a la gente el hecho de vernos juntos —comentó él.

Vio que se quedaba mirándola un momento, mientras el único sonido perceptible era el golpeteo del cuchillo contra la tabla de cortar. ¿Qué puede hacer una con un cura en la cocina?, se preguntó Maura. ¿Pedirle que bendiga la comida? Ningún otro hombre lograría que sintiera tal desasosiego; era tan humana e imperfecta. «¿Y qué hay de tus imperfecciones, Daniel?», se preguntó mientras incorporaba los cuadraditos de tomate al cuenco de la ensalada, para luego aderezarla con aceite de oliva y vinagre balsámico. «¿Acaso ese cuello blanco te hace inmune a la tentación?»

—Deja al menos que corte en rodajas ese pepino —insistió él.

—No puedes estarte quieto, ¿verdad?

—No estoy hecho para permanecer con los brazos cruzados mientras los demás trabajan.

Maura se rió.

—Pues únete al club.

—¿Te refieres al club de los adictos al trabajo? Si es así, debo decirte que soy miembro fundador. —Sacó un cuchillo del bloque de madera y empezó a cortar el pepino, liberando su olor refrescante y veraniego. Esto se debe a que tuve que bregar con cinco hermanos y una hermana.

—¿Erais siete en la familia? ¡Díos mío!

—Estoy seguro de que eso mismo exclamaba mi padre cada vez que se enteraba de que había otro en camino.

—¿Qué lugar ocupas tú en esos siete?

—El cuarto. Justo en el centro. Lo cual, según los psicólogos, me convierte en un mediador de nacimiento. El que siempre trata de mantener la paz —la miró mientras sonreía—. Y también significa que sé cómo entrar y salir de la ducha con gran celeridad.

—¿Y cómo pasaste de ser el cuarto hermano a sacerdote?

Daniel centró la mirada en la tabla de cortar.

—Como sin duda imaginarás, se trata de una larga historia.

—¿De la que no quieres hablar?

—Es muy probable que mis motivos te pareciesen ilógicos.

—Bueno, es curioso cómo las mayores decisiones de nuestra vida suelen ser las menos lógicas. La persona que elegimos para casarnos, por ejemplo. —Maura tomó un pequeño sorbo de vino y volvió a dejar la copa—. Lo cierto es que yo no podría defender mi matrimonio basándome en la lógica.

—¿En el deseo, entonces? —preguntó él, alzando la mirada.

—Ésa sería la palabra clave. Ahí cometí el mayor error de mi vida. Es decir, hasta el momento.

Maura tomó otro sorbo de vino. «Y tú podrías ser el siguiente. Si Dios quisiera que guardáramos la compostura, no tendría que haber creado la tentación.»

Daniel incorporó las rodajas de pepino al cuenco de la ensalada y limpió el cuchillo. Maura le observó de pie ante el fregadero, de espaldas a ella. Tenía la constitución alta y delgada de un corredor de fondo. «¿Por qué me expongo a pasar por esto?», se preguntó. «¿Por qué, de todos los hombres hacia los que podría sentirme atraída, tiene que ser éste?»

—Me has preguntado por qué elegí el sacerdocio —dijo él.

—Sí. ¿Por qué?

Daniel se volvió a mirarla.

—Mi hermana enfermó de leucemia.

Sorprendida, Maura no supo qué decir. Nada le pareció apropiado.

—Sophie tenía seis años —explicó él—. Era la más joven de la familia y la única chica —cogió un paño de cocina para secarse las manos, y con extremo cuidado volvió a dejarlo en el colgadero, tomándose su tiempo, como si necesitara medir las palabras que iba a decir—. Se trataba de una leucemia linfática aguda. Supongo que podríamos calificarla de las buenas, si es que existe algo similar a una leucemia buena.

—Es de las que tienen un pronóstico más positivo en los niños. Un ochenta por ciento de supervivencia.

Una aseveración verídica pero, apenas dicha, Maura lamentó haberlo hecho. La lógica de la doctora Isles... Responder a la tragedia con los habituales datos útiles y las frías estadísticas. Era la forma con que siempre se enfrentaba a las emociones confusas de quienes tenía a su lado: se refugiaba en su papel de científica. ¿Un amigo acababa de morir de cáncer de pulmón? ¿Un familiar se quedaba tetrapléjico a causa de un accidente de coche? Para cada tragedia podía citar datos estadísticos, extraer consuelo de la precisa certeza de los números. Convencida de que detrás de cada horror existe una explicación.

Se preguntó si Daniel la consideraría una mujer indiferente, incluso insensible. Pero no daba la sensación de que se lo hubiese tomado como ofensa. Se limitó a asentir, aceptando la estadística con el espíritu con que ella se la había ofrecido: como un simple dato.

—Las estadísticas de sobrevivir cinco años no eran muy altas en aquel entonces —dijo él—. Cuando se la diagnosticaron estaba ya muy enferma. No sé cómo decirte lo devastador que fue para todos nosotros. Sobre todo para mi madre. Era su única hija. Su pequeña. Entonces yo tenía catorce años y era el único capaz de vigilar a Sophie. Incluso con la dedicación que se le prodigó, con todos los mimos, nunca se portó como una niña mimada. Nunca dejó de ser la criatura más dócil que puedas imaginar.

Seguía sin mirar a Maura. Mantenía los ojos fijos en el suelo, como si no quisiera mostrar la profundidad de su dolor.

—Daniel —murmuró ella.

Él respiró hondo, se enderezó.

—No sé muy bien cómo contar esta historia a una veterana escéptica como tú.

—¿Qué ocurrió?

—Su médico nos informó de que se encontraba en fase terminal. En aquel entonces, cuando un médico te daba su opinión, la aceptabas como si fuera el Evangelio. Aquella noche mis padres y mis hermanos acudieron a la iglesia. A rogar para que se produjera el milagro, imagino. Yo me quedé en el hospital, para que Sophie no estuviera sola. Se había quedado calva entonces. Había perdido el cabello con la quimioterapia. Recuerdo que se durmió en mi regazo. Y que yo rezaba. Recé durante horas, hice todo tipo de promesas absurdas a Dios. Si hubiese llegado a morir, creo que yo no habría vuelto a poner los pies en una iglesia.

—Pero vivió —dijo Maura, con voz queda.

Él la miró y sonrió.

—Sí, vivió. Y yo cumplí las promesas que había hecho. De la primera a la última. Porque aquel día Dios me había escuchado. No tengo la menor duda.

—¿Dónde está Sophie ahora?

—Está felizmente casada y vive en Manchester. Tiene dos hijos adoptados —Daniel se sentó frente a ella, al otro lado de la mesa de la cocina. Y aquí estoy yo.

—El padre Brophy...

—Ahora ya sabes porqué tomé la decisión.

«¿Y fue la correcta?», habría querido preguntar ella, pero no lo hizo.

Volvieron a llenar las copas de vino. Maura cortó rebanadas de delicioso pan de barra y revolvió la ensalada. Sirvió humeantes cucharones de pollo al vino en los platos. La mejor forma de llegar al corazón de un hombre es a través de su estómago. ¿Era ahí donde quería llegar en realidad? ¿Al corazón de Daniel Brophy?

«Quizá el hecho de no poderle tener hace que me sienta segura queriéndole. Está fuera de mi alcance, de modo que no puede herirme, como hizo Victor.»

Claro que cuando se casó con Victor creía que él nunca le haría daño.

«Nunca somos tan impermeables como creemos.»

Acababan de cenar cuando el timbre de la puerta hizo que ambos se pusieran tensos. A pesar de lo inocente que había sido la velada, intercambiaron miradas de inquietud, como dos amantes culpables atrapados en situación comprometida.

Jane Rizzoli aguardaba de pie en el porche de la entrada; su negro y rizado cabello era una masa rebelde bajo el húmedo aire veraniego. Aunque la noche era cálida, iba vestida con el traje pantalón oscuro que siempre llevaba para trabajar. «Esto no es una visita de cortesía», pensó Maura al enfrentarse con la sombría mirada de Rizzoli. Al bajar la vista, descubrió que Rizzoli llevaba consigo un maletín.

—Lamento molestarte en casa, Doc, pero tenemos que hablar. He pensado que era mejor vernos aquí, en lugar de hacerlo en la oficina.

—¿Está relacionado con el caso?

Rizzoli asintió. Ninguna de las dos necesitó especificar de qué caso estaban hablando: ambas lo sabían. Aunque las dos se respetaban como profesionales, todavía no habían cruzado la frontera que permite pasar a una amistad espontánea y esa noche se miraron una a otra con cierta desazón. «Ha ocurrido algo», pensó Maura. «Algo que hace que se muestre recelosa conmigo.»

—Entra, por favor.

Rizzoli entró en la casa y se detuvo mientras olisqueaba el olor a comida.

—¿Interrumpo tu cena?

—No, ya hemos terminado.

La utilización del plural no pasó inadvertida a Rizzoli. Dirigió a Maura una mirada de interrogación. Oyó pasos y, al volverse, descubrió a Daniel en el pasillo, que se llevaba las copas de vino a la cocina.

—Buenas noches, detective —la saludó él.

Rizzoli pestañeó sorprendida.

—Padre Brophy.

Él siguió hacia la cocina y Rizzoli se volvió a Maura. Aunque no dijo nada, estaba claro lo que pensaba. Lo mismo que había pensado la feligresa. «Sí, parece incorrecto, pero no ha ocurrido nada. Nada salvo una cena y una charla. ¿Por qué diablos tienes que mirarme de esta manera?»

—Bueno… —dijo Rizzoli; esa única palabra encerraba enorme significado.

Oyeron golpeteo de platos y cubiertos. Daniel estaba cargando el lavavajillas. Un cura en casa y en su cocina.

—Si es posible me gustaría hablar contigo en privado —dijo Rizzoli.

—¿Es necesario? El padre Brophy es amigo mío.

—Ya será lo bastante difícil hablarlo sin su presencia, Doc.

—No puedo decirle que se vaya… —se interrumpió al oír los pasos de Daniel, que salía de la cocina.

—Pero yo tengo que irme —dijo él, mirando brevemente a Rizzoli—. Es obvio que tenéis asuntos que discutir.

—De verdad, tenemos que hablar —contestó Rizzoli.

Daniel sonrió a Maura.

—Gracias por la cena.

—Aguarda, Daniel —Maura lo acompañó al porche delantero y cerró la puerta al salir. No tienes por qué irte.

—Necesita hablar contigo en privado.

—Lo siento.

—¿Por qué? Ha sido una velada maravillosa.

—Tengo la sensación de que te estoy echando de casa.

Él le apretó el brazo con gesto cálido y tranquilizador.

—Telefonéame cuando necesites hablar otra vez —dijo—. No importa la hora.

Maura le observó mientras él se dirigía al coche. Su negra indumentaria se confundía con la noche veraniega. Cuando Daniel se volvió para enviarle un saludo de despedida, Maura se fijó en el alzacuello, último destello de blanco en la oscuridad.

Volvió a entrar en la casa y encontró a la detective todavía de pie en el vestíbulo, fija la mirada en ella. Pensaba sin duda en Daniel. Rizzoli no era ciega, podía ver que entre los dos estaba naciendo algo más que una simple amistad.

—¿Y bien? ¿Te puedo ofrecer algo de beber? —preguntó Maura.

—No estaría mal, pero nada que tenga alcohol. —Se dio unas palmaditas en el vientre—. Junior es aún demasiado pequeño para emborracharse.

—Claro.

Maura encabezó la marcha por el pasillo, obligándose a interpretar el papel de la anfitriona atenta. En la cocina puso cubitos de hielo en dos vasos y sirvió zumo de naranja. Añadió al suyo un chorrito de vodka. Al volverse para depositar los vasos sobre la mesa de la cocina vio que Rizzoli sacaba una carpeta del maletín y la dejaba encima de la mesa.

—¿Y eso qué es? —preguntó Maura.

—¿Qué te parece si antes nos sentamos, Doc? Porque lo que te voy a decir quizá resulte algo sobrecogedor.

Maura se sentó en una silla frente a la mesa de la cocina y lo mismo hizo Rizzoli; la carpeta quedó entre las dos. «La caja de Pandora llena de secretos», pensó Maura, observándola. «Tal vez no me interese saber lo que hay ahí dentro.»

—¿Recuerdas lo que te dije la semana pasada acerca de Anna Jessop? ¿Que no pudimos encontrar datos suyos que se remontaran más allá de hace seis meses? ¿Que el único domicilio suyo que teníamos era un apartamento vacío?

—La llamasteis «el fantasma».

—Y en cierto modo no andábamos muy equivocados. Anna Jessop no existió nunca en realidad.

—¿Cómo es eso posible?

—Porque no ha existido ninguna Anna Jessop. Era un nombre falso. Su nombre auténtico era Anna Leoni. Hará medio año, adoptó una identidad nueva. Empezó anulando todas sus cuentas y, por último, cambió de residencia. Con su nuevo nombre, alquiló en Brighton un apartamento adonde nunca tuvo intención de trasladarse a vivir. Sólo era un callejón sin salida en caso de que alguien lograra averiguar su nuevo nombre. Luego empaquetó sus cosas y se trasladó a Maine. A un pequeño pueblo a mitad de camino de la costa, donde estuvo viviendo los últimos dos meses.

—¿Cómo has averiguado todo esto?

—Hablé con el poli que la ayudó a hacerlo.

—¿Un poli?

—El detective Ballard, de Newton.

—¿Entonces su nombre falso no era... porque huyera de la ley?

—No. Ya puedes imaginar de qué huía... La historia de siempre.

—¿Un hombre?

—Por desgracia, un hombre muy rico. El doctor Charles Cassell.

—El nombre no me resulta familiar.

—Productos Farmacéuticos Castle. Cassell fundó la empresa. Anna trabajaba en esa empresa como investigadora y se liaron, pero a los tres años intentó dejarle.

—Y él no consintió.

—Parece ser que el doctor Cassell es de esos tipos con

quienes no querrías coincidir. Una noche, Anna acabó con un ojo morado en el servicio de urgencias de Newton. A partir de entonces, los sustos fueron continuos. Seguimientos, amenazas de muerte, incluso se encontró un canario muerto en el buzón.

—¡Cielos!

—Sí, eso es amor de verdad. A veces la única forma de impedir que un hombre te haga daño es pegarle un tiro... o huir de él. De haber elegido la primera opción, tal vez ahora estaría viva.

—La encontró.

—Sólo falta probarlo.

—¿Y puedes?

—Aún no hemos logrado hablar con el doctor Cassell. Con muy buen sentido de la oportunidad, se marchó de Boston a la mañana siguiente del asesinato. Toda la semana pasada estuvo viajando por asuntos de negocios y no se espera que regrese a casa hasta mañana.

Rizzoli levantó el vaso de zumo de naranja hasta los labios y el tintineo de los cubitos de hielo hizo que a Maura se le pusieran los nervios de punta. La detective volvió a dejar el vaso y, por unos instantes, guardó silencio. Parecía que pretendiera ganar tiempo, se dijo Maura. Pero... ¿para qué?

—Hay algo más sobre Anna Leoni que debes saber —dijo Rizzoli, y señaló la carpeta sobre la mesa—. He traído esto para ti.

Maura abrió la carpeta y experimentó un sobresalto al reconocer aquello. Era la fotocopia de una foto tamaño billetera. Una muchacha de cabello negro y mirada seria estaba de pie en medio de una pareja ya mayor que, con gesto protector, la rodeaba con sus brazos.

—Esa chica podría ser yo —murmuró Maura, en voz baja.

—La llevaba en la billetera. Creemos que es Anna, a los diez años, junto con sus padres. Ruth y William Leoni. Ambos fallecidos ya.

—¿Éstos son sus padres?

—Sí.

—Pero... son muy viejos.

—Sí, así es. La madre, Ruth, tenía sesenta y dos años cuando se tomó la foto. —Rizzoli hizo una pausa. Anna fue hija única.

«Un solo hijo. Padres ya mayores. Sé adonde conduce esto», pensó Maura, «y tengo miedo de lo que vaya a decirme a continuación. Ésta es la razón de su visita esta noche. No ha venido sólo por Anna Leoni y su amante maltratador, sino por algo mucho más alarmante.»

Maura fijó la mirada en la detective.

—¿Era adoptada?

Rizzoli asintió.

—La señora tenía cincuenta y dos años cuando nació Anna.

—Demasiado mayor para los organismos oficiales.

—Probablemente por eso concertaron a través de un abogado la adopción privada.

Maura pensó en sus padres, ambos ya muertos. También ellos eran mayores, a punto de entrar en la cincuentena.

—¿Qué sabes de tu adopción, Doc?

Maura respiró hondo.

—Hasta después de la muerte de mi padre no encontré los papeles de la adopción. Se gestionó con un abogado de aquí, de Boston. Hace algunos años le telefoneé, por si podía facilitarme el apellido de mi madre biológica.

—¿Y te lo dio?

—Dijo que mi expediente estaba sellado. Se negó a soltar ninguna información.

—¿Y no insististe?

—No.

—¿No será Terence Van Gates el nombre de ese abogado?

Maura guardó silencio. No hacía falta contestar a la pregunta, sabía que Rizzoli podía leerlo en su sorprendida mirada.

—¿Cómo lo has averiguado? —preguntó a su vez.

—Dos días antes de su asesinato, Anna se registró en el hotel Tremont, aquí en Boston... Desde la habitación del hotel efectuó dos llamadas telefónicas. Una al detective Ballard, que se encontraba fuera de la ciudad en ese momento. La otra al bufete de Van Gates. No sabemos para qué se puso en contacto con él, porque el abogado no ha contestado todavía a mis llamadas.

«Ahora viene la revelación», pensó Maura. «El verdadero motivo de que ella esté aquí esta noche, en mi cocina.»

—Sabemos que Anna Leoni era adoptada. Tenía el mismo grupo sanguíneo y la misma fecha de nacimiento que tú. Y que justo antes de morir habló con Van Gates, el abogado que gestionó tu adopción. Una serie de coincidencias asombrosa.

—¿Cuánto hace que sabes todo eso?

—Unos días.

—¿Y no me lo dices hasta ahora? Me lo has ocultado.

—No quería preocuparte si no era necesario.

—Bien, pues me preocupa que hayas esperado tanto.

—He tenido que hacerlo porque había otra cosa que necesitaba averiguar —Rizzoli hizo una profunda inspiración—. Esta tarde he hablado con Walt DeGroot, del laboratorio de ADN. A principios de esta semana le pedí que hiciera el análisis que solicitaste. Hace un rato me enseñó las autorradiografías que había obtenido. Realizó dos secuencias de alelos VNTR por separado. Una era la de Anna Leoni. La otra era la tuya.

Maura permaneció sentada, sin moverse, preparándose para el golpe que sabía que le iba a caer.

—Ambas coinciden —dijo Rizzoli—. Los dos perfiles genéticos son idénticos.

7

El reloj que colgaba de la pared de la cocina continuó con su tictac. Los cubitos de hielo se fundieron lentamente en los vasos que había encima de la mesa. El tiempo siguió su curso. Pero Maura seguía atrapada en aquel instante, con las palabras de Rizzoli girando sin cesar en el interior de su cabeza.

—Lo siento —dijo la detective—. No sabía de qué otra forma decírtelo. Pero he pensado que tenías derecho a saber que tienes... —Rizzoli se interrumpió.

«Tenía. Tenía una hermana y nunca supe siquiera que existía.»

Rizzoli estiró el brazo por encima de la mesa y cogió la mano de Maura. Esto no era nada habitual en ella. La detective no era una mujer que cediera con facilidad a proporcionar consuelo ni a dar abrazos. Pero allí estaba ella, cogiéndola de la mano, observándola como si esperara que fuera a desmoronarse.

—Háblame de ella —le pidió Maura, con voz queda—. Dime qué clase de mujer era.

—Es con el detective Ballard con quien deberías hablar.

—¿Con quién?

—Rick Ballard. Es de Newton. Le asignaron el caso de

ella después de la agresión del doctor Cassell. Pienso que la llegó a conocer bastante bien.

—¿Qué te ha contado de ella?

—Que creció en Concord. Estuvo casada poco tiempo, a los veinticinco años, pero no cuajó. Tuvieron un divorcio amistoso, sin hijos.

—¿Y el ex marido no es sospechoso?

—No. Volvió a casarse y vive en Londres.

«Una divorciada, como yo. ¿Existirá un gen que predetermine el fracaso de los matrimonios?»

—Como ya he dicho, trabajaba para Productos Farmacéuticos Castle, la compañía de Charles Cassell. Trabajaba como microbióloga en el departamento de investigación.

—Una científica...

—Sí.

«De nuevo como yo», pensó Maura mientras estudiaba el rostro de su hermana en la foto. «Por tanto, sé que evaluaba la razón y la lógica, como yo. Los científicos están gobernados por el intelecto. Se sienten a gusto con los hechos. Nos habríamos entendido una con otra.»

—Son muchas cosas para digerir, lo sé —dijo Rizzoli. Intento ponerme en tu lugar y me cuesta imaginarlo. Es como descubrir un universo paralelo, donde existe otra versión de ti. Descubrir que ella ha estado ahí todo ese tiempo, viviendo en la misma ciudad. Sólo con que... —Rizzoli se interrumpió.

«¿Existe alguna frase tan inútil como "sólo con que..."?»

—Lo siento... —concluyó la detective.

Maura respiró profundamente y se sentó erguida, indicando que no necesitaba que la cogieran de la mano. Que se sentía capaz de enfrentarse a aquello. Cerró la carpeta y se la devolvió a Rizzoli.

—Gracias, Jane.

—No, consérvala. Esta fotocopia es para ti.

Las dos se levantaron. Rizzoli buscó en el bolsillo y dejó una tarjeta de visita sobre la mesa.

—Tal vez quieras esto también. Él me dijo que podías telefonearle para hacerle cualquier pregunta.

Maura bajó la vista al nombre que figuraba en la tarjeta: RICHARD D. BALLARD, DETECTIVE. DEPARTAMENTO DE POLICÍA DE NEWTON.

—Es con quien deberías hablar —añadió Rizzoli.

Se encaminaron hasta la puerta principal, Maura todavía controlaba sus emociones, todavía mantenía su papel de anfitriona. Permaneció en el porche el tiempo suficiente para decir adiós con la mano, cerró la puerta y entró en la sala de estar. Se quedó allí mientras oía alejarse el coche de la detective, dejando tras de sí la placidez de una calle residencial.

«Completamente a solas», pensó. «De nuevo estoy sola.»

En la sala de estar, se acercó a la biblioteca y sacó un viejo álbum de fotos. Hacía años que no hojeaba sus páginas. Desde la muerte del padre, cuando limpió la casa semanas después del entierro. Había encontrado el álbum en la mesita de noche y se imaginó al anciano sentado en la cama la última noche de su vida, a solas en la enorme casa, mirando las fotos de su familia cuando eran más jóvenes. Las últimas imágenes que habría visto, antes de apagar la luz, serían las de aquellos rostros felices.

Abrió el álbum y los contempló. Las páginas estaban quebradizas, algunas de las fotografías tenían casi cuarenta años. Se demoró en la primera que encontró de su madre: sonreía a la cámara, con una criatura de cabello oscuro en los brazos. A sus espaldas había una casa que Maura no recordaba, con ornamentación victoriana y ventanas saledizas. Debajo de la foto, Ginny, su madre, había escrito con su perfecta caligrafía de siempre: «Llegada de Maura a casa.»

No había fotografías en el hospital ni tampoco ninguna de su madre durante el embarazo. Sólo aquella imagen repentina, brusca, de Ginny sonriendo bajo el sol, sosteniendo al bebé. Y pensó en otra recién nacida de cabello oscuro, en brazos de otra madre. Tal vez aquel mismo día un padre orgulloso, en otra ciudad, había sacado la instantánea de su nueva hija. Una niña llamada Anna.

Maura fue pasando páginas. Se vio crecer, pasando de la niña que da sus primeros pasos a otra que entra en la guardería. Allí estaba con su bicicleta nueva, sostenida por la mano de su padre. Y allí en su primer recital de piano, el cabello negro recogido hacia atrás con una diadema verde, las manos posadas sobre el teclado.

Pasó a la última página. En Navidad. Maura a los siete años, de pie, flanqueada por su madre y su padre, con los brazos entrelazados en cariñosa trama. Tras ellos estaba el árbol decorado, centelleante con las guirnaldas de oropel. Todos sonrientes. «Un momento perfecto en el tiempo», pensó Maura. «Pero esos momentos nunca perduran: llegan, se desvanecen y ya no podemos recuperarlos; sólo nos está permitido crear otros nuevos.»

Y llegó al final del álbum. Había otros álbumes, por supuesto. Al menos cuatro más en la historia de Maura, cada evento registrado y catalogado por sus padres. Pero el que tenía ante sí era el que su padre había elegido para tener junto a la cama, con las fotos de su hija en la infancia, de él y de Ginny como padres dotados aún de energía, antes de que las canas reptaran por sus cabellos. Antes de que el dolor, junto con la muerte de Ginny, entrara en sus vidas.

Contempló el rostro de sus padres y pensó: «Qué suerte tuve de que me eligierais a mí. Os echo de menos. Os echo mucho de menos, a los dos.» Cerró el álbum y, a través de las lágrimas, se quedó mirando la cubierta de piel.

«Si al menos estuvierais aquí... Sólo con que pudierais decirme quién soy...»

Se fue a la cocina y cogió la tarjeta de visita que Rizzoli había dejado sobre la mesa. Al frente figuraba impreso el número de Rick Ballard en el departamento de policía de Newton. Le dio la vuelta a la tarjeta y vio que él también había anotado el teléfono de casa, junto con una nota: «Llame a cualquier hora, del día o de la noche. RB».

Se dirigió al teléfono y marcó el número del domicilio particular. A la tercera llamada, una voz contestó con un simple «Ballard». Sólo el apellido, pronunciado con claro tono de eficiencia. «Es un hombre que va directo al asunto», pensó. «No recibirá con agrado la llamada de una mujer a punto de desmoronarse espiritualmente.» Al fondo escuchó un anuncio de televisión. Está en casa, descansando, y lo último que debe desear es que le molesten.

—¿Oiga? —preguntó él, ahora con una nota de impaciencia.

Maura carraspeó, aclarándose la garganta.

—Lamento telefonearle a casa. La detective Rizzoli me dio su tarjeta. Soy Maura Isles, y...

«¿Y qué? ¿Quiere ayudarme a pasar esta noche?»

—Aguardaba su llamada, doctora Isles.

—Sé que debería haber esperado hasta mañana, pero...

—No se preocupe. Tendrá un montón de preguntas para hacer.

—La verdad es que estoy pasando un mal momento. Nunca supe que tenía una hermana, y de repente...

—Todo ha cambiado para usted, ¿verdad? —la voz que momentos antes había sonado brusca era ahora tan apacible, tan comprensiva, que Maura tuvo que parpadear para reprimir las lágrimas.

—Sí —murmuró.

—Tal vez debiéramos reunirnos. Podríamos vernos cualquier día de la semana que viene. O si quiere que nos veamos por la noche...

—¿Podría ser hoy?

—Tengo aquí a mi hija. No puedo salir ahora.

«Claro, tiene familia», pensó Maura, y soltó una risita de turbación.

—Perdone, lo he dicho sin pensar.

—¿Por qué no viene aquí, a mi casa?

Maura guardó silencio, el pulso le martilleaba en los oídos.

—¿Dónde vive usted?

Ballard vivía en Newton, acogedora zona residencial al oeste del área metropolitana de Boston, apenas a cinco kilómetros de la residencia de Maura, en Brookline. Su casa era como todas las de aquella tranquila calle, sin nada que la diferenciara, pero bien cuidada. Otra casa cuadrangular en un barrio donde ninguna de las viviendas tenía nada destacable. Desde el porche delantero vio el resplandor azulado de la pantalla del televisor y oyó las monótonas vibraciones de música pop. No era en absoluto el canal que esperaba que viera un policía.

Pulsó el timbre. La puerta se abrió y acudió una chica rubia, vestida con vaqueros azules rotos y una camiseta que dejaba el ombligo al descubierto. Un atuendo provocativo para una muchacha que no tendría más de catorce años, a juzgar por las estrechas caderas y pechos apenas incipientes. La muchacha no dijo ni una palabra, se limitó a observar a Maura con mirada hosca, como si vigilara la entrada de cualquier vendedor a domicilio.

—Hola —comentó Maura—. Soy Maura Isles, vengo a ver al detective Ballard.

—¿La está esperando?

—Sí.

—¡Katie, es para mí! —llamó la voz de un hombre.

—Creía que era mamá. Se supone que debería estar aquí ya.

Ballard apareció en la entrada, dominando con su estatura a su hija. A Maura le costó creer que aquel hombre, con su corte de cabello conservador y su planchada camisa a rayas, fuera el padre de una adolescente con aspecto de furcia pop. El detective le tendió la mano y se la estrechó con firmeza.

—Rick Ballard. Entre, doctora Isles.

Mientras Maura entraba en la casa, la chica dio media vuelta, regresó a la sala de estar y se tumbó delante del televisor.

—Katie, por lo menos saluda a nuestra invitada.

—Me estoy perdiendo mi programa.

—Puedes invertir un segundo en ser amable, ¿no crees?

Katie soltó un sonoro suspiro, dedicó de mala gana un saludo con la cabeza, soltó un «hola» y volvió a concentrarse en el televisor.

Ballard miró a su hija un momento, como considerando si valía la pena el esfuerzo de pedirle un poco de cortesía.

—Bien, baja el volumen —le dijo—. La doctora Isles y yo tenemos que hablar.

La chica empuñó el mando a distancia y, como si fuera un arma, apuntó al televisor. El sonido apenas disminuyó.

Ballard se volvió hacia Maura.

—¿Quiere un café? ¿Té?

—No, gracias.

Él asintió comprensivo.

—Usted sólo quiere saber cosas de Anna.

—Sí.

—En mi despacho tengo una copia de su expediente.

Si el despacho era un reflejo del hombre, Rick Ballard era tan sólido y fiable como el escritorio de roble que dominaba la estancia. Pero no eligió atrincherarse detrás de el; le indicó el sofá y él se sentó en un sillón frente a ella. Entre los dos no se interponía más barrera que la mesita de centro, sobre la cual había una única carpeta. A pesar de que cerró la puerta, seguía oyéndose el frenético golpeteo procedente del televisor.

—Debo pedirle disculpas por la descortesía de mi hija. Katie está pasando una mala época; y no sé muy bien cómo negociar con ella últimamente. Sé cómo enfrentarme a los delincuentes, pero con las chicas de catorce años… —soltó una risa pesarosa.

—Confío en que mi visita no empeore las cosas.

—Esto no tiene nada que ver con usted, créame. Nuestra familia pasa por una etapa de transición en estos momentos. Mi esposa y yo nos separamos el año pasado y Katie se niega a aceptarlo. Esto provoca un montón de peleas, mucha tensión.

—No sabe cuánto lo siento.

—Un divorcio no es nunca agradable.

—El mío seguro que no lo fue.

—Pero ya lo superó.

Maura pensó en Victor, que no hacía mucho había vuelto a entrometerse en su vida, y en cómo, por breve tiempo, la había persuadido para que considerase la reconciliación.

—No estoy muy segura de que se pueda superar —dijo—. Una vez que has estado casada con alguien, esa persona forma parte de tu vida, para bien o para mal. La clave consiste en recordar lo bueno.

—A veces no es fácil.

Por un momento guardaron silencio. El único sonido era la irritante vibración del televisor, expresión de la rebeldía adolescente. Entonces él se enderezó, cuadró los hombros y la miró. Fue una mirada de la que ella no pudo evadirse con facilidad, una mirada indicativa de que el único foco de su atención era ella.

—Bien, ha venido a que le cuente cosas de Anna.

—Sí. La detective Rizzoli me ha dicho que usted la conocía. Que intentó protegerla.

—No hice muy bien mi trabajo —dijo él, con voz grave.

Maura vio el destello de dolor en sus ojos. Luego la mirada de Rick cayó sobre el expediente que había encima de la mesita de centro. Cogió la carpeta y se la entregó.

—No es una imagen agradable, pero tiene usted todo el derecho.

Maura abrió la carpeta y observó la fotografía de Anna Leoni posando frente a una pared absolutamente blanca. Llevaba bata de hospital. Tenía un ojo hinchado, casi cerrado, y en la mejilla un hematoma de color púrpura. El ojo intacto miraba la cámara con expresión de aturdimiento.

—Ése era su aspecto la primera vez que la vi —explicó Ballard—. La foto se la tomaron en urgencias el año pasado, después de que la golpeara el hombre con quien vivía. Anna había abandonado la casa de él y había alquilado otra aquí, en Newton. Cierta noche, él se presentó ante su puerta e intentó persuadirla para que volviera. Ella le contestó que la dejara en paz. Bueno, Charles Cassell no está acostumbrado a que le den órdenes. Por eso pasó lo que pasó.

Maura percibió rabia en la voz del detective y levantó la vista. Vio que había tensado los labios.

—Tengo entendido que ella presentó una denuncia.

—Diablos, sí. Yo mismo la asesoré con los formularios. Un hombre que golpea a una mujer sólo entiende una cosa: el castigo. Me quise cerciorar de que se atuviera a las consecuencias. Todos los días tengo que bregar con maltratos domésticos y, cada vez que los veo, me enfurezco. Es como si dentro de mí pulsaran un interruptor. Lo único que puedo hacer es que encarcelen al culpable. Y eso es lo que intenté hacer con Charles Cassell.

—¿Y qué ocurrió?

Ballard sacudió la cabeza con pesar.

—Que acabó en la cárcel sólo durante una condenada noche. Cuando tienes dinero, puedes comprar casi cualquier cosa. Confiaba en que aquello sería el final de todo, que se mantendría alejado de ella. Pero no es un hombre que esté habituado a perder. Siguió telefoneándola, presentándose ante su puerta. Anna cambió dos veces de domicilio, pero él seguía encontrándola. Al final logró una orden de alejamiento, pero eso no impedía que él pasara con el coche ante su casa. Luego, hará unos seis meses, el asunto se agravó.

—¿En qué sentido?

Ballard señaló con la cabeza el expediente.

—Lo tiene ahí. Anna se lo encontró una mañana pegado a la puerta de la entrada.

Maura se fijó en una fotocopia. En el centro de la hoja en blanco habían mecanografiado sólo dos palabras:

«Estás muerta.»

Sintió que el pavor le recorría la espina dorsal. Imaginó que una mañana se despertaba, abría la puerta de la entrada para recoger el periódico y se encontraba aquella misma hoja de papel blanco revoloteando en el suelo. Que la desdoblaba y leía esas dos palabras.

—Ésta fue sólo la primera —explicó el detective—. Hubo otras, que llegaron con posterioridad.

Maura volvió la siguiente hoja y encontró las mismas palabras.

«Estás muerta.»

Pasó una tercera hoja. Y una cuarta.

«Estás muerta.»

«Estás muerta.»

La garganta se le había secado. Se volvió hacia Ballard.

—¿Y ella no podía hacer nada para detenerle?

—Lo intentó, pero no pudo probar que quien había escrito eso fuera él. Como tampoco pudo probar que fuera él quien le había rayado el coche o acuchillado la tela metálica de la ventana. Un día abrió el buzón y encontró dentro un canario muerto, con el cuello roto. Entonces decidió largarse de Boston. Quería desaparecer.

—Y usted la ayudó.

—Nunca dejé de ayudarla. Cada vez que Cassell se presentaba para hostigarla era a mí a quien acudía. Y cuando decidió abandonar la ciudad, también en eso la ayudé. No es fácil limitarse a desaparecer, sobre todo cuando alguien con los medios de Cassell te está buscando. No sólo cambió de nombre, sino que con el nuevo nombre estableció una residencia falsa. Alquiló un apartamento y nunca se trasladó a vivir allí; era sólo para confundir a cualquiera que intentara seguirla. El plan consistía en trasladarse por completo a otro sitio, donde lo pagara todo en efectivo. Dejar atrás a toda la gente y todas las cosas. Es la única forma en que se supone que puede funcionar.

—Pero, aun así, él la encontró.

—Creo que es la razón de que Anna regresase a Boston. Comprendió que allí ya no estaba segura. Ya sabe que me telefoneó, ¿verdad? La noche anterior.

Maura asintió:

—Es lo que dijo Rizzoli.

—Dejó un mensaje en mi contestador, advirtiéndome de que se alojaba en el hotel Tremont. Yo estaba en Denver, visitando a mi hermana, así que no escuché el mensaje hasta que regresé a casa. Para entonces, Anna ya estaba muerta

—su mirada coincidió con la de Maura—. Cassell lo negará, por supuesto. Pero si consiguió seguirla hasta Fox Harbor, en ese pueblo tiene que haber alguien que le viera. Es lo que planeo hacer ahora, demostrar que él estuvo allí. Averiguar si alguien le recuerda.

—Pero a ella no la mataron en Maine. La mataron delante de mi casa.

Ballard negó con la cabeza.

—No sé dónde encaja en esto, doctora Isles. Pero no creo que la muerte de Anna tenga que ver con usted.

Sonó el timbre de la puerta, pero él no hizo el menor gesto para acudir a abrir; permaneció en su sillón con la mirada fija en ella. Era una mirada tan intensa que Maura no consiguió desviar la suya. Sólo pudo devolvérsela, al tiempo que pensaba: «Quiero creerle, porque no soporto la idea de pensar que la muerte de ella fuera en cierto modo culpa mía».

—Quiero sacar a Cassell de circulación —dijo él—, y haré cuanto esté en mis manos para ayudar a Rizzoli a conseguirlo. Vi cómo evolucionaba todo el caso y, desde el primer momento, supe cómo iba a terminar. Sin embargo, no pude evitarlo. Se lo debo a ella, a Anna —dijo—. Necesito asegurarme de que terminemos esto como es debido.

De pronto unas voces airadas llamaron su atención. En la habitación de al lado el televisor había enmudecido, pero Katie y una mujer intercambiaban duras palabras. Ballard miró hacia la puerta cuando las voces se convirtieron en gritos.

—¿En qué diablos estabas pensando? —gritó la mujer.

Ballard se levantó.

—Perdone, pero debo averiguar a qué viene este escándalo.

Salió del despacho y Maura le oyó que preguntaba:

—¿Qué ocurre, Carmen?

—Esta pregunta deberías hacérsela a tu hija —replicó la mujer.

—Mamá, déjalo estar. Deja ya el jodido tema.

—Cuéntale a tu padre lo que ha ocurrido hoy. Anda, dile lo que han encontrado en tu taquilla.

—No tiene importancia.

—Díselo, Katie.

—Estás exagerando.

—¿Qué ha sucedido, Carmen? —inquirió Ballard.

—El director me telefoneó esta tarde. En el instituto hoy hicieron una inspección de taquillas al azar y… ¿adivinas lo que encontraron en la de tu hija? Un porro. ¿Qué impresión causará esto? Tiene padres que trabajan al servicio de la ley y ella guarda porros en la taquilla. Tenemos suerte de que el director haya dejado que lo arreglemos por nuestra cuenta. ¿Qué habría sucedido si llega a denunciarla? Ya me veo deteniendo a nuestra propia hija.

—¡Oh, Dios!

—Tenemos que enfrentarnos a esto juntos, Rick. Debemos llegar a un acuerdo para enfrentarnos a la situación.

Maura se levantó del sofá y se acercó a la puerta, sin saber cómo podía marcharse sin parecer maleducada. No quería entrometerse en la vida privada de aquella familia y, sin embargo, allí estaba, escuchando una conversación que no tendría que escuchar. «Debería despedirme y marcharme», pensó. «Dejar a solas a estos padres acorralados.»

Salió al pasillo y se detuvo al acercarse a la sala de estar. La madre de Katie alzó la vista y dio un respingo al ver a una visita inesperada en la casa. Si la madre era un indicio de cómo sería Katie algún día, aquella adolescente huraña estaba destinada a ser una rubia escultural. La mujer era casi tan alta como Ballard, con la ágil esbeltez de una atleta. Se recogía el cabello hacia atrás con una informal cola de caballo y no llevaba rastro de maquillaje, pero una mujer con esos asombrosos pómulos necesitaba mejorar muy pocas cosas.

—Disculpen la interrupción —se excusó Maura.

Ballard se volvió y soltó una risa de desaliento.

—Me temo que no nos ve en nuestro mejor momento. Le presento a Carmen, la madre de Katie. Es la doctora Maura Isles.

—Tengo que irme ya —dijo Maura.

—Pero si apenas hemos tenido ocasión de hablar.

—Le llamo en cualquier momento. Veo que tiene otros asuntos que requieren su atención —hizo una inclinación de cabeza a Carmen—. Encantada de conocerla. Buenas noches.

—Deje que la acompañe —dijo Ballard.

Salieron a la calle y él soltó un suspiro, como si se sintiera aliviado de las exigencias de la familia.

—Lamento mi intrusión en todo esto —dijo ella.

—Y yo lamento que haya tenido que oírlo.

—¿Se da cuenta de que no paramos de pedirnos disculpas?

—Usted no necesita disculparse de nada, Maura.

Llegaron al coche y se detuvieron un momento.

—No he llegado a contarle muchas cosas de su hermana.

—¿La próxima vez que nos veamos?

Él asintió.

—La próxima vez.

Maura subió al coche y cerró la puerta. Bajó el cristal de la ventanilla al ver que él se agachaba para decirle algo.

—No obstante, le diré una cosa.

—¿Qué?

—Usted se parece tanto a ella, que me ha dejado sin respiración.

Maura no podía dejar de pensar en aquellas palabras mientras, sentada en su sala de estar, contemplaba la foto de la joven Anna Leoni junto a sus padres. «Todos estos años has estado ausente de mi vida», pensó, «y en ningún momento me he dado cuenta. Pero debería haberlo advertido. En cierto sentido, debería haber notado la ausencia de una hermana.»

«Usted se parece tanto a ella, que me ha dejado sin respiración.»

Sí, pensó mientras acariciaba el rostro de su hermana en la foto. «A mí también me deja sin respiración...» Anna y ella habían compartido el mismo ADN, ¿qué más podían compartir? Anna había elegido una carrera de ciencias, un trabajo regido por la razón y la lógica. También tuvo que destacarse en matemáticas. ¿Tocaría el piano, igual que Maura? ¿Le encantarían los libros y los vinos australianos, así como el History Channel?

«Hay muchas otras cosas que quiero saber de ti.»

Ya era muy tarde. Apagó la lámpara y se dirigió al dormitorio para hacer el equipaje.

8

Oscuridad total. Le dolía la cabeza. El olor a madera, a tierra mojada y a… a otra cosa que carecía de sentido. A chocolate. Olía a chocolate.

Mattie Purvis abrió los ojos de par en par, pero igualmente podía haberlos mantenido cerrados, porque no pudo ver nada. Ni el menor atisbo de luz, ni pizca de sombra en las sombras.

«Oh, Dios. ¿Estaré ciega? ¿Dónde estoy?»

No estaba en su cama. Permanecía tendida encima de algo duro, que le provocaba dolor en la espalda. ¿El suelo? No, bajo ella no había madera encerada, sino tablones sin pulir con una capa de tierra granulosa encima.

Si al menos la cabeza dejara de martillar.

Cerró los ojos, luchando contra las náuseas. A pesar del dolor intentó recordar cómo había llegado a aquel sitio oscuro y extraño donde nada le resultaba familiar. «Dwayne», pensó. «Discutimos y regresé a casa.» Luchó por recuperar los fragmentos de tiempo perdidos.

Se acordaba de un montón de correspondencia encima de la mesa. Recordó haber llorado, las lágrimas que goteaban encima de los sobres. Recordó haberse levantado y haber tirado la silla al suelo.

«Oí un ruido. Fui al garaje. Oí un ruido y fui al garaje, y luego…»

Nada. Después de eso, no conseguía recordar nada más.

Abrió los ojos. Aún seguía oscuro. «Oh, esto va mal, Maite», pensó. «Muy mal. La cabeza te duele, has perdido la memoria y estás ciega.»

—¿Dwayne? —llamó.

Sólo percibió el rumor de sus propias pulsaciones.

Tenía que levantarse. Tenía que buscar ayuda, encontrar siquiera un teléfono.

Rodó sobre el costado derecho para impulsarse hacia arriba, pero la cara chocó contra una pared. El impacto volvió a hacerla caer de espaldas. Se quedó medio atontada, con agudas punzadas en la nariz. ¿Qué hacía allí una pared? Estiró la mano para tocarla y palpó más tablones sin pulir. Está bien, pensó, voy a rodar hacia el otro lado. Se volvió hacia la izquierda.

Y chocó contra otra pared.

El corazón le latió con más fuerza, con mayor celeridad. Volvió a quedar tendida de espaldas, al tiempo que pensaba: «Paredes en ambos lados. No puede ser. Esto no es real.» Tomó impulso para sentarse y se golpeó la parte superior de la cabeza. Una vez más, volvió a caer de espaldas.

«¡No, no, no!»

El pánico se apoderó de ella. Agitó los brazos y golpeó contra obstáculos en todas direcciones. Arañó la madera y se le clavaron astillas en los dedos. Oyó chillidos, pero no reconoció su voz. Barreras por todos lados. Se revolvió, pataleó, golpeó a ciegas con los puños hasta que sintió las manos magulladas y desgarradas, las piernas demasiado agotadas para moverse. Poco a poco, los chillidos se apagaron hasta convertirse en sollozos y por último en paralizante silencio.

«Un ataúd. Estoy atrapada dentro de un ataúd.»

Respiró hondo e inhaló el olor de su propio sudor, de su propio miedo. Sintió las contorsiones del bebé en las entrañas, otro prisionero atrapado en un espacio reducido. Pensó en las muñecas rusas que su abuela le regaló en cierta ocasión. Una muñeca dentro de otra muñeca.

«Vamos a morir aquí. Las dos vamos a morir, mi niña y yo.»

Cerró los ojos y combatió una nueva oleada de pánico.

«Frénalo. Detén esto ahora mismo. Piensa, Mattie.»

Con la mano derecha, temblorosa, tanteó hacia la derecha y tocó una pared. Estiró la izquierda. Tocó otra pared. ¿Qué distancia había entre las dos? Tal vez noventa centímetros, quizá más. ¿Y de largo? Tanteó detrás de la cabeza y calculó treinta centímetros. No estaba mal en aquella dirección. Allí tenía algún espacio. Los dedos rozaron contra algo blando, justo detrás de la cabeza. Tiró de aquello para acercarlo un poco más y descubrió que era una manta. Al desenrollarla, un objeto pesado golpeó contra el suelo. Un frío cilindro de metal. El corazón le volvió a martillar, pero esta vez no de pánico sino de esperanza.

Una linterna.

Encontró el interruptor y lo empujó. Soltó un agudo suspiro de alivio cuando el rayo de luz penetró la oscuridad. «¡Puedo ver! ¡Puedo ver!» El rayo pasó rozando las paredes de su prisión. Lo apuntó hacia el techo y vio que apenas había espacio suficiente para que se pudiera sentar, siempre que mantuviera agachada la cabeza.

Con el abultado vientre y la dificultad de movimientos, tuvo que hacer contorsiones para sentarse. Sólo entonces pudo ver lo que había a sus pies: un cubo y un orinal de plástico. Dos jarras grandes de agua. La bolsa de un colmado. Zigzagueó hasta la bolsa y miró dentro. «Por eso olía a chocolate», pensó. En su interior había barritas Hershey, bolsitas de cecina y galletitas saladas. Y también pilas: tres paquetes de pilas sin usar.

Apoyó la espalda contra la pared. De pronto oyó que se echaba a reír. Una risa demente, aterradora, que no era en absoluto su risa habitual. Era la de una loca. «Vaya, esto es fantástico. Tengo todo lo necesario para sobrevivir, excepto...»

Aire.

La risa se extinguió. Permaneció sentada escuchando el sonido de su respiración. Oxígeno que entraba, dióxido de carbono que salía. Respiraciones purificadoras. Pero al final el oxígeno se agota. Una caja no puede contener mucha cantidad. ¿No parecía el ambiente ya viciado? Y además se había dejado dominar por el pánico. Con tanto golpeteo a su alrededor, probablemente había consumido gran parte del oxígeno.

Entonces sintió el roce frío en el cabello. Alzó la vista. Apuntó la linterna justo encima de su cabeza y vio la rejilla circular. Tendría sólo unos cinco centímetros de diámetro, pero era lo bastante ancha para proporcionar aire fresco desde arriba. Contempló aquella rejilla, desconcertada. «Estoy encerrada dentro de una caja», pensó. «Tengo comida, agua y aire.»

Quien fuera que la había puesto allí dentro, pretendía mantenerla con vida.

127

9

Rick Ballard le había dicho que el doctor Charles Cassell era rico, pero Jane Rizzoli no se esperaba aquello. La finca Marblehead estaba rodeada por un muro de ladrillo y, a través de los barrotes de la verja de hierro forjado, Frost y ella vieron la casa: un gran edificio blanco, estilo de la época de la Confederación, rodeado por al menos una hectárea de césped color esmeralda. Al fondo brillaban las aguas de la bahía de Massachusetts.

—¡Diablos! —exclamó Frost—. ¿Y todo esto procede de los productos farmacéuticos?

—Empezó comercializando un único medicamento para adelgazar y en veinte años ha prosperado hasta llegar a esto —explicó Rizzoli—. Ballard asegura que es de esos tipos que nunca desearías que se cruzara en tu camino —se volvió hacia Frost. Y, si fueses mujer, sin duda no te atreverías a abandonarle.

Bajó la ventanilla y pulsó el botón del interfono. Por el altavoz crepitó la voz de un hombre:

—¿Su nombre, por favor?

—Detectives Rizzoli y Frost, de la policía de Boston. Queremos ver al doctor Cassell.

La verja chirrió al abrirse y el coche avanzó por el camino que les llevó hasta el majestuoso pórtico. Rizzoli aparcó detrás de un Ferrari rojo bombero, con toda probabilidad lo más cerca que su viejo Subaru estaría nunca de las celebridades automovilísticas. La puerta principal se abrió incluso antes de que pudieran llamar. Apareció un tipo corpulento, cuya mirada no era ni amistosa ni hostil. Aunque iba vestido con polo y pantalones informales color canela, no había nada informal en la forma en que los estudió.

—Soy Paul, el ayudante del doctor Cassell —dijo.

—Detective Rizzoli —se presentó ella, al tiempo que le tendía la mano.

Sin embargo, aquel tipo ni la miró. Como si no fuera digna de llamar su atención.

Paul les hizo pasar al interior de la casa, que no era en absoluto como Rizzoli esperaba. Aunque el exterior mantenía el tradicional estilo de la Confederación, en el interior se encontró con decoración muy moderna, incluso fría, galería de paredes blancas y arte abstracto. El vestíbulo estaba dominado por una escultura de bronce de curvas entrelazadas, vagamente sexual.

—Deben saber que el doctor Cassell llegó anoche de un largo viaje —explicó Paul—. Se encuentra bajo los efectos del *jet lag* y no se siente muy bien. De modo que, si pueden, sean lo más breves posible...

—¿Estuvo fuera por asuntos de negocios? —preguntó Frost.

—Sí. El viaje se concertó hace un mes, por si les interesa saberlo.

Lo cual no significaba nada, pensó Rizzoli, salvo que Cassell era capaz de planificar por adelantado sus traslados.

Paul les guió por una sala de estar decorada en blanco y negro, con el único contraste de un jarrón escarlata. El televisor de pantalla plana dominaba una de las paredes; en la vitrina de cristales ahumados había una asombrosa colección de aparatos electrónicos. «El sueño dorado de cualquier soltero», pensó Rizzoli. Ni un solo detalle femenino, sólo cosas de tíos. Oyó música, y supuso que procedía de un CD. Una pieza de jazz en la cual los acordes de piano se fusionaban con un melancólico recorrido sobre el teclado. No había melodía ni canción, sólo notas que se mezclaban en mudo lamento. La música subió de volumen cuando Paul les condujo frente a un par de puertas correderas. Las abrió y anunció:

—Doctor Cassell, ha llegado la policía.

—Gracias.

—¿Desea que me quede?

—No, Paul. Puedes dejarnos solos.

Rizzoli y Frost entraron en la estancia y Paul cerró las puertas al salir. Se encontraron en un espacio tan sombrío, que apenas podían distinguir al hombre sentado ante el gran piano. Así que era música en vivo y no un CD... Frente a la ventana habían corrido gruesas cortinas que lo bloqueaban todo, salvo una pequeña rendija de luz diurna. Cassell estiró el brazo hacia una lámpara y la encendió. Era sólo un globo opaco, tamizado por una pantalla japonesa de papel de arroz que, sin embargo, le obligó a entrecerrar los ojos. Al lado, sobre el piano, había un vaso con algo que semejaba whisky. Aquel hombre iba sin afeitar y tenía los ojos inyectados en sangre: no era el rostro de un frío tiburón empresarial, sino el de un hombre demasiado afligido para ocuparse de su aspecto. Aun así, el suyo era un rostro en extremo atractivo, con una mirada que pareció abrirse paso a fuego hasta la mente de Rizzoli. Era más joven de lo que ella esperaba para un magnate que se había hecho a sí mismo. Quizás en las postrimerías de los cuarenta. Todavía lo bastante joven para creer que era invencible.

—Doctor Cassell, soy la detective Rizzoli, del departamento de policía de Boston. Mi compañero es el detective Frost. ¿Sabe por qué estamos aquí?

—Porque él les ha azuzado contra mí. ¿Es eso?

—¿Quién?

—El detective Ballard. Es como un maldito perro de presa.

—Estamos aquí porque usted conocía a Anna Leoni. A la víctima.

Cogió el vaso de whisky. A juzgar por su aspecto macilento, no era la primera copa del día.

—Dejen que les diga algo sobre el detective Ballard, antes de que sigan creyendo todo cuanto les cuenta. Ese hombre es un gilipollas de primera.

De un solo trago terminó lo que quedaba de bebida.

Rizzoli se acordó de Anna Leoni, de su ojo hinchado, de la magulladura púrpura de la mejilla. «Creo que ya sabemos quién es el auténtico gilipollas.»

Cassell dejó el vaso a un lado.

—Díganme cómo ocurrió —pidió—. Necesito saberlo.

—Tenemos que hacerle algunas preguntas, doctor Cassell.

—Primero cuéntenme qué pasó.

«Ésa es la razón de que haya accedido a vernos», pensó Rizzoli. «Quiere información. Calibrar hasta dónde estamos enterados.»

—Tengo entendido que fue de un tiro en la cabeza —dijo él—, y que la encontraron dentro del coche.

—Así es.

—Pero todo esto ya lo he averiguado leyendo el *Boston Globe*. ¿Qué tipo de arma se utilizó? ¿De qué calibre era la bala?

—Sabe usted que no puedo revelarlo.

—¿Y ocurrió en Brookline? ¿Qué diablos hacía ella por allí?

—Tampoco eso se lo puedo decir.

—¿No lo puede decir o no lo sabe? —inquirió, mirándola fijamente a los ojos.

—No lo sabemos.

—¿Había alguien con ella cuando ocurrió?

—No hubo otras víctimas.

—¿Entonces quiénes son sus sospechosos, aparte de mí?

—Si hemos venido es para formularle las preguntas a usted, doctor Cassell.

Éste se levantó vacilante y se acercó a una vitrina. Sacó una botella de whisky y volvió a llenar el vaso. Con absoluta premeditación, no ofreció una copa a sus visitantes.

—¿Qué les parece si contesto a la única pregunta que han venido a formularme? —preguntó al tiempo que volvía a sentarse en el taburete del piano—. No, yo no la maté. Incluso hacía meses que no la veía.

—¿Cuándo fue la última vez que vio a la señora Leoni? —inquirió Frost.

—Sería allá por marzo, creo. Una tarde pasé con el coche ante su casa. Ella estaba en la acera, recogiendo la correspondencia.

—¿Eso no fue después de que ella obtuviera una orden de alejamiento contra usted?

—Yo no salí del coche, ¿entendido? Ni siquiera le hablé. Ella me vio y entró de inmediato en la casa, sin intercambiar una sola palabra.

—¿Entonces cuál era el objetivo de pasar por allí? —inquirió Rizzoli—. ¿Intimidarla?

—No.

—¿Pues cuál?

—Sólo quería verla. La echaba de menos. Todavía la… —hizo una pausa y carraspeó—. Todavía la echo de menos.

«Ahora dirá que la quería.»

—La amaba —le dijo Cassell—. ¿Por qué iba a hacerle daño?

Como si nunca en su vida hubieran oído a un hombre decir aquello.

—Además, ¿cómo podría hacérselo? Ni siquiera sabía dónde estaba. Después del último cambio de domicilio, no pude encontrarla.

—¿Pero lo intentó?

—Claro que lo intenté.

—¿Sabía usted que vivía en Maine? —preguntó Frost.

Se produjo un silencio. Cassell alzó la mirada, frunciendo las cejas.

—¿En Maine, dónde?

—En un pueblo llamado Fox Harbor.

—No, no lo sabía. Di por sentado que estaría en algún lugar de Boston.

—Doctor Cassell —intervino Rizzoli—. ¿Dónde estaba la noche del jueves pasado?

—Estuve aquí, en casa.

—¿Toda la noche?

—De las cinco en adelante. Estuve haciendo el equipaje para mi viaje.

—¿Puede probar que estuvo aquí?

—No. Paul tenía la noche libre. Reconozco que no tengo ninguna coartada. Estuve aquí, a solas con mi piano —golpeó el teclado, interpretando un acorde disonante—. A la mañana siguiente salí de viaje en avión. Con la compañía Northwest Airlines, por si quieren comprobarlo.

—Lo haremos.

—Las reservas se hicieron hace seis semanas. Ya tenía concertadas varias entrevistas.

—Es lo que nos dijo su ayudante.

—¿De veras? Bien, pues así es.

—¿Tiene usted algún arma?

Cassell se quedó inmóvil, buscando con sus oscuros ojos los de ella.

—¿Cree realmente que tengo una?

—¿Podría contestar la pregunta?

—No tengo ningún arma. Ni una pistola, ni un fusil, ni siquiera una pistola de aire comprimido. Y tampoco la maté. No hice ni la mitad de las cosas de las que me acusaba.

—¿Quiere decir que ella mintió a la policía?

—Lo que digo es que las exageró.

—Vimos la foto que le tomaron en urgencias la noche en que le dejó el ojo morado. ¿También exageró en esa acusación?

Cassell bajó los ojos, como si no pudiera sostener la mirada acusadora de Rizzoli.

—No —admitió en voz baja—. No niego haberla golpeado. Lo lamento, pero no lo niego.

—¿Y qué me dice de haber pasado repetidas veces con el coche frente a su casa? ¿De haber contratado a un detective privado para que la siguiera? ¿De presentarse ante su puerta exigiendo hablar con ella?

—No contestaba a ninguna de mis llamadas. ¿Qué se supone que debía hacer?

—¿Hacer caso de la indirecta, tal vez?

—No soy de los que se sientan a esperar que les pasen las cosas. Nunca he sido así. Por eso tengo esta casa con esta vista. Si quiero algo, lucho por conseguirlo. Y luego lo conservo. No iba a limitarme a dejar que ella se fuera de mi vida.

—¿Qué era Anna para usted, en realidad? ¿Sólo otra pertenencia?

—No era una pertenencia. —Cassell la miró fijamente; sus ojos expresaban dolor por una gran pérdida—. Anna Leoni fue el amor de mi vida.

La respuesta cogió por sorpresa a Rizzoli. Aquella sencilla afirmación, pronunciada con voz tan queda, tenía en sí el tono honesto de la verdad.

—Creo que estuvieron juntos tres años —dijo ella.

Cassell asintió.

—Anna era microbióloga y trabajaba en mi departamento de investigación. Así nos conocimos. Un día acudió a una reunión de la junta para informarnos de la puesta al día de ciertos ensayos sobre antibióticos. Sólo con echarle una mirada pensé: Es ella. ¿Sabe lo que significa querer tanto a alguien y que luego se aleje de usted?

—¿Por qué le abandonó?

—Lo ignoro.

—Debe de tener alguna idea.

—Ninguna. ¡Mire lo que tenía aquí! Esta casa, todo cuanto quería. No creo que yo sea mal parecido. Cualquier mujer se sentiría satisfecha de estar conmigo.

—Hasta que empezó a pegarle.

Se produjo un silencio.

—¿Con qué frecuencia ocurría eso, doctor Cassell?

Él soltó un suspiro.

—Tengo un trabajo muy estresante...

—¿Es ésta su explicación? ¿Abofeteaba a su novia porque había tenido un día difícil en la oficina?

Cassell no contestó, se limitó a coger el vaso. «Sin duda eso era parte del problema», pensó Rizzoli. «Coge a un ejecutivo agobiado, mézclalo con el exceso de alcohol, y obtendrás a una novia con el ojo morado.»

Cassell volvió a dejar el vaso.

—Yo sólo pretendía que volviese a casa.

—¿Y la mejor manera que encontró para convencerla fue hartarse de dejarle amenazas de muerte en la puerta?

—Yo no hice eso.

—Pues ella rellenó muchas demandas en la policía.

—Nunca ocurrió.

—El detective Ballard asegura que sí.

Cassell soltó un bufido.

—Ese retrasado mental creía todo cuanto ella le decía. Le encanta el papel de sir Galahad. Hace que se sienta importante. ¿Sabe que una vez se presentó aquí y me dijo que si volvía a tocarla me daría una paliza de muerte? Creo que es bastante lamentable.

—Anna declaró que le había acuchillado la tela metálica de las ventanas.

—Yo no fui.

—¿Pretende decir que lo hizo ella?

—Sólo digo que no fui yo.

—¿Y rayarle el coche?

—¿Qué?

—¿Le arañó la puerta del coche?

—Esto es nuevo para mí. ¿Cuándo se supone que lo hice?

—¿Y el canario muerto en su buzón?

Cassell soltó una risa de incredulidad.

—¿Tengo aspecto de alguien que comete estas perversiones? Ni siquiera estaba en la ciudad cuando se supone que lo hice. ¿Dónde está la prueba de que fui yo?

Rizzoli le miró unos instantes, mientras pensaba: «Por supuesto que lo niega, porque tiene razón. No tenemos pruebas de que acuchillara la mosquitera de la ventana, de que le rayara el coche ni de que pusiera un canario muerto en el buzón. Si fuera tan estúpido, este hombre no habría llegado adonde ha llegado».

—¿Por qué iba Anna a mentir? —inquirió Rizzoli.

—No lo sé —dijo él—. Pero mintió.

10

A mediodía Maura estaba ya en la carretera, como cualquiera de quienes salían el fin de semana, atrapados en medio del tráfico que se dirigía al norte lo mismo que los salmones migratorios, abandonando una ciudad donde las calles brillaban con luz trémula a causa del calor. Confinados en sus coches, con los niños lloriqueando en el asiento de atrás, los veraneantes de expresión torva sólo podían avanzar palmo a palmo en dirección norte, hacia la promesa de playas frescas y aire salobre. Ésa era la visión de Maura mientras permanecía sentada en medio del tráfico, observando la cola de coches que se extendía más allá del horizonte. Nunca había estado en Maine. Lo conocía sólo como telón de fondo del catálogo de L. L. Bean, donde hombres y mujeres bronceados lucían parkas y botas de excursionista mientras unos dorados perros perdigueros permanecían tumbados a sus pies sobre la hierba. En el universo de L. L. Bean, Maine era tierra de bosques y costas neblinosas, un lugar mítico, demasiado hermoso para que existiera salvo como esperanza o como sueño. «Estoy segura de que me decepcionará», pensó mientras mantenía fija la mirada en la luz del sol que reverberaba sobre la interminable hilera de coches. Sin embargo, allí era donde estaban las respuestas.

Meses atrás, Anna Leoni había hecho aquel mismo viaje en dirección norte. Era un día de comienzos de primavera, todavía frío, sin tráfico tan denso como en aquellos momentos. Al salir de Boston, también ella habría cruzado el puente Tobin, para luego doblar al norte por la Ruta 95, en dirección a la frontera entre Massachusetts y Nueva Hampshire.

«Estoy siguiendo tus pasos. Necesito saber quién eres. Es la única forma de saber quién soy yo.»

A las dos pasó de New Hampshire a Maine, donde por arte de magia el tráfico se desvaneció, como si la dura experiencia a que se había visto sometida hasta ese momento fuera sólo una prueba, y ahora las puertas se abrieran para reconocer que había valido la pena. Se detuvo apenas para comer un bocadillo en un área de descanso. A las tres había dejado ya la interestatal y viajaba por la Ruta 1 de Maine, ceñida a la costa en dirección norte.

«Tú también seguiste esta carretera.»

El panorama que viera Anna sería distinto, los campos acabarían de cubrirse de verdor, los árboles todavía no tendrían hojas. Pero seguro que Anna habría pasado ante aquella misma choza de venta de empanadillas de langosta; habría mirado aquel patio de chatarrero, en cuyo césped se exhibían armazones de cama eternamente oxidados; y divertida, igual que Maura, habría sacudido la cabeza. Quizá también habría salido de la carretera en el pueblo de Rockport para estirar las piernas y se habría detenido junto a la estatua de la foca André mientras contemplaba el puerto. Tal vez la habría hecho estremecer el frío soplo del viento procedente del mar.

Maura volvió a subir al coche y siguió su viaje hacia el norte.

Cuando pasó el pueblo costero de Bucksport y dobló hacia el sur por la península, los rayos del sol caían en diagonal sobre los árboles. Vio la niebla que rodaba ya por encima del mar, ese banco de niebla gris que avanzaba hacia la orilla como bestia hambrienta que se tragara el horizonte. «En cuanto se ponga el sol», pensó, «mi coche quedará envuelto en ella». No había reservado hotel en Fox Harbor, y salió de Boston con la desatinada idea de que bastaría entrar en cualquier hotel de la costa para encontrar una habitación donde pasar la noche. Pero descubrió pocos hoteles a lo largo de aquel escabroso tramo costero y, los que encontró, exhibían todos el cartel de COMPLETO.

El sol caía cada vez más bajo.

La carretera se curvaba de forma abrupta y tuvo que agarrar con fuerza el volante, consiguiendo mantenerse a duras penas en su carril al doblar una punta rocosa, con torturados árboles a un lado y el mar al otro.

Y de repente, allí surgió: Fox Harbor, acurrucada al abrigo de una ensenada poco profunda. No esperaba encontrar un pueblo tan pequeño. Poco más que el muelle, la iglesia con campanario de aguja y una hilera de edificios frente a la bahía. En el puerto, las embarcaciones para la pesca de la langosta se bamboleaban en sus amarres como presas ligadas a una estaca, a la espera de que las tragara el banco de niebla que se aproximaba.

Mientras conducía lentamente por la calle principal, vio descuidados porches delanteros necesitados de una mano de pintura, ventanas de donde colgaban cortinas descoloridas. No cabía la menor duda de que no era un pueblo próspero, a juzgar por las oxidadas camionetas aparcadas en las rampas de entrada a los garajes. En el aparcamiento del Motel Bayview vio los únicos vehículos último modelo. Coches con matrículas de Nueva York, Massachusetts y Connecticut, refugiados urbanos que huían de las ciudades calurosas en busca de langostas y de una ojeada al paraíso.

Se detuvo ante la oficina de registro del motel. «Lo primero es lo primero», pensó. «Necesito una cama para pasar la noche, y éste parece el único sitio en el pueblo.» Salió del coche y estiró los anquilosados músculos, a la vez que inhalaba el aire húmedo y salado. A pesar de que Boston era una ciudad portuaria, apenas percibía el olor del mar en casa. Los olores urbanos a diesel, a humo del tubo de escape de los coches o a asfalto recalentado contaminaban cualquier brisa que soplara desde el puerto. Sin embargo, en aquel pueblo podía saborear la sal, sentir que se le adhería a la piel como fina niebla. De pie en el aparcamiento, cuando el viento le rozó la cara, sintió de pronto que emergía de un sueño profundo y despertaba de nuevo. Viva otra vez.

La decoración del motel era tal como esperaba: paneles de madera de los años sesenta, moqueta verde muy gastada, reloj de pared montado en el centro de un timón de barco. No había nadie atendiendo la recepción.

Se inclinó por encima del mostrador.

—¿Hay alguien ahí?

Una puerta chirrió al abrirse y salió un hombre, obeso y calvo, con gafas de montura fina posadas como una libélula sobre la nariz.

—¿Tiene habitación para esta noche? —preguntó Maura.

La pregunta chocó con un silencio mortal. El hombre se quedó mirándola boquiabierto con los ojos fijos en su rostro.

—Usted perdone —insistió ella, pensando que no la había oído—. ¿Tiene libre alguna habitación?

—¿Usted... quiere una habitación?

«¿No es lo que acabo de decir?»

El hombre miró el libro de registros y de nuevo a ella.

—Yo... Lo siento. Está completo esta noche.

—Vengo conduciendo desde Boston. ¿Hay algún sitio en el pueblo donde pueda encontrar una habitación?

El hombre tragó saliva.

—Es un fin de semana muy concurrido. Hace una hora llegó una pareja en busca de alojamiento. Telefoneé por ahí y tuve que enviarlos hasta Ellsworth.

—¿Y eso dónde está?

—A unos cuarenta y cinco kilómetros de aquí.

Maura echó una ojeada al reloj montado sobre el timón. Eran casi las cinco menos cuarto. La búsqueda de habitación en un motel tendría que esperar.

—Necesito encontrar las oficinas de la inmobiliaria Land and Sea.

—Está en la calle principal. Dos manzanas más abajo, a la izquierda.

Al entrar por la puerta de la inmobiliaria Land and Sea, Maura se encontró con otra recepción desierta. ¿No había nadie que estuviera en su sitio de trabajo en aquel pueblo? La oficina olía a tabaco y en el mostrador había un cenicero desbordante de colillas. En la pared se exponía el catálogo de propiedades de la empresa; algunas de las fotos estaban sospechosamente amarillentas. Desde luego, por allí no había mercado inmobiliario en expansión. Al repasar las ofertas, Maura vio un establo ruinoso (¡PERFECTO PARA UNA CABALLERIZA!), una casa con el porche hundido (¡PERFECTA OCASIÓN PARA UN HOMBRE MAÑOSO!), y una foto de árboles; nada más, sólo árboles (¡TRANQUILO Y PRIVADO! ¡PERFECTO SOLAR PARA UNA CASA!). «¿Había algo en aquel pueblo que no fuera perfecto?», se preguntó Maura.

Oyó abrirse una puerta a sus espaldas y, cuando se volvió, descubrió a un hombre que entraba con una jarra de café que goteaba. La dejó encima del mostrador. El tipo era más bajo que Maura, tenía la cabeza cuadrada, el cabello canoso y cortado casi al rape. Las prendas de vestir le iban demasiado grandes; había doblado los puños de la camisa y los bajos del pantalón, como si llevara una indumentaria de segunda mano que antes hubiese pertenecido a un gigante. Le tintineaban llaves en el cinturón cuando salió contoneándose para saludar a Maura.

—Perdone, estaba ahí detrás, lavando la cafetera. Usted debe ser la doctora Isles.

Su voz la cogió por sorpresa. Aunque la tenía ronca, sin duda a causa de todos los cigarrillos que llenaban el cenicero, no cabía la menor duda de que era la voz de una mujer. Sólo entonces advirtió el bulto de los pechos bajo la holgada camisa.

—¿Usted es… la persona con quien hablé esta mañana? —inquirió Maura.

—Britta Clausen —le dio un apretón de manos brusco y profesional. Harvey me ha dicho que estaba en el pueblo.

—¿Harvey?

—Ahí, el de la carretera. El Motel Bayview… Me acaba de telefonear para avisarme de que venía usted para aquí —la mujer hizo una pausa mientras la inspeccionaba con detenimiento—. Bien, supongo que no hace falta que me enseñe su tarjeta de identificación. Basta con verla para saber de quién es usted hermana. ¿Quiere que subamos juntas a la casa?

—Yo la sigo con mi coche.

La señorita Clausen buscó entre las llaves que le colgaban del cinturón y soltó un gruñido de satisfacción.

—Aquí está. Skyline Drive. La policía acabó ya con las diligencias, así que imagino que puedo dejar que eche un vistazo.

Maura siguió a la camioneta de la señorita Clausen por una carretera que pronto se apartó de la costa ciñéndose a un escarpado promontorio. Mientras subían, echaba algún que otro vistazo a la línea costera, donde el agua estaba ya oscura bajo un espeso manto de niebla. El pueblo de Fox Harbor se había desvanecido entre las brumas de abajo. Justo delante de ella, las luces de los frenos de la señorita Clausen se iluminaron de repente. Maura apenas tuvo tiempo de pisar el freno. El Lexus patinó sobre las hojas mojadas y se detuvo cuando el parachoques rozó un letrero de la inmobiliaria Land and Sea clavado en el suelo en el cual decía: SE VENDE.

La señorita Clausen sacó la cabeza por la ventanilla:

—¡Oiga! ¿Todo bien ahí atrás?

—Perfecto. Lo siento, me había distraído.

—Sí, estas curvas te cogen por sorpresa. Es en ese camino a la derecha.

—Voy detrás de usted.

La señorita Clausen soltó una risita.

—No demasiado cerca, ¿vale?

El camino de tierra estaba flanqueado por árboles tan próximos uno del otro que Maura sintió que conducía a través de un túnel en el bosque que, de pronto, se abrió para mostrar una casita de campo construida con tablillas de madera de cedro. Maura aparcó al lado de la camioneta de la señorita Clausen y bajó del Lexus. Por un momento se quedó en medio del silencio del claro, contemplando la casa. Escalones de madera conducían al porche cubierto, donde un columpio colgaba inmóvil bajo el aire tranquilo. En el jardín umbrío, las dedaleras y las azucenas luchaban por crecer. Por todos lados, el bosque parecía ejercer presión. Maura descubrió que respiraba con más celeridad, como si estuviera atrapada en un cuarto demasiado pequeño. Como si el mismo aire estuviera demasiado cerca.

—Es muy silencioso esto —comentó.

—Sí, está apartado del pueblo. Es lo que hace que esta colina sea una inversión excelente... El desarrollo inmobiliario se va a trasladar a esta zona, ¿sabe? Dentro de unos años verá casas por toda la carretera. Ahora es el momento para comprar.

Porque es «perfecto», esperó Maura que añadiera.

—En estos momentos me están despejando un solar ahí al lado —explicó la señorita Clausen—. Después de que su hermana se instalara aquí, pensé que era el momento de tener a punto otros terrenos. Ver a alguien que vive por aquí hace que otros se animen. Muy pronto todos querrán comprar en el vecindario —dirigió a Maura una mirada ponderativa. ¿Qué clase de doctora es usted?

—Patóloga.

—¿Y eso qué es? ¿Trabaja en un laboratorio?

Aquella mujer empezaba a irritarla. Le respondió sin ambigüedades.

—Trabajo con gente muerta.

La respuesta no pareció inquietar en absoluto a la mujer.

—Bien, entonces debe de tener un horario regular. Muchos fines de semana libres. Un sitio de veraneo podría ser de interés para usted. Ya sabe, el terreno de al lado no tardará en quedar a punto para construir en él. Si alguna vez ha pensado en tener una pequeña propiedad para veranear, no podría encontrar un momento en el que la inversión sea más barata.

De modo que era eso lo que se sentía al verse atrapada por un vendedor a tiempo parcial.

—La verdad es que no estoy interesada en invertir, señorita Clausen.

—¡Oh! —la mujer soltó un resoplido malhumorado, luego dio media vuelta y con pasos sonoros subió al porche—. Bueno, entonces entremos. Ahora que está usted aquí, dígame lo que debo hacer con las cosas de su hermana.

—La verdad, no estoy muy segura de tener esa potestad.

—No sé qué otra cosa hacer con todo. Lo que sí sé es que no estoy dispuesta a pagar un almacén para guardarlas. Tengo que vaciar la casa si quiero venderla o alquilarla otra vez —tanteó las llaves, buscando la adecuada—. Administro la mayoría de alquileres del pueblo, y éste no es de los sitios que se ocupan con facilidad. Su hermana firmó un contrato por seis meses, ¿sabe?

«¿Eso es todo lo que la muerte de Anna significa para ella?», se preguntó Maura. ¿No más talones de alquiler, una propiedad necesitada de un nuevo inquilino? Aquella mujer, con sus llaves tintineantes y su mirada inquisitiva, no le caía bien. Por lo visto, la única preocupación de la reina inmobiliaria de Fox Harbor consistía en su cuota mensual de cheques.

Al final, la señorita Clausen consiguió abrir la puerta.

—Pase.

Maura entró en la casa. Aunque en el salón había grandes ventanas, la proximidad de los árboles y lo avanzado de la tarde llenaba de sombras la estancia. Se fijó en el suelo de oscura madera de abeto, en la alfombra gastada y en el sofá hundido. El descolorido papel de la pared lucía verdes enredaderas que se entrelazaban por toda la sala, contribuyendo a la asfixia vegetal que Maura ya experimentaba.

—Venía con los muebles —le explicó la señorita Clausen—. Se la alquilé a muy buen precio, teniendo en cuenta esto.

—¿Por cuánto? —preguntó Maura, contemplando el muro de árboles más allá de la ventana.

—Seiscientos al mes. Podría conseguir cuatro veces esa cifra si el sitio estuviera más cerca del mar. Pero al hombre que lo construyó le gustaba la privacidad —la señorita Clausen dedicó a la sala de estar una inspección lenta y escrutadora, como si no la hubiese visto desde hacía mucho tiempo—. Me sorprendió cuando telefoneó preguntando *ex profeso* por esta casa, sobre todo porque había otras disponibles abajo, en primera línea de mar.

Maura se volvió a mirarla. La luz del día se estaba extinguiendo y la señorita Clausen había quedado en la zona de sombra.

—¿Pidió mi hermana expresamente esta casa?

La señorita Clausen se encogió de hombros.

—Supongo que consideró conveniente el precio.

Abandonaron la sombría sala de estar y siguieron por el pasillo. Si la casa refleja la personalidad de su ocupante, algo de Anna Leoni debía perdurar entre aquellas paredes. Sin embargo, otros inquilinos reclamarían también su espacio. Maura se preguntó qué cachivaches, qué cuadros de la pared pertenecerían a Anna y cuáles habrían dejado otros antes que ella. Aquel cuadro de una puesta de sol al pastel seguro que no era de Anna. «Ninguna hermana mía colgaría nada tan espantoso», pensó. Y aquel olor a tabaco rancio que impregnaba la casa… Seguro que no era Anna quien fumaba. Las gemelas idénticas a menudo se parecían de forma inexplicable. ¿Compartiría Anna la aversión de Maura por los cigarrillos? ¿También estornudaría y tosería ante la primera bocanada de humo?

Llegaron a un dormitorio donde había un colchón a rayas.

—Imagino que no utilizaba esta habitación —dijo la señorita Clausen—, porque el armario y los cajones estaban vacíos.

Al lado había un baño. Maura entró y abrió el botiquín. En los estantes había Advil, Sudafed y pastillas de goma Ricola, nombres de marcas que la sorprendieron por su familiaridad. Eran los mismos productos que ella tenía en el armario de su cuarto de baño. «Hasta en la elección de medicamentos contra la gripe éramos idénticas», pensó.

Cerró la puerta del botiquín. Siguieron por el pasillo hasta la última puerta.

—Éste es el dormitorio que ella utilizaba —dijo la señorita Clausen.

La habitación se conservaba perfectamente pulcra, remetida la ropa de la cama, el tocador en orden. «Como mi dormitorio», pensó Maura. Se acercó al armario y abrió la puerta. En su interior había pantalones, vestidos y blusas planchadas. De la talla treinta y seis. Como la de Maura.

—La semana pasada vino la policía estatal y dio un repaso a toda la casa.

—¿Encontraron algo que fuera de interés?

—Nada, que me dijesen. Ella no guardaba gran cosa. Aquí vivió sólo unos meses.

Maura se volvió a mirar por la ventana. Aún no había oscurecido, pero la penumbra que el bosque extendía alrededor de la casa hacía inminente la caída de la noche.

La señorita Clausen estaba justo al lado de la puerta, dentro del dormitorio, como si esperara cobrar peaje para dejar salir a Maura.

—La casa es mala —comentó.

«Sí lo es», pensó Maura. «Una casucha espantosa.»

—En esta época del año apenas queda nada por alquilar. Casi todo está ocupado ya. Hoteles, moteles. Ni siquiera hay habitaciones libres en la pensión.

Maura mantuvo fija la mirada en los árboles. Cualquier cosa con tal de evitar que aquella detestable mujer encontrara un nuevo tema de conversación.

—Bien, era sólo una idea... Supongo entonces que ha encontrado un sitio donde quedarse esta noche.

«De modo que era ahí adonde intentaba llegar.»

Maura se volvió hacia ella.

—La verdad es que no tengo ningún sitio donde pasar la noche. El hotel Bayview estaba completo.

La mujer le respondió con una tensa sonrisa.

—Y lo mismo ocurre con todos los demás.

—Me han dicho que hay algunas habitaciones libres en Ellsworth.

—¿De veras? Si quiere usted conducir hasta allí... En la oscuridad le llevará más tiempo del que imagina. La carretera está llena de curvas durante todo el trayecto —la señorita Clausen señaló la cama—. Si le interesa, podría ponerle sábanas limpias y cobrarle lo mismo que el motel.

Maura miró la cama y sintió que un bisbiseo helado le recorría la espina dorsal. «Mi hermana ha dormido aquí.»

—Bueno, ¿lo toma o lo deja?

—No sé...

La señorita Clausen soltó un gruñido.

—A mí me parece que no le quedan muchas alternativas.

Maura se quedó en el porche, observando cómo desaparecían las luces de cola del vehículo de Britta Clausen tras la oscura cortina de los árboles. Siguió allí un momento, en medio de la creciente oscuridad, escuchando el canto de los grillos y el murmullo de las hojas. Oyó un chasquido a sus espaldas y, al volverse, vio que se balanceaba el columpio del porche, como mecido por alguna mano fantasmal. Sintió un estremecimiento y se metió en la casa. Se disponía a cerrar la puerta con llave cuando de pronto se quedó paralizada y, una vez más, experimentó aquel bisbiseo glacial en la nuca.

En la puerta había cuatro sistemas de cierre.

Vio dos cadenas de seguridad, un pestillo y un cerrojo. Las placas de latón todavía brillaban y los tornillos estaban impolutos. Cierres nuevos. Deslizó el pestillo, ajustó el cerrojo e introdujo las cadenas en la ranura. Notó el frío helado del metal en los dedos.

Se dirigió a la cocina y encendió las luces. Contempló el gastado linóleo del suelo y una pequeña mesa de comedor con la formica mellada. En un rincón, la nevera empezó a vibrar. Pero fue la puerta trasera lo que centró su atención. Tenía tres cierres, con las placas de latón relucientes. Sintió que el corazón empezaba a latirle con fuerza a medida que comprobaba los cierres. Luego se volvió y le sorprendió ver otra puerta cerrada con pestillo en la cocina. ¿Adónde podía conducir?

Descorrió el pestillo y abrió. Al otro lado había una escalera estrecha de madera, que bajaba hasta perderse en la oscuridad. Desde abajo subió el aire frío y el olor a tierra húmeda. Sintió otro cosquilleo en la nuca.

«La bodega. ¿Por qué iba nadie a ponerle cerrojo a la puerta de la bodega?»

Cerró la puerta y corrió el pestillo. Entonces descubrió que ése era diferente; estaba viejo y oxidado.

Entonces sintió la necesidad de comprobar que en todas las ventanas hubiera también pestillos de seguridad. Anna estaba tan asustada que había convertido su casa en una fortaleza; Maura aún podía sentir que su miedo impregnaba cada una de las habitaciones. Después de haber revisado las ventanas de la cocina, se trasladó a la sala de estar.

Sólo cuando quedó satisfecha, tras comprobar que en el resto de la casa las ventanas estaban seguras, por fin decidió empezar a explorar el dormitorio. De pie ante el armario abierto, contempló la ropa guardada. A medida que deslizaba los colgadores sobre la barra y examinaba cada prenda, descubrió que eran justo de su misma talla. Sacó un vestido de las perchas: uno de punto negro, línea armoniosa y sencilla que ella misma hubiese podido elegir. Imaginó a Anna en cualquiera de los grandes almacenes, deteniéndose ante aquel vestido, que colgaba de un perchero. La vio mientras comprobaba la etiqueta del precio, sostenía el vestido contra su cuerpo y se miraba en el espejo, pensando: «Éste es el que quiero».

Maura se desabrochó la blusa y se quitó los pantalones. Se embutió el vestido y, cuando subió la cremallera, sintió que la tela se ceñía a sus curvas lo mismo que una segunda piel. Se volvió hacia el espejo. «Esto es lo que Anna vio», pensó. La misma cara, la misma figura. ¿Se lamentaría también de cómo aumentaba el diámetro de las caderas, de los indicios de que se acercaba a la mediana edad? ¿Se volvería también de lado para comprobar que el vientre seguía plano? Seguro que todas las mujeres repetían aquel mismo ballet delante del espejo cuando se probaban un vestido. Se miró el perfil derecho, luego el izquierdo. «¿Se me ve gorda por detrás?»

Se detuvo un momento con el lado derecho frente al espejo, al descubrir un cabello adherido a la tela. Lo cogió y lo sostuvo ante la luz. Era negro, como los suyos, pero más largo. El cabello de una mujer muerta.

El timbrazo del teléfono la obligó a girar en redondo. Se dirigió a la mesita de noche y se detuvo, sintió el corazón desbocado, mientras el teléfono sonaba una segunda vez, una tercera… Cada timbrazo retumbaba con fuerza insoportable en el silencio de la casa. Antes de que pudiera sonar por cuarta vez, descolgó.

—¿Diga? ¿Diga?

Se oyó un clic, y luego el sonido de marcar.

«Se habrán equivocado de número», pensó. «Eso es todo.»

Fuera, el viento soplaba cada vez más fuerte. Incluso a través de la ventana cerrada se oía el chasquido de los árboles al bambolearse. Sin embargo, dentro de la casa era tal el silencio, que podía sentir los latidos de su corazón. «¿Eran así tus noches?», se preguntó. «¿En esta casa rodeada de oscuros árboles?»

Esa noche, antes de acostarse, cerró con llave la puerta del dormitorio, y luego también la afianzó con el respaldo de una silla. No había nada que temer y, no obstante, se sentía más amenazada allí que en Boston, donde los depredadores eran mucho más peligrosos que cualquier animal que pudiera acechar entre aquellos árboles.

«También Anna tuvo miedo aquí.»

Podía sentir ese miedo rondando todavía por la casa de puertas bloqueadas.

Se despertó de golpe al oír un chillido. Permaneció tumbada, jadeando en busca de aire; el corazón le latía desenfrenadamente. Sólo era una lechuza, no había motivo para dejar que el pánico la dominara. Por el amor de Dios, estaba en medio del bosque; claro que oiría animales. Notó que las sábanas estaban empapadas de sudor. Antes de acostarse había cerrado la ventana y el ambiente del dormitorio era sofocante, bochornoso. «No consigo respirar», concluyó.

Se levantó y abrió la ventana. Aspiró profundas bocanadas de aire fresco mientras observaba los árboles, las hojas plateadas por la luz de la luna. Nada se movió, el bosque se había quedado de nuevo en silencio.

Volvió a la cama y esta vez durmió profundamente hasta el amanecer.

La luz del día lo cambió todo. Escuchó el canto de los pájaros y, al mirar por la ventana, descubrió que dos ciervos cruzaban el patio y desaparecían a saltos en el bosque. Les centelleaba la blanca cola. Con los rayos de sol que penetraban en el dormitorio, la silla que había apoyado contra la puerta por la noche le pareció irracional. «No le contaré esto a nadie», pensó mientras la retiraba.

En la cocina preparó café con el que encontró en una bolsa de café tostado y molido que había en la nevera. El café de Anna. Vertió agua caliente sobre el filtro e inhaló el embriagador aroma. Estaba rodeada por las compras de Anna. Las palomitas de maíz para microondas y los paquetes de espagueti. Los envases caducados de yogur de melocotón y de leche. Cada cosa representaba un instante en la vida de su hermana. De cuando se detenía ante un estante del colmado y pensaba: «Necesito esto también.» Y más tarde, al regresar a casa, llegaba el momento de vaciar las bolsas y ordenar lo que había comprado. Cuando Maura examinó el contenido de los armarios vio la mano de su hermana apilando latas de atún en el estante protegido con papel de flores estampadas.

Se llevó el tazón de café afuera, al porche de la casa, y tomó pequeños sorbos mientras examinaba el patio, donde la luz del sol moteaba el jardincillo. «Todo es tan verde», se maravilló. «La hierba, los árboles, la propia luz...» En el alto dosel de las ramas cantaron los pájaros. «Ahora entiendo por qué pudo vivir aquí. Porque quería despertarse por la mañana con los olores del bosque.»

De repente, los pájaros salieron aleteando de los árboles, asustados por un ruido nuevo: el sordo estruendo de máquinas. Aunque Maura no podía ver la excavadora, no cabía la menor duda de que era eso lo que se oía al otro lado de los árboles, resonando fastidiosamente cerca. Se acordó de lo que le dijera la señorita Clausen: que ya habían empezado a desbrozar el solar de al lado. Era demasiado para una plácida mañana de domingo.

Bajó los peldaños del porche y dio la vuelta por el costado de la casa con la intención de ver la excavadora a través de los árboles, pero el bosque era demasiado denso y no logró atisbar nada. Sin embargo, al bajar la vista, sí distinguió pisadas de animales y se acordó de los dos ciervos que por la mañana había visto desde la ventana del dormitorio. Siguió las pisadas a lo largo del costado de la casa, advirtió la prueba de su visita en las hojas mordisqueadas de las liláceas perennes plantadas junto a los cimientos y se asombró ante el atrevimiento de aquellos ciervos al ramonear junto a la casa. Siguió hacia la parte de atrás y se detuvo al descubrir otra serie de huellas. Pero ésas no pertenecían a un ciervo. Se quedó paralizada un instante. El corazón empezó a latirle con fuerza y las manos se le agarrotaron en torno al tazón. Poco a poco, su mirada fue siguiendo las huellas hacia una zona de tierra blanda, justo debajo de una de las ventanas.

Impresas en la tierra, huellas de botas marcaban el lugar donde alguien se había detenido para asomarse al interior de la casa.

Al interior de su dormitorio.

Tres cuartos de hora después, un coche patrulla de la policía de Fox Harbor se acercó dando tumbos por el camino de tierra y se detuvo delante de la casa. El policía que bajó rondaría la cincuentena, tenía un cuello de toro y el rubio cabello empezaba a clarearle en la coronilla.

—¿La doctora Isles? —preguntó, ofreciéndole la carnosa mano para estrecharle la suya—. Roger Gresham, jefe de policía.

—No imaginé que fuera a venir el mismísimo jefe.

—Yo… Bueno… De todos modos pensábamos acercarnos hasta aquí cuando usted telefoneó.

—¿Pensábamos? —preguntó, y frunció las cejas al ver que otro vehículo, un Ford Explorer, se acercaba por el camino y se detenía junto al patrullero de Gresham.

El conductor bajó del coche y la saludó:

—Hola, Maura —dijo Rick Ballard, tuteándola.

Por un momento se limitó a mirarle, alarmada ante lo inesperado de la visita.

—No tenía idea de que estuvieras por aquí —dijo ella al fin.

—Llegué anoche. ¿Y tú?

—Ayer tarde.

—¿Y has pasado la noche en esta casa?

—En el motel no había habitaciones libres. La señorita Clausen, de la agencia inmobiliaria, se ofreció para dejarme dormir aquí —hizo una pausa y, a modo de acotación defensiva, añadió—: Dijo que la policía ya había concluido.

Gresham soltó un bufido.

—Seguro que también le cobró por dejarle pasar aquí la noche. ¿Es así?

—Sí.

—Esta Britta es todo un caso. Si pudiera, cobraría hasta por el aire que respiramos —se volvió hacia la casa—. ¿Y bien? ¿Dónde vio esas huellas?

Maura les guió más allá del porche y luego por el lateral de la casa. Los dos hombres se mantuvieron a un lado del sendero, revisando el suelo a medida que avanzaban. La excavadora había enmudecido y el único ruido que se oía eran sus pisadas sobre la alfombra de hojas.

—Aquí hay huellas frescas de ciervo —dijo Gresham, señalándolas.

—Sí, un par de ciervos pasaron por aquí esta mañana —corroboró Maura.

—Entonces esto explica esas huellas que vio.

—Jefe Gresham —dijo Maura, y soltó un suspiro—, soy capaz de diferenciar entre la huella de un ciervo y la de una bota.

—No, me refiero a que algún tipo estaría cazando por aquí... Es tiempo de veda, ya sabe. Debió de seguir a los ciervos fuera del bosque.

De repente, Ballard se detuvo con la mirada fija en el suelo.

—¿Las has visto? —preguntó Maura.

—Sí —dijo él; tenía la voz extraordinariamente grave.

Gresham se acuclilló junto a Ballard. Transcurrió un momento de silencio. ¿Por qué no decían algo? Ráfagas de viento agitaron los árboles. Un estremecimiento se apoderó de Maura cuando alzó los ojos hasta las oscilantes ramas. La noche anterior, alguien había salido de entre aquellos árboles y se había detenido ante su habitación. Había mirado por la ventana mientras dormía.

Ballard alzó la vista hacia la casa.

—¿Es la ventana de un dormitorio?

—Sí.

—¿Del tuyo?

—Sí.

—¿Corriste las cortinas anoche? —preguntó, al tiempo que la miraba por encima del hombro.

Maura comprendió lo que estaba pensando: «¿Les invitaste anoche por descuido a un espectáculo de mirones?»

Se ruborizó.

—No hay cortinas en el dormitorio.

—Estas huellas son demasiado grandes para tratarse de las botas de Britta —concluyó Gresham—. Es la única persona que podría haber estado rondando por aquí, para comprobar el estado de la casa.

—A mí me parece la suela de una Vibram —comentó Ballard—. Del número cuarenta y dos, tal vez del cuarenta y tres —siguió con la mirada las huellas, que regresaban hacia los árboles. Las de los ciervos están superpuestas.

—Lo cual significa que él vino primero —dijo Maura—. Antes que los ciervos. Antes de que yo despertase.

—Sí, pero... ¿cuánto tiempo antes?

Ballard se incorporó y se quedó mirando el dormitorio tras la ventana. Durante unos momentos interminables no dijo nada y, una vez más, Maura se impacientó ante su silencio, ansiosa por oír alguna reacción de aquellos dos hombres. Cualquier reacción.

—Debe usted saber que hace casi una semana que no llueve por aquí —dijo Gresham—. Cabe la posibilidad de que estas huellas de botas no sean recientes.

—¿Pero quién iba a andar por aquí, atisbando por las ventanas? —insistió Maura.

—Puedo telefonear a Britta. Es posible que enviara a un hombre a trabajar por aquí. O a lo mejor alguien se acercara porque sintiera curiosidad.

—¿Curiosidad? —repitió Maura.

—Por aquí todo el mundo ha oído hablar de lo que le pasó a su hermana en Boston. Tal vez hubiera tipos que quisieran fisgonear dentro de la casa.

—No entiendo esa curiosidad morbosa. Nunca la he experimentado.

—Rick me ha dicho que es usted médica forense. ¿Es así? Bien, sin duda se enfrenta a lo mismo que me enfrento yo. Todos quieren conocer los detalles. No se imagina cuántos han preguntado por el asesinato. ¿No cree que algunos de estos fisgones podrían querer echar una ojeada al interior de la casa?

Maura le miró con expresión de incredulidad. El silencio se vio roto de repente por los chasquidos de la radio del coche de Gresham.

—Perdone —dijo, y se encaminó de regreso al coche patrulla.

—Bien —concluyó Maura—, supongo que lo que acaba de decir es lo mismo que hacer caso omiso de mis preocupaciones.

—Pues ocurre que yo me tomo muy en serio tus preocupaciones.

—¿De veras? —Maura le miró fijamente—. Entra, Rick. Quiero enseñarte algo.

Ballard la siguió por los peldaños del porche delantero y

luego al interior de la casa. Maura cerró la puerta y le enseñó la colección de cerrojos dorados.

—Quería que vieras esto —dijo ella.

—¡Diablos! —exclamó Ballard, frunciendo las cejas.

—Hay más. Ven.

Le precedió hasta la cocina, donde le enseñó las otras cadenas y los relucientes pestillos que bloqueaban la puerta de atrás.

—También éstos son nuevos. Anna debió de encargar que los instalaran. Algo la asustaría.

—Tenía motivos para estar asustada. Todas aquellas amenazas de muerte... No sabía cuándo podía presentarse Cassell aquí.

Maura le miró fijamente.

—Es la razón de que estés aquí, ¿verdad? ¿Averiguar si él la encontró?

—He enseñado una foto suya por todo el pueblo.

—¿Y?

—Hasta el momento, nadie recuerda haberle visto. Pero no significa que no anduviera por aquí —señaló los cerrojos. Todo esto tiene sentido para mí.

Maura suspiró y se sentó en una silla frente a la mesa de la cocina.

—¿Cómo pudieron discurrir nuestras vidas en direcciones tan opuestas? Allí estaba yo, bajando de un avión procedente de París, mientras a ella... —tragó saliva—. ¿Qué habría sucedido de haberme criado en el sitio de Anna? ¿Habría ocurrido lo mismo? Quizás ahora sería ella la que estuviese aquí sentada, hablando contigo.

—Las dos erais personas distintas, Maura. Puedes tener su cara, su voz, pero no eres Anna.

Ella le miró.

—Cuéntame más cosas de mi hermana.

—No sé muy bien por dónde empezar.

—Por cualquier cosa. Cuéntamelo todo. Acabas de decir que tengo su misma voz.

Él asintió.

—Así es. Las mismas inflexiones. El mismo tono.

—¿Tan bien la recuerdas?

—Anna no era una mujer fácil de olvidar —dijo, con la mirada fija en la de ella.

Los dos continuaron mirándose incluso cuando unos sonoros pasos irrumpieron en la casa. Apenas entró Gresham en la cocina, Maura rompió el contacto visual y se volvió hacia el jefe de policía.

—Doctora Isles —dijo Gresham—. Me pregunto si podría hacerme un pequeño favor. Venga conmigo a la carretera. Necesito que le eche un vistazo a algo.

—¿Qué cosa?

—Es esa llamada por radio. Recibieron un aviso de los constructores de ahí al lado. La excavadora desenterró algunos… Bueno, algunos huesos.

Maura frunció las cejas.

—¿Humanos?

—Es lo que ellos se preguntan.

Maura fue con el coche oficial de Gresham y Ballard les siguió con su Explorer. Pero para un trayecto tan corto apenas hacía falta el coche; bastaba doblar una curva en el camino y allí estaba la excavadora, inmovilizada en un solar cuyos árboles acababan de ser talados. Cuatro hombres con casco protector aguardaban a la sombra junto a las camionetas. Uno de ellos se adelantó para recibirles mientras Maura, Gresham y Ballard bajaban de los vehículos.

—Hola, jefe.

—¿Qué hay, Mitch? ¿Dónde están?

—Ahí, cerca de la excavadora. He visto ese hueso y de inmediato he parado el motor. Antes, en este terreno, había una antigua granja. Lo último que querría es excavar el cementerio de alguna familia.

—Ahí tenemos a la doctora Isles, para que les eche un vistazo antes de que yo haga unas cuantas llamadas. No querría que el médico forense tuviese que venir desde Augusta por un puñado de huesos de oso.

Mitch les precedió a través del claro. El suelo acabado de remover era una carrera de obstáculos, con raíces para torcerse el tobillo y grandes piedras volcadas. Los zapatos bajos de Maura no estaban diseñados para hacer senderismo y, por mucho cuidado que tuviera al cruzar el terreno, no pudo evitar ensuciar el ante negro.

Gresham se dio un bofetón en la mejilla.

—¡Maldita mosca negra! Seguro que ya nos han olido.

El claro estaba rodeado por espesos grupos de árboles y en el centro el ambiente era sofocante, sin pizca de viento. A aquella hora del día, los insectos habían captado ya su olor y salían como enjambres ávidos de sangre. Maura se alegró de haberse decidido a ponerse pantalón largo aquella mañana, porque la cara y los brazos sin protección se habían convertido en fuentes de aprovisionamiento para la mosca negra.

Cuando llegaron a la excavadora, el dobladillo de los pantalones estaba ya manchado de tierra. El sol caía con fuerza, emitiendo destellos al chocar contra los fragmentos de cristales rotos. Los tallos de un viejo rosal yacían con las raíces al aire, agonizando por el calor.

—Allí —dijo Mitch, señalando el sitio.

Incluso antes de inclinarse para mirar de cerca, Maura ya supo qué era aquello incrustado en el suelo. No lo tocó, se limitó a ponerse en cuclillas, con los zapatos hundidos en la tierra acabada de remover. Recién expuestos a los elementos, la palidez de los huesos asomaba bajo una costra de tierra seca. Oyó graznidos entre los árboles y, al levantar la vista, descubrió los cuervos que revoloteaban como espectros negros entre las ramas. «También ellos saben lo que es.»

—¿Qué opina usted? —preguntó Gresham.

—Es un ilion.

—¿Y eso qué es?

—Este hueso —Maura se tocó el suyo, allí donde la pelvis tensaba los pantalones; de repente le recordó la cruda realidad de que debajo de la piel, debajo del músculo, también ella era un simple esqueleto. Un armazón estructural de calcio y fósforo en forma de colmena, que perduraría mucho después de que su carne se hubiera podrido—... Es un hueso humano —añadió.

Por un instante todos guardaron silencio. El único ruido de aquel luminoso día de junio procedía de los cuervos, de la bandada que se iba concentrando en lo alto de los árboles, como frutas negras entre las ramas. Observaban con espeluznante inteligencia a los humanos de abajo, mientras sus graznidos iban en aumento, hasta formar un coro ensordecedor. Entonces, todos a la vez, interrumpieron sus chillidos.

—¿Qué sabe usted de este sitio? —preguntó Maura al conductor de la excavadora—. ¿Qué había antes aquí?

—Antiguos muros de piedra —explicó Mitch—. Los cimientos de una casa. Retiramos todas las piedras allí, pensando que alguien podría utilizarlas para otra cosa —señaló un montón de piedras grandes cerca del borde de la parcela—. Son paredes viejas; nada fuera de lo normal. Si anda por el bosque encontrará gran cantidad de cimientos como éstos. Solía haber granjas de cría de ovejas a lo largo de toda la costa. Ahora han desaparecido.

—Entonces esto podría ser una vieja tumba —comentó Ballard.

—Pero este hueso está justo en el sitio donde se levantaba el antiguo muro —comentó Mitch—. No creo que nadie quisiera enterrar a su anciana abuela tan cerca de la casa. Daría mala suerte, pienso yo.

—Algunos pueblos creen que da buena suerte —explicó Maura.

—¿Cómo?

—En la antigüedad, enterrar viva a una criatura bajo la primera piedra se suponía que protegía la casa.

Mitch la miró fijamente. Una mirada al estilo: «¿Quién diablos es usted, señora?».

—Sólo digo que las prácticas de enterramiento han cambiado con el paso de los siglos —continuó Maura—. Esto podría ser muy bien una antigua tumba.

Desde lo alto llegó un ruidoso aleteo. Los cuervos abandonaron el árbol de forma simultánea; batían las alas contra el cielo. Maura los observó inquieta al ver tantas alas negras elevándose al unísono, como si todos obedecieran una orden de mando.

—Qué extraño… —murmuró Gresham.

Maura se incorporó y observó los árboles. Se acordó del ruido de la excavadora aquella mañana, y en lo cercana que le había parecido.

—¿En qué dirección está la casa? —preguntó—. La casa donde me alojé anoche.

Gresham dirigió la vista al sol para orientarse, luego señaló:

—Allí, hacia donde usted mira ahora.

—¿Muy lejos?

—Justo detrás de aquellos árboles. Podría ir andando.

Una hora y media después llegó de Augusta el médico forense de Maine. En cuanto bajó del coche, llevando consigo su equipo, Maura reconoció de inmediato al hombre con turbante blanco, barba pulcra y cuidada. Al doctor Daljeet Singh lo había conocido el año anterior, en una conferencia sobre patología, y ambos habían cenado juntos en febrero, cuando él acudió a Boston para el encuentro regional entre forenses. Aunque no era un hombre alto, el porte digno y el tocado tradicional de los sijs le daba una apariencia más imponente de la que en realidad tenía. Maura siempre se había sentido impresionada por su aire de serena profesionalidad. Y por sus ojos: Daljeet tenía ojos húmedos de color castaño claro y las pestañas más largas que ella hubiese visto nunca en un hombre.

Se estrecharon la mano, un cálido saludo entre dos colegas que se apreciaban de verdad.

—¿Qué haces tú por aquí, Maura? ¿No te basta con Boston y tienes que venir a robarme mis casos?

—Mi fin de semana se ha convertido en una prolongación de la jornada laboral.

—¿Has examinado los restos?

Ella asintió, y la sonrisa se desvaneció de su rostro.

—Hay una cresta de ilíaco izquierdo, parcialmente enterrado. No lo hemos tocado aún. Sabía que primero querrías verlo en su sitio.

—¿No hay más huesos?

—De momento, no.

—Bien, pues —echó un vistazo al campo despejado, como si se preparase para una travesía por la tierra revuelta. Maura advirtió que había venido preparado con el calzado idóneo, botas L. L. Bean que parecían nuevas, a punto para su primera prueba sobre terreno embarrado—. Veamos lo que la excavadora ha desenterrado.

En aquellos momentos era ya primera hora de la tarde, y el calor estaba tan cargado de humedad que la cara de Daljeet no tardó en brillar de transpiración. A medida que cruzaban el claro, las moscas empezaron a atacarles, dispuestas a sacar partido de la carne fresca. Veinte minutos antes habían llegado los detectives Corso y Yates, de la policía estatal de Maine, y ya estaban inspeccionando el terreno con Ballard y Gresham.

Corso saludó con la mano y gritó:

—No hay mejor manera para pasar un domingo estupendo, ¿eh, doctor Singh?

Daljeet le devolvió el saludo, luego se agachó para examinar el ilion.

—Esto era una antigua vivienda —explicó Maura—. Según el equipo de la excavadora, aquí había cimientos.

—¿No han encontrado restos de algún ataúd?

—No han visto nada.

El forense contempló aquel paisaje de piedras embarradas, matorrales y troncos de árboles cortados.

—Esa excavadora podría haber desparramado huesos por todos lados.

El detective Yates les llamó a voces:

—¡He encontrado algo más!

—¿Qué hay por ahí? —preguntó Daljeet, mientras Maura y él cruzaban el terreno despejado para reunirse con el detective.

—Estaba caminando por aquí cuando el pie se me ha enredado en una maraña de raíces de zarza —explicó Yates—. He tropezado y esta cosa ha surgido de la tierra.

Mientras Maura se agachaba a su lado, Yates apartó con cautela una maraña espinosa de tallos arrancados de raíz. Una nube de mosquitos se elevó del húmedo suelo y chocó con la cara de Maura, que permanecía concentrada en aquello que estaba medio enterrado. Era un cráneo. Una órbita hueca la estaba observando, atravesada por los zarcillos de las raíces de zarza que se abrían paso entre los boquetes donde en el pasado hubo ojos.

Se volvió hacia Daljeet.

—¿Tienes una podadora?

El forense abrió la bolsa del instrumental. Sacó guantes, una podadora de rosales y una paleta de jardinero. Los dos se arrodillaron en la tierra, dispuestos a liberar el cráneo. Maura cortaba raíces mientras Daljeet separaba con cuidado la tierra. El sol caía implacable, hasta el mismo suelo irradiaba calor. Maura tuvo que interrumpir varias veces su trabajo para secarse el sudor. Hacía rato que el repelente contra insectos que se había aplicado una hora antes había perdido efecto, y las moscas volvían a revolotear en torno a su cara.

Daljeet y ella dejaron a un lado sus herramientas y, con las manos enguantadas, empezaron a excavar, arrodillados uno tan cerca del otro que a menudo chocaban cabeza contra cabeza. Los dedos de Maura se hundían cada vez más en la fría tierra, liberando la pieza. La porción de cráneo que asomaba era cada vez mayor. De repente Maura se detuvo con la mirada fija en el hueso temporal: en la enorme fractura que dejaba al descubierto.

Los dos se miraron, ambos abrigaban la misma idea: «No murió de muerte natural.»

—Creo que ya lo hemos aflojado —dijo Daljeet—. Saquémoslo.

Extendió un trozo de plástico en el suelo, metió ambas manos en el hoyo, cogió el cráneo y lo sacó. La mandíbula estaba en parte sujeta gracias a las espirales de las raíces de zarza.

Depositó su tesoro encima del plástico y por unos instantes nadie dijo nada. Todos se quedaron mirando el destrozado hueso temporal.

El detective Yates señaló el destello metálico de uno de los dientes molares.

—¿No es eso un empaste? —preguntó—. ¿En esa muela?

—Sí —dijo Daljeet—, pero los dentistas llevan más de un siglo practicando aleaciones para empastes.

—O sea que puede tratarse de una sepultura antigua.

—¿Pero dónde están los restos del ataúd? Si fuera una sepultura como es debido habría un ataúd. Y luego está este pequeño detalle... —Daljeet señaló el corte de la fractura y alzó la mirada hacia los dos detectives que se inclinaban por encima de su hombro—. Sea cual sea la edad de estos restos, pienso que estamos ante la escena de un crimen.

Los otros se habían apiñado alrededor, y de pronto pareció que el aire se hubiera quedado sin oxígeno. Daba la impresión de que el zumbido de los mosquitos crecía hasta convertirse en rugido palpitante. «Hace demasiado calor», pensó Maura. Se levantó y con paso vacilante se dirigió hacia el límite de los árboles, donde el dosel de robles y arces proyectaba una sombra acogedora. Se sentó en una piedra y enterró el rostro entre las manos, al tiempo que pensaba: «Esto es lo que consigo por no haber desayunado».

—Maura —la llamó Ballard—. ¿Te encuentras bien?

—Es este calor. Necesito refrescarme un momento.

—¿Quieres agua? Me queda algo en el coche, si no te importa beber de la misma botella.

—Gracias. Tomaré un poco.

Vio cómo se alejaba hacia su vehículo, llevaba la espalda de la camisa manchada de sudor. No se preocupó por avanzar con cuidado por el accidentado terreno; cogió el camino más recto; las botas pisaban con fuerza el suelo agrietado. Con determinación. Así caminaba Ballard, como el hombre que sabe lo que es preciso hacer, y lo hace.

La botella que le trajo estaba caliente por el tiempo que

llevaba encerrada en el vehículo. Pero tomó un trago con avidez y el agua le resbaló por la barbilla. Al bajar la botella descubrió que Ballard la estaba observando. Por un segundo no fue consciente del zumbido de los insectos, ni del rumor de las voces de los hombres que trabajaban a pocos metros de ellos. Allí, bajo la verde sombra de los árboles, podía centrar su atención en Rick. En cómo la mano de él rozaba la suya al recuperar la botella. En la suave luz que moteaba el cabello del detective; en la maraña de arrugas risueñas en torno a sus ojos. Maura oyó que Daljeet la llamaba, pero no contestó ni se volvió hacia él; tampoco lo hizo Ballard, que parecía embelesado en aquel instante. «Uno de los dos tiene que romper el hechizo», pensó Maura. «Uno de los dos tiene que chasquear los dedos para salir de él. Pero yo no puedo.»

—¿Maura? —Daljeet apareció de repente a su lado y ella ni siquiera había advertido que se acercara—. Tenemos un problema interesante.

—¿Qué clase de problema?

—Acércate a echar un vistazo a ese ilion.

Maura se incorporó poco a poco. Se sentía más segura, con la mente más despejada. El hecho de haber bebido agua y un rato a la sombra le habían proporcionado nuevo aliento. Ballard y ella siguieron a Daljeet de regreso junto al hueso de la cadera. Observó que el médico forense había apartado ya parte de la tierra, dejando expuesta una sección mayor de la pelvis.

—Por este lado he llegado hasta el sacro —explicó—. Aquí sólo puedes ver la terminal pélvica y la tuberosidad isquiática.

Maura se agachó hasta situarse a su lado. De momento no dijo nada, se limitó a examinar el hueso.

—¿Y cuál es el problema? —inquirió Ballard.

—Necesitamos sacar el resto —dijo ella, y se volvió hacia Daljeet—. ¿Tienes otra paleta?

El médico forense se la pasó: le pareció el golpe del mango de un escalpelo sobre la palma de la mano. De repente se sintió como si estuviera en el trabajo, una profesional seria. Arrodillados uno junto al otro, con las paletas en la mano, Daljeet y ella despejaron más tierra y piedras. Tres raíces se habían enredado por la cavidad ósea, afianzando los huesos a su tumba. Tuvieron que cortar la rígida maraña para liberar la pelvis. Cuanto más excavaban, más acelerados notaba ella los latidos de su corazón. Los buscadores de tesoros cavaban en busca de oro; ella lo hacía en busca de secretos. En busca de las respuestas que sólo una tumba podía revelar. Con cada palada de tierra que quitaban, un fragmento mayor de la pelvis quedaba expuesto a la vista. Trabajaban febrilmente, ahondando todavía más con las herramientas.

Cuando por fin contemplaron la pelvis expuesta, los dos estaban demasiado estupefactos para hablar.

Maura se levantó y regresó a inspeccionar el cráneo, que aún seguía sobre el plástico. Se arrodilló al lado, se quitó los guantes y deslizó los dedos desnudos por la órbita, notando la robusta curvatura del borde supraorbital. Luego dio la vuelta al cráneo para examinar la protuberancia occipital.

Esto carece de sentido.

Se balanceó sobre las rodillas. En aquel ambiente pegajoso, la blusa estaba empapada en sudor. Con la excepción del zumbido de los insectos, en todo el claro se había hecho el silencio. Por todos lados se alzaban los árboles, como si custodiaran aquel coto secreto. Mientras contemplaba aquel muro impenetrable de verdor, creyó que unos ojos la miraban, como si el mismo bosque la estuviera observando, a la espera de lo que fuera a hacer a continuación.

—¿Qué ocurre, doctora Isles?

Alzó la vista hacia el detective Caro.

—Tenemos un problema —dijo—. Este cráneo...

—¿Qué pasa con él?

—¿Ve la gruesa ondulación aquí, encima de las cuencas de los ojos? Y mire aquí, en la base del cráneo. Si pasa el dedo por encima, notará un bulto. A eso se le llama protuberancia occipital.

—¿Y?

—Ahí van los ligamentos de la nuca, los que sujetan los músculos posteriores del cráneo. El hecho de que este bulto sea tan prominente indica que el individuo tenía una musculatura robusta. Casi con absoluta certeza, se trata del cráneo de un hombre.

—¿Y cuál es el problema?

—Que la pelvis de allí pertenece a una mujer.

Corso se quedó mirándola. Luego se volvió hacia el doctor Singh.

—Coincido por completo con la doctora Isles —dijo Daljeet.

—Pero esto significaría...

—Que aquí tenemos los restos de dos individuos diferentes —comentó Maura—. Un macho y una hembra —se levantó para encontrarse con la mirada del detective—. Y la siguiente pregunta sería: ¿cuántas personas más hay enterradas por aquí?

Durante unos instantes, Corso pareció demasiado anonadado para contestar. Luego se volvió y poco a poco fue recorriendo con la mirada el terreno despejado, como si en realidad lo viera por primera vez.

—Jefe Gresham —dijo—, vamos a necesitar voluntarios. Muchos. Policías, bomberos... Yo voy a llamar a un equipo de Augusta, pero no será suficiente. No será suficiente para lo que necesitamos hacer.

—¿De cuántas personas está hablando?

—De las que hagan falta para registrar este sitio —Corso estaba mirando los árboles del entorno—. Vamos a peinar cada centímetro cuadrado del lugar. El claro, el bosque... Si hay más gente enterrada por aquí, la vamos a encontrar.

12

Jane Rizzoli se había criado en el suburbio de Revere, justo encima del puente Tobin, saliendo del centro de Boston. Era un barrio de clase trabajadora, con casas cuadrangulares sobre solares en forma de sello de correos, un barrio donde cada Cuatro de Julio chisporroteaban las salchichas en la barbacoa de los patios traseros, mientras en el porche de la entrada ondeaban orgullosas las banderas americanas. La familia Rizzoli había conocido su ración de altos y bajos, en la que habría que incluir aquellos meses terribles cuando Jane tenía diez años y su padre perdió el empleo. Ella era lo bastante mayor para percibir el miedo de la madre y asimilar la colérica desesperación del padre. Junto con sus dos hermanos descubrió lo que suponía vivir sobre el filo de la navaja entre el bienestar y la ruina, y, a pesar de que luego disfrutó de una paga regular, nunca pudo silenciar del todo los ecos de inseguridad que le llegaban de la niñez. Siempre pensaba en sí misma como una chica de Revere que había crecido soñando que algún día tendría una gran casa en un barrio de más categoría, una casa con baños suficientes para no tener que aporrear la puerta por la mañana exigiendo su turno para la ducha. Habría una chimenea de ladrillo y una puerta doble en la entrada, con picaporte de bronce.

La casa que en aquellos instantes observaba desde el coche poseía todas estas características, e incluso más: el picaporte de bronce, la doble puerta en la entrada y no una chimenea, sino dos. Todo cuanto ella había soñado.

Sin embargo, era la casa más fea que había visto en su vida.

Las otras casas de aquella calle de East Dedham eran lo que toda persona espera encontrar en un barrio acomodado de clase media: dos garajes y el patio muy cuidado. Coches último modelo aparcados en las rampas de entrada. Nada de fantasías, nada que exigiera un «mírame». Sin embargo, aquella casa… En fin, no se limitaba a exigir tu atención, ¡chillaba por conseguirla!

Era como si a Tara, la mansión de *Lo que el viento se llevó*, se la hubiese llevado un ciclón y luego la hubiese depositado en una parcela de ciudad. No se podía decir que tuviera un patio, era sólo una franja de tierra a los lados, tan estrecha que, entre la pared y la valla del vecino, apenas podría pasar una cortadora de césped. Columnas blancas se elevaban como centinelas en un porche en el que Scarlett O'Hara podría haber tenido sus devaneos a la vista del tráfico que circulaba por Sprague Street. La casa le hizo pensar en Johnny Silva, vecino de su antiguo barrio, y en cómo había dilapidado su primera paga en un Corvette rojo cereza. «En un intento por aparentar lo que no es», había comentado el padre de ella. «Este chico ni siquiera ha podido irse del sótano de sus padres y ahora se compra un lujoso coche deportivo. Los grandes perdedores son los que se compran los coches más ostentosos.»

«O se construyen la casa más ostentosa del barrio», pensó ella, mientras contemplaba la Tara de Sprague Street.

Maniobró con el vientre para sacarlo de debajo del volante. Mientras subía los escalones del porche sintió que el bebé bailaba un zapateado sobre su vejiga. «Lo primero es lo primero», pensó. «Pediré ir al baño.» El timbre de la puerta no se limitó a repicar, sonó como la campana de una catedral que llamara a los feligreses a la oración.

La rubia que abrió la puerta daba la impresión de haberse perdido en la residencia equivocada. En vez de Scarlett O'Hara era la clásica Bambi: melena voluminosa, tetas voluminosas, cuerpo embutido dentro de una malla de gimnasia de spandex rosa. Un rostro tan artificialmente despojado de cualquier expresión, que tenían que haberle aplicado algunas inyecciones cosméticas de Botox.

—Soy la detective Rizzoli. Vengo a ver a Terence Van Gates. He telefoneado antes.

—Ah, sí. Terry la está esperando.

Una vocecita juvenil, aguda y dulce. Perfecta en pequeñas dosis, pero al cabo de una hora sería como uñas que rascaran la pizarra.

Rizzoli entró en el vestíbulo y de inmediato se enfrentó a un cuadro gigantesco colgado de la pared. Era Bambi, vestida con traje de noche verde, de pie junto a un enorme jarrón repleto de orquídeas. Todo en aquella casa era descomunal. Los cuadros, los techos, los pechos.

—Están haciendo reformas en el edificio donde tiene el despacho, así que hoy trabaja en casa. Al final del pasillo, a su derecha.

—Perdone… Lo siento, pero no sé su nombre.

—Bonnie.

Bonnie. Bambi. Bastante aproximado.

—¿O sea… la señora Van Gates?

—Ajá.

Una esposa trofeo. Van Gates debía de rondar los setenta.

—¿Puedo pasar al baño? Estos días necesito ir cada diez minutos.

Por vez primera, Bonnie pareció darse cuenta de que Rizzoli estaba embarazada.

—Oh, querida. Por supuesto. El tocador está justo allí.

Rizzoli nunca había visto un baño pintado de rosa pirulí. El váter estaba en lo alto de una tarima, como un trono, con teléfono montado al lado, en la pared. Como si alguien quisiera llevar el negocio mientras... En fin, mientras hacía sus necesidades. Se lavó las manos con jabón rosa en el lavabo de mármol rosa, se las secó con una toalla rosa y salió huyendo de la habitación.

Bonnie se había esfumado, pero Rizzoli oyó el ritmo de música para hacer gimnasia, y los golpes sordos de pies en el piso de arriba. Bonnie debía de estar haciendo sus ejercicios habituales. «También yo debería ponerme en forma un día de éstos», pensó Rizzoli. «Pero me niego a hacerlo con mallas rosas.»

Avanzó por el pasillo en busca del estudio de Van Gates. Se asomó primero a la enorme sala de estar con gran piano blanco, moqueta blanca y muebles blancos. Habitación blanca, habitación rosa. ¿De qué color sería la siguiente? En el pasillo pasó ante otro retrato de Bonnie, esta vez posando como una diosa griega: túnica blanca, pezones que asomaban bajo la tela transparente... Tío, aquella gente pertenecía a Las Vegas.

Y por fin llegó al estudio.

—¿Señor Van Gates? —preguntó.

El hombre sentado detrás del escritorio color cerezo alzó la mirada de los documentos que estaba examinando y Rizzoli vio los ojos azul acuoso, el rostro que con la edad se había vuelto fofo, la doble papada y el cabello de una... ¿De qué tonalidad era? Alguna entre el amarillo y el anaranjado. Sin duda una tonalidad no buscada, sino un tinte mal aplicado.

—¿Detective Rizzoli? —preguntó él.

Su miraba bajó al vientre de ella, y se quedó allí como si nunca hubiese visto a una mujer embarazada.

«Háblame a mí, no a mi vientre.» Rizzoli cruzó hasta el escritorio y le estrechó la mano. Advirtió los delatores brotes del transplante que le punteaban el cuero cabelludo, cabello que brotaba como diminutos penachos de hierba amarillenta en un último intento desesperado por conservar la virilidad. «Es lo que te mereces por casarte con una mujer trofeo.»

—Siéntese, siéntese —le indicó Van Gates.

Rizzoli se sentó en un resbaladizo sillón de piel. Bastaba echar una mirada por la estancia para descubrir que allí la decoración era radicalmente distinta de la del resto de la casa. Pertenecía al tradicional estilo abogado, con madera oscura y tapizados de piel. Los estantes de caoba estaban ocupados por boletines judiciales y libros de texto. Ni asomo de color rosa. Sin la menor duda, aquéllos eran los dominios del dueño de casa, una zona libre de Bonnie.

—La verdad, no sé en qué puedo ayudarla, detective —dijo él—. La adopción por la que se interesa se produjo hace cuarenta años.

—No es lo que llamaríamos una historia antigua.

Él se echó a reír.

—Dudo incluso de que usted hubiese nacido entonces.

¿Era aquello un pequeño pullazo? ¿Su manera de decirle que era demasiado joven para molestarle con tales preguntas?

—¿No recuerda a la gente involucrada?

—Sólo digo que ha pasado mucho tiempo. Entonces yo acababa de licenciarme en leyes. Trabajaba en un despacho alquilado, con muebles alquilados y sin secretaria. Yo mismo atendía el teléfono. Aceptaba todos los casos que me llegaban: divorcios, adopciones, conducción bajo los efectos del alcohol. Cualquier cosa que me permitiera pagar el alquiler.

—Y todavía conserva esos expedientes, claro. De los casos de entonces.

—Estarán archivados.

—¿Dónde?

—En File-Safe, en los almacenes de Quincy. Sin embargo, antes de proseguir debo decirle que las partes involucradas en este caso en particular exigieron absoluta confidencialidad. La madre natural no quiso que revelara su nombre. Hace años que esos expedientes se sellaron.

—Éste es un caso de homicidio, señor Van Gates. Una de las dos adoptadas ha muerto.

—Sí, lo sé. Pero no veo qué tiene eso que ver con su adopción, de la que han transcurrido cuarenta años. ¿Qué importancia tiene esto en su investigación?

—¿Para qué le telefoneó Anna Leoni?

Van Gates dio un respingo y nada de lo que dijera después podría borrar aquella reacción inicial, aquella expresión de «cuidado».

—¿Cómo dice?

—El día anterior al asesinato, Anna Leoni le telefoneó a su despacho desde la habitación del hotel Tremont. Conseguimos el registro de sus llamadas. La conversación duró treinta y siete minutos. Bien, ustedes dos debieron de hablar de algo en esos treinta y siete minutos. ¿O mantuvo en espera todo el rato a la pobre mujer?

El abogado no dijo nada.

—¿Señor Van Gates?

—Esa…, esa conversación fue confidencial.

—¿Era clienta suya la señora Leoni? ¿Le facturó esa llamada?

—No, pero…

—Entonces no está obligado a mantener la confidencialidad entre abogado y cliente.

—Pero sí la de otro cliente.

—La madre natural.

—Bueno, ella fue mi cliente. Entregó a sus hijas con una condición, la de que nunca se revelara su nombre.

—Eso fue hace cuarenta años. Tal vez haya cambiado de opinión.

—No tengo la menor idea. Ignoro dónde está. Ni siquiera sé si vive aún.

—¿Ésa es la razón de que Anna le telefoneara? ¿Para preguntar por su madre?

Van Gates se reclinó en su sillón.

—Los adoptados a menudo sienten curiosidad por sus orígenes. Para algunos se convierte en una obsesión. De modo que se dedican a perseguir documentos. Invierten miles de dólares y un montón de quebraderos de cabeza buscando madres que no quieren ser encontradas. Y, si por fin las encuentran, pocas veces se produce el final de cuento de hadas que esperaban. Eso es lo que ella buscaba, detective. Un final de cuento de hadas. A veces sería mejor que lo olvidaran y siguieran con sus vidas.

Rizzoli pensó en su propia infancia, en su familia. Ella siempre había sabido quién era. Pudo ver a sus abuelos, a sus padres, a los antepasados grabados en su rostro. Era uno de ellos, incluso en su ADN. Y, con independencia de lo que sus parientes la fastidiaran o la avergonzaran, sabía que le pertenecían.

Sin embargo, Maura Isles nunca se había visto reflejada en los ojos de un abuelo. Cuando Maura paseaba por la calle, ¿estudiaría el rostro de los desconocidos que pasaban al lado en busca de algún indicio de sus propios rasgos? ¿Una curva familiar en la boca o en el perfil de la nariz? Rizzoli podía comprender a la perfección las ansias por conocer los propios orígenes. Saber que no se era sólo una brizna suelta, sino la rama de un árbol con raíces profundas.

—¿Quién es la madre de Anna Leoni? —preguntó, mirando a Van Gates a los ojos.

Él sacudió la cabeza.

—Se lo repetiré otra vez. Esto no tiene importancia para su...

—Deje que eso lo decida yo. Sólo deme el nombre.

—¿Para qué? ¿Para irrumpir en la vida de una mujer que quizá no quiera que le recuerden los errores de su juventud? ¿Qué tiene esto que ver con el asesinato?

Rizzoli se inclinó para acercarse y apoyar ambas manos encima del escritorio. Allanó así agresivamente la propiedad privada de Van Gates. Las dulces Bambis no hacían eso, pero las chicas polis de Revere no temían hacerlo.

—Puedo exigir sus expedientes como pruebas, o se lo puedo preguntar con educación...

Por unos instantes, ambos se miraron. Luego él dejó escapar un suspiro de resignación.

—Está bien, no tengo por qué pasar por esto otra vez. Se lo voy a decir, ¿de acuerdo? El nombre de la madre era Amalthea Lank. Tenía veinticuatro años y necesitaba dinero... desesperadamente.

Rizzoli frunció el ceño.

—¿Me está diciendo que cobró para entregar a sus hijas?

—Bueno...

—¿Cuánto?

—Una suma considerable. Suficiente para empezar una nueva vida.

—¿Cuánto?

Van Gates pestañeó.

—Veinte mil dólares. Cada una.

—¿Por cada criatura?

—Dos familias se marcharon felices con una hija. Y ella se fue con su dinero en efectivo. Créame, hoy los padres adoptivos pagan mucho más. ¿Sabe lo difícil que es adoptar a una criatura blanca y sana en esta época? No hay suficientes por aquí. Rige la ley de la oferta y la demanda, eso es todo.

Rizzoli se recostó en el sillón, consternada por el hecho de que una madre fuera capaz de vender a sus hijos por dinero.

—Eso es todo cuanto puedo decirle —continuó Van Gates—. Si quiere averiguar algo más... En fin, tal vez los polis deberían hablar entre sí. Eso les ahorraría un montón de tiempo.

Esta última observación la intrigó. Entonces recordó lo que él había dicho poco antes. «No tengo por qué pasar por esto otra vez.»

—¿Quién más ha preguntado por esa mujer? —inquirió.

—Todos ustedes van por ahí de la misma manera. Usted entra, me amenaza con hacerme la vida imposible si no colaboro...

—¿Fue otro policía?

—Sí.

—¿Quién?

—No lo recuerdo. De eso hace meses. Debo de haber bloqueado su nombre.

—¿Por qué quería saberlo?

—Porque ella le empujó a hacerlo. Vinieron juntos.

—¿Anna Leoni vino con ese policía?

—Él lo hizo por ella, como un favor —Van Gates soltó una risita—. Todos deberíamos tener un policía que nos hiciera favores.

—¿Y eso fue hace meses? ¿Vinieron a verle juntos?

—Es lo que le acabo de decir.

—¿Le facilitó el nombre a ella?

—Sí.

—¿Entonces por qué le telefoneó Anna la semana pasada, si ya conocía el nombre de su madre?

—Porque vio una foto en el *Boston Globe*. De una señora que era idéntica a ella.

—La doctora Maura Isles.

Él asintió.

—La señora Leoni me lo preguntó directamente, y yo se lo dije.

—¿Qué le dijo?

—Que tenía una hermana.

13

Los huesos lo cambiaron todo.

Maura había planeado regresar a casa, a Boston, aquella noche. En cambio, regresó brevemente a la casa de campo para ponerse vaqueros y camiseta. Luego volvió con su coche al claro del bosque. «Me quedaré un poco más», pensó, «y a las cuatro me iré.» Sin embargo, a medida que transcurría la tarde, mientras llegaba de Augusta la unidad de investigación criminal y los equipos de búsqueda empezaban a peinar la cuadrícula que Corso había trazado en la zona despejada, Maura perdió la noción del tiempo. El único descanso que se tomó fue para engullir un emparedado de pollo que los voluntarios habían traído al lugar. Todo tenía el sabor del repelente de mosquitos que se había untado en la cara, pero estaba tan hambrienta que con gusto se habría comido un mendrugo de pan seco. Saciado el apetito volvió a ponerse los guantes, cogió una paleta y se arrodilló en la tierra, junto al doctor Singh.

Llegaron y pasaron las cuatro de la tarde.

Las cajas de cartón empezaron a llenarse de huesos. Costillas y vértebras lumbares. Fémures y tibias. La excavadora no había desperdigado demasiado los huesos. Los restos de la mujer estaban localizados en un radio de dos metros; los del hombre, reunidos en una trama de raíces de zarza, se hallaban en un espacio más reducido todavía. En apariencia, sólo había dos individuos, pero invirtieron toda la tarde en desenterrarlos. Atrapada por la emoción de la tarea de excavar, Maura era incapaz de dejarlo, sobre todo cuando cada pala llena de tierra podía revelar algún nuevo trofeo. Un botón, una bala o un diente. Cuando estudiaba en la universidad de Stanford, pasó un verano trabajando en un centro arqueológico de Baja California. Aunque allí las temperaturas sobrepasaban los treinta y dos grados y la única sombra era su sombrero de ala ancha, había trabajado durante las horas más calurosas del día impulsada por la misma fiebre que aflige a los buscadores de tesoros convencidos de que el siguiente descubrimiento se encuentra a sólo pocos palmos más allá.

Eso... y la apacible emoción que sentía cada vez que Rick Ballard se le acercaba.

Incluso cuando cribaba la tierra o arrancaba raíces, era consciente de él. De su voz, de su proximidad. Rick era quien le traía una botella de agua fresca, quien le entregaba un sándwich. El que se detenía para posar una mano sobre su hombro y preguntarle qué tal le iba. Los compañeros masculinos del centro de medicina forense apenas la tocaban. Quizá fuera el retraimiento de ella, o alguna callada señal que emitía, lo que les indicaba que el contacto personal no sería bien recibido. Ballard, sin embargo, no dudaba en cogerla del brazo o en apoyar la mano sobre su espalda.

Y sus roces le producían un intenso sofoco.

Cuando los de la unidad de investigación criminal empezaron a guardar su equipo, Maura se sorprendió al descubrir que ya eran las siete y la luz del día se iba extinguiendo. Los músculos le dolían, llevaba sucia la ropa. Se puso en pie y las piernas le temblaron de cansancio, pero vio que Daljeet cerraba con cinta adhesiva las dos cajas que contenían los restos. Cada uno cargó con una caja y, a campo traviesa, las llevaron hasta el coche del forense.

—Después de lo de hoy, Daljeet —dijo ella—, creo que me debes una cena.

—Prometido. En el restaurante Julien la próxima vez que baje a Boston.

—Créeme, te la voy a reclamar.

Daljeet cargó las cajas en el coche y cerró la puerta. Luego se estrecharon la mano, una palma sucia contra otra palma sucia; ella le dijo adiós agitando la mano mientras él se alejaba. Gran parte del equipo se había marchado ya; sólo quedaban unos pocos coches.

Entre ellos estaba el Explorer de Ballard.

Maura se interrumpió un momento bajo el oscuro atardecer y miró el terreno despejado. Ballard estaba cerca de los árboles, de espaldas a ella y hablando con el detective Corso. Se demoró un poco con la esperanza de que él advirtiera que estaba a punto de irse.

¿Y entonces qué? ¿Qué esperaba ella que ocurriera entre los dos?

«Lárgate de aquí antes de que hagas el ridículo.»

Con brusquedad, dio media vuelta y se encaminó hacia su coche. Puso en marcha el motor y salió a toda la velocidad que permitió el giro de los neumáticos.

De vuelta en la casa, se despojó de la ropa sucia. Se dio una ducha prolongada, enjabonándose dos veces para eliminar cualquier rastro del repelente contra mosquitos. Cuando salió del baño, se dio cuenta de que no tenía más ropa limpia para cambiarse, porque había planeado quedarse sólo una noche en Fox Harbor.

Abrió la puerta del armario y examinó las prendas de Anna. Todas eran de su misma talla. ¿Qué otra iba a tener?

Sacó un vestido veraniego. Era de algodón blanco, un poco juvenil para su gusto, pero en aquella noche cálida y húmeda era justo lo que tenía ganas de ponerse. Deslizó el vestido por la cabeza y, al notar la pureza de la tela sobre la piel, se preguntó cuándo habría sido la última vez que Anna se había alisado aquel vestido sobre las caderas, cuándo se había atado la banda en torno a la cintura. Las arrugas todavía estaban allí, marcando la tela donde Anna había hecho el nudo. «Todo cuanto veo y toco de ella conserva aún su huella», pensó.

El repiqueteo del teléfono le hizo volverse hacia la mesita de noche. Por alguna razón desconocida, incluso antes de descolgar supo que se trataba de Ballard.

—No te vi marchar.

—Regresé a la casa para darme una ducha. Estaba hecha un asco.

Él se echó a reír.

—También yo me siento bastante roñoso.

—¿Cuándo regresas a Boston?

—Ya se ha hecho demasiado tarde. Pienso que es mejor quedarme a pasar la noche. ¿Y tú?

—La verdad es que tampoco me hace gracia conducir de noche.

Se hizo un silencio.

—¿Has encontrado hotel por aquí?

—He traído la tienda de campaña y un saco de dormir. Me quedaré en el camping que hay junto a la carretera.

A Maura le llevó cinco segundos tomar la decisión. Cinco segundos para considerar las posibilidades. Y las consecuencias.

—Aquí hay otro dormitorio —le dijo—. Puedes utilizarlo si quieres.

—No querría importunarte.

—La cama está hecha, Rick.

Una pausa.

—Sería fantástico. Pero con una condición.

—¿Cuál?

—Que me dejes llevar la cena. En la calle principal hay un sitio que vende comida para llevar. Nada refinado, a lo mejor sólo algunas langostas al vapor.

—No sé para ti, Rick, pero en mi manual las langostas figuran en el apartado de refinados.

—¿Quieres vino o cerveza?

—Esta noche prefiero cerveza.

—Estaré ahí en una hora. Conserva el apetito.

Maura colgó, y de repente descubrió que se moría de hambre. Sólo momentos antes, se sentía demasiado cansada para conducir hasta el pueblo y había considerado la posibilidad de saltarse la cena e irse a la cama temprano. Pero en aquellos instantes estaba hambrienta, no sólo de comida, sino también de compañía.

Deambuló por la casa, inquieta y empujada por un exceso de deseos contradictorios. Hacía sólo unas noches había compartido la cena con Daniel Brophy. Pero hacía tiempo que la Iglesia se había adueñado de Daniel y nunca podría competir con ella. Las causas desesperadas podían ser seductoras, pero rara vez proporcionaban la felicidad.

Maura oyó el retumbar de los truenos y se acercó a la puerta de tela metálica. Fuera, el anochecer se había transformado en oscuridad total. Aunque no distinguió destellos de rayos, el aire parecía cargado. Electrizado de posibilidades. Gotas de lluvia empezaron a golpear sobre el tejado. Al principio fueron unos cuantos golpeteos vacilantes, luego el cielo se abrió como si un centenar de tambores resonaran sobre su cabeza. Estimulada por la furia de la tormenta, se quedó en el porche observando el aguacero y sintió agradecida la fría ráfaga de aire que le hizo ondular el vestido y le levantó el cabello.

Un par de faros rasgaron el plateado chaparrón.

Maura se quedó inmóvil en el porche; el corazón le martilleaba como la lluvia mientras el coche aparcaba delante de la casa. Ballard bajó acarreando una gran bolsa y un paquete de seis cervezas. Con la cabeza gacha contra el aguacero, corrió entre charcos hasta el porche y subió los escalones.

—No sabía que habría que nadar aquí —comentó.

Maura se rió.

—Entra. Te daré una toalla.

—¿Podría irme derecho a tu ducha? Aún no he tenido posibilidad de lavarme.

—Adelante —le cogió la bolsa de la compra—. El baño está al final del pasillo. Hay toallas limpias en el armario.

—Voy a sacar la bolsa con mis cosas del portaequipajes.

Maura llevó la comida a la cocina y metió las cervezas en la nevera. Oyó el portazo de la mosquitera cuando él volvió a entrar en la casa. Y luego, al cabo de unos instantes, el ruido del agua de la ducha al correr.

Se sentó ante la mesa de la cocina y dejó escapar un profundo suspiro. «Será sólo una cena», pensó. «Una simple noche bajo el mismo techo.» Se acordó de la cena cocinada para Daniel hacía sólo unos días y en lo diferente que había sido la velada desde el primer instante. Cuando miraba a Daniel, veía lo inalcanzable. «¿Y qué veo al mirar a Rick? Quizá más de lo que debería ver.»

Dejó de oírse la ducha. Maura se quedó muy quieta, escuchando con los cinco sentidos, tan alerta que hasta podía percibir el susurro del aire sobre la piel. Los pasos chirriaron al acercarse y de repente apareció él allí, oliendo a jabón, vestido con vaqueros y camisa limpia.

—Espero que no te moleste comer con un hombre descalzo —dijo él—. Las botas están demasiado embarradas para llevarlas por la casa.

Maura rió.

—Entonces también yo me voy a descalzar. Será como si estuviéramos de picnic —se quitó las sandalias y se dirigió a la nevera—. ¿Estás a punto para una cerveza?

—Hace horas que estoy a punto.

Destapó dos botellas y entregó una a Ballard. Dio unos sorbos a la suya mientras observaba cómo él inclinaba la cabeza hacia atrás y tomaba un trago largo. «Nunca veré a Daniel así», pensó. Despreocupado y descalzo, con el cabello húmedo después de la ducha.

Dio media vuelta y se acercó a la bolsa de comestibles.

—¿Entonces qué has traído para cenar?

—Deja que te lo enseñe —Ballard se acercó a la encimera, rebuscó dentro de la bolsa y sacó varios paquetes envueltos en papel de aluminio—. Patatas al horno. Mantequilla fundida. Unas mazorcas de maíz. Y el elemento principal.

Sacó un enorme recipiente de Styrofoam y, al abrirlo, descubrió dos langostas de un color rojo intenso, todavía humeantes.

—¿Y cómo sacaremos la carne de eso?

—¿No sabes cómo cascar una de esas bestias?

—Confío en que tú sí.

—Es muy sencillo —Ballard sacó de la bolsa dos cascanueces. ¿Lista para la operación, doctora?

—Ahora sí me estás poniendo nerviosa.

—Es cuestión de pura técnica. Pero primero hay que vestirse a tono.

—¿Cómo dices?

El detective metió la mano en la bolsa y sacó dos baberos de plástico.

—¿Bromeas?

—¿Piensas que los restaurantes dan estas cosas sólo para que los turistas parezcan unos idiotas?

—Sí.

—Vamos, sé buena. Esto ayudará a conservar limpio ese bonito vestido.

Ballard se colocó detrás de ella y le deslizó el babero sobre el pecho. Maura sintió la respiración del hombre en su cabello mientras él le ataba las cintas tras la nuca. Las manos se demoraron allí un instante; el roce le provocó un estremecimiento.

—Ahora es tu turno —dijo ella, con voz queda.

—¿Mi turno?

—No voy a ser la única en llevar uno de estos ridículos baberos.

Ballard dejó escapar un suspiro de resignación y se ató el babero al cuello. Los dos se estudiaron uno al otro, luciendo idénticas langostas de dibujos animados sobre el pecho y se echaron a reír. Siguieron riendo mientras se sentaban a la mesa. «Unos sorbos de cerveza con el estómago vacío y ya me descontrolo», pensó Maura. «Y me siento tan bien…»

Él cogió su cascanueces.

—Bien, doctora Isles. ¿Lista para operar?

Maura cogió el suyo y lo sostuvo como un cirujano a punto de hacer la primera incisión.

—Lista.

La lluvia siguió batiendo su continuo redoble mientras tiraban de las pinzas, cuarteaban las conchas y arrancaban los tiernos trozos de carne. No se preocuparon de coger los tenedores; comieron con las manos. Tenían los dedos resbaladizos por la mantequilla mientras abrían nuevas botellas de cerveza y partían las patatas al horno, para descubrir la carne caliente y untuosa del interior. Los modales carecían de importancia esa noche; aquello era un picnic y ellos estaban sentados descalzos a la mesa, lamiéndose los dedos, lanzándose miradas furtivas.

—Esto es mucho más divertido que comer con tenedor y cuchillo... —comentó ella.

—¿Nunca habías comido langosta con los dedos?

—Tanto si lo crees como si no, es la primera vez que me encuentro ante una langosta que no hayan sacado ya del caparazón —cogió una servilleta y se limpió la mantequilla de los dedos—. Tienes que saber que no soy de Nueva Inglaterra. Hace sólo dos años que me trasladé a vivir aquí. Soy de San Francisco.

—Me deja algo sorprendido.

—¿Por qué?

—Porque pareces la típica yanqui.

—¿Y eso qué significa?

—Poco comunicativa. Reservada.

—Es lo que pretendo.

—¿Quieres decir que la Maura que conozco no es la auténtica?

—Todos interpretamos un papel. En el trabajo llevo mi máscara oficial. La que utilizo cuando soy la doctora Isles.

—¿Y cuando estás con los amigos?

Maura tomó un sorbo de cerveza, luego dejó la botella con suavidad.

—No he hecho muchos amigos en Boston... todavía.

—Hace falta algún tiempo, si eres forastero.

Una forastera... Sí, así se sentía todos los días. Veía a los agentes de la policía que se daban palmadas en la espalda. Les oía hablar de barbacoas y de partidos de softbol a los que nunca la invitaban porque no era una de ellos, un poli. El título de doctora delante del nombre era como un muro que la dejaba fuera. Y sus colegas médicos del centro de medicina forense estaban todos casados; tampoco sabían qué hacer con ella. Las divorciadas atractivas resultaban incómodas, desestabilizaban; eran un peligro o una tentación con quienes nadie quería tener trato.

—¿Qué fue lo que te trajo a Boston? —preguntó él.

—Supongo que necesitaba dar una sacudida a mi vida.

—¿Fatiga profesional?

—No, nada de eso. Me sentía bastante satisfecha en la escuela de medicina de allí. Era patóloga en el hospital universitario. Y además tenía la posibilidad de trabajar con los jóvenes residentes y estudiantes más brillantes.

—Entonces, si no fue por el trabajo, tuvo que ser por la vida amorosa.

Maura bajó la mirada hacia la mesa, a los restos de la cena.

—Adivinaste.

—Ahora es cuando me dirás que me meta en mis asuntos.

—Me divorcié, eso es todo.

—¿Tienes ganas de hablar de algo?

Maura se encogió de hombros.

—¿Qué puedo decir? Victor era muy brillante, increíblemente carismático...

—Jesús, ya empiezo a sentirme celoso.

—Pero no puedes estar casada con alguien así. Es demasiado... intenso. Te quema con tanta rapidez que acabas agotada. Y él... —se interrumpió.

—¿Qué?

Maura cogió la cerveza. Se tomó algún tiempo para beber antes de volver a dejar la botella.

—Él no fue del todo honesto conmigo. Sólo eso.

Maura era consciente de que Ballard quería saber más cosas, pero sin duda habría captado aquella nota de final en su voz. «Hasta aquí, no iremos más allá.»

El detective se levantó y se dirigió a la nevera en busca de dos cervezas más. Las destapó y le tendió una botella.

—Si vamos a hablar de nuestros respectivos ex —dijo—, necesitaremos mucha más cerveza que ésta.

—Pues no hablemos. Si nos hace daño.

—Es posible que haga daño precisamente porque no quieres hablar de ello.

—Nadie quiere oír hablar de mi divorcio.

Ballard se sentó y buscó su mirada:

—Yo sí.

Ningún hombre había fijado los ojos en ella con tal intensidad, y se sentía incapaz de apartar los suyos. Descubrió que respiraba hondo, inhalando el olor a lluvia y el más sustancioso olor animal de la mantequilla fundida. Veía cosas en el rostro de él que no había advertido antes. Las mechas rubias en el cabello. La cicatriz en la barbilla. Una línea blanca apenas perceptible debajo del labio. El diente desportillado. «Acabo de conocer a este hombre», pensó, «pero es como si él me conociera de toda la vida.» Oyó que su móvil sonaba débilmente en el dormitorio, pero no deseaba contestar. Dejó que siguiera sonando hasta que colgaron.

Era impropio de Maura no contestar el teléfono, pero esa noche todo era diferente. Incluso ella se sentía diferente. Irreflexiva. Una mujer que ignoraba el teléfono y comía con los dedos.

Una mujer capaz de acostarse con un hombre a quien apenas conocía.

El teléfono empezó a sonar otra vez.

En esta ocasión, el apremio del sonido atrajo por fin su atención. No podía seguir ignorándolo. Se levantó a desgana.

—Creo que esta vez debo contestar.

Cuando llegó al dormitorio, el teléfono había dejado de

sonar. Marcó el número del buzón de llamadas y escuchó dos mensajes distintos, ambos de Rizzoli: «Doc, necesito hablar contigo. Llámame». El segundo mensaje estaba grabado en un tono más quejumbroso: «Soy yo otra vez. ¿Por qué no contestas?».

Maura se sentó en la cama. Mientras miraba el colchón no pudo evitar pensar que era bastante grande, que cabrían dos. Sacudió la cabeza para quitarse la idea, respiró hondo y marcó el número de Rizzoli.

—¿Dónde estás? —preguntó la detective.

—Aún sigo en Fox Harbor. Lo siento. No llegué a tiempo al teléfono para descolgar.

—¿Ya has visto ahí a Ballard?

—Sí, acabamos de cenar. ¿Cómo has sabido que estaba por aquí?

—Porque ayer me telefoneó preguntando dónde estabas. Me pareció que también quería ir por ahí.

—Está en la otra habitación. ¿Quieres que se ponga?

—No. Es contigo con quien quiero hablar —Rizzoli hizo una pausa—. Hoy he ido a ver a Terence Van Gates.

El brusco cambio de tema provocó en Maura una especie de latigazo mental.

—¿Cómo? —preguntó desconcertada.

—Van Gates. Me dijiste que era el abogado que...

—Sí, ya sé quién es. ¿Y qué te ha contado?

—Algo interesante. Acerca de la adopción.

—¿De veras ha hablado de eso contigo?

—Sí. Es asombroso cómo se abre la gente cuando le enseñas una placa. Me contó que tu hermana fue a verle meses atrás. Igual que tú, intentaba encontrar a su madre natural. Le dio las mismas evasivas que a ti. Que los expedientes estaban sellados, que la madre había exigido confidencialidad, etcétera, etcétera. Así que Anna regresó con un amigo, quien al final convenció a Van Gates de que, por su propio interés, era mejor que facilitara el nombre de la madre.

—¿Y lo facilitó?

—Sí.

Maura mantenía apretado con tal fuerza el teléfono contra el oído que percibía el golpeteo de sus pulsaciones en el auricular.

—¿Sabes quién es mi madre? —preguntó con voz apagada.

—Sí. Pero hay algo más...

—Dime el nombre, Jane.

Un silencio.

—Lank. Se llama Amalthea Lank.

«Amalthea. El nombre de mi madre es Amalthea.»

La respiración de Maura brotó como una marea de gratitud.

—¡Gracias! Dios, no puedo creer que por fin haya sabido...

—Aguarda, aún no he terminado.

El tono de la voz de Rizzoli llevaba consigo una advertencia. Algo malo se avecinaba. Algo que a Maura no le iba a gustar.

—¿De qué se trata?

—Ese amigo de Anna, el que habló con Van Gates...

—¿Sí?

—Era Rick Ballard.

Maura se quedó petrificada. Desde la cocina le llegó el ruido de platos, el siseo del agua corriente. «Acabo de pasar todo un día con él y de pronto descubro que no sé qué clase de hombre es en realidad.»

—¿Doc?

—¿Entonces por qué no me lo dijo?

—Yo ya lo sé.

—¿Por qué?

—Será mejor que se lo preguntes a él. Pídele que te cuente el resto.

Cuando Maura regresó a la cocina, vio que él ya había quitado la mesa y tirado los restos de langosta a la bolsa de basura. Estaba de pie ante el fregadero, lavándose las manos y no se dio cuenta de que ella se había detenido en el umbral y le observaba.

—¿Qué sabes de Amalthea Lank? —preguntó.

Ballard se quedó rígido, todavía de espaldas. Se produjo un largo silencio. Luego cogió un paño de cocina y se tomó un rato para secarse las manos. «Está ganando tiempo antes de contestarme», pensó Maura. Pero no había excusa que pudiera aceptar, nada de lo que le fuera a decir podría cambiar la sensación de desconfianza que sentía en esos momentos.

Al final, se volvió para enfrentarse con ella.

—Confiaba en que no lo averiguarías. Amalthea Lank no es una mujer a quien te vaya a gustar conocer, Maura.

—¿Es mi madre? ¡Maldita sea, dime al menos si lo es!

Ballard asintió con desgana.

—Sí, lo es.

Vaya, lo había dicho. Se lo había confirmado. Hubo otro silencio mientras Maura asimilaba el hecho de que le hubiese ocultado información tan importante. Todo ese tiempo, él la estuvo observando con mirada de preocupación.

—¿Y por qué no me lo dijiste?

—Pensaba sólo en tu bien, Maura. Lo hice en beneficio tuyo...

—¿Y la verdad no es en beneficio mío?

—En este caso, no.

—¿Y qué diablos se supone que significa eso?

—Con tu hermana cometí un error. Un error muy grave.

Ella estaba tan ansiosa por conocer a su madre, que pensé que podía hacerle ese favor. No tenía idea de que las cosas terminarían como terminaron —dio un paso hacia ella—. Intentaba protegerte, Maura. Vi lo que esto le ha hecho a Anna y no quería que te ocurriera lo mismo a ti.

—Yo no soy Anna.

—Pero eres como ella. Te pareces tanto que me asusta. No sólo por tu aspecto, sino por cómo piensas.

Maura dejó escapar una risa sarcástica.

—¿Así que ahora puedes leer mi mente?

—Tu mente no, pero sí tu personalidad. Anna era tenaz. Cuando quería enterarse de algo, no renunciaba. Y tú seguirás escarbando y escarbando hasta obtener una respuesta. Tal como escarbabas hoy en el bosque. No era tu trabajo y tampoco tu jurisdicción. No tenías ningún motivo para estar allí, salvo la simple curiosidad. Y la obstinación. Querías encontrar aquellos huesos, y es lo que hiciste. Así era Anna —dejó escapar un suspiro—. Ahora lamento que encontrara lo que estaba buscando.

—¿Quién era mi madre, Rick?

—Una mujer a quien no querrás conocer.

A Maura le costó un poco captar el auténtico significado de aquella respuesta. En tiempo presente.

—¿Mi madre todavía vive?

Él asintió a regañadientes.

—¿Y sabes dónde encontrarla?

Ballard no contestó.

—¡Maldita sea, Rick! —estalló Maura—. ¿Por qué no te limitas a decírmelo?

Ballard se acercó a la mesa y se sentó, como si de repente estuviera demasiado cansado para continuar la batalla.

—Porque sé que te hará daño conocer los detalles. Sobre todo por ser quien eres. Por cómo te ganas la vida.

—¿Qué tiene que ver mi trabajo con esto?

—Tu trabajo consiste en aplicar la ley. Contribuyes a llevar a los asesinos ante la justicia.

—Yo no llevo a nadie ante la justicia. Sólo facilito los hechos... A veces los hechos no son como vosotros, los polis, querríais que fueran.

—Pero trabajas de nuestro lado.

—No. Del lado de las víctimas.

—Está bien, del lado de las víctimas. Por eso no te va a gustar lo que te cuente de ella.

—Aún no me has contado nada...

Ballard suspiró.

—Está bien. Quizá deba empezar diciéndote dónde vive.

—Adelante.

—Amalthea Lank, la mujer que te entregó en adopción, esta presa en Framingham, en el departamento correccional de Massachusetts.

Maura sintió que de repente las piernas le fallaban y se dejó caer en una silla frente a él. Notó que el brazo se le untaba con la mantequilla derramada, ya cuajada encima de la mesa. Pruebas de la alegre cena que habían compartido hacía sólo una hora, antes de que su mundo se hiciera añicos.

—¿Mi madre está en la cárcel?

—Sí.

Maura le miró sin atreverse a formular la pregunta obvia que debía hacer a continuación. Por miedo a la respuesta. Pero ya había dado el primer paso en aquel camino y, aunque ignoraba adónde la llevaría, no podía retroceder.

—¿Qué fue lo que hizo? —preguntó—. ¿Por qué está en la cárcel?

—Cumple cadena perpetua —dijo él—. Por doble homicidio.

—Por eso no quería que lo supieras —exclamó Ballard—. Vi lo que le había hecho a Anna enterarse de por qué habían condenado a su madre. Saber qué clase de sangre corría por sus venas. Es una ascendencia que nadie desea tener…, un asesino en la familia. Como es natural, ella se negó a aceptar la evidencia. Pensaba que tenía que tratarse de un error, que quizá su madre fuera inocente. Y después de que la viera…

—Un momento. ¿Anna vio a nuestra madre?

—Sí. Acudimos juntos al centro de internamiento de Framingham. La cárcel de mujeres. Fue otro error, porque aquella visita sólo consiguió dejarla más confusa en cuanto a la culpabilidad de su madre. Fue incapaz de aceptar el hecho de que su madre fuera un mons… —se interrumpió.

«Un monstruo. Mi madre es un monstruo.»

La lluvia había menguado hasta convertirse en un suave golpeteo en el tejado. Aunque la tormenta eléctrica había pasado, Maura podía oír los truenos amortiguados a medida que la perturbación se alejaba por el mar. En cambio, en la cocina todo era silencio. Los dos estaban sentados frente a frente, a cada lado de la mesa. Ballard la observaba con silenciosa preocupación, como si temiera que fuera a quebrarse. «Rick no me conoce», pensó ella. «Yo no soy Anna. No voy a desmoronarme. Y no necesito un maldito cuidador.»

—Cuéntame el resto.

—¿Qué resto?

—Has dicho que Amalthea Lank está presa por doble homicidio. ¿Cuándo ocurrió eso?

—Hará unos cinco años.

—¿Quiénes fueron las víctimas?

—No es algo que sea fácil de explicar. Y tampoco para ti será fácil escucharlo.

—De momento has dicho que mi madre es una asesina y creo haberlo encajado bastante bien.

—Mejor que Anna —reconoció él.

—Entonces dime quiénes fueron las víctimas y no te dejes nada en el tintero. Es lo único que no soporto, Rick, que alguien me oculte la verdad. Es lo que puso fin a mi matrimonio. No quiero soportarlo otra vez, de nadie.

—Está bien —Ballard se inclinó hacia delante y la miró a los ojos—. ¿Quieres los detalles? Entonces seré honesto contigo hasta la brutalidad. Porque los detalles son brutales. Las víctimas fueron dos hermanas. Theresa y Nikki Wells, de treinta y cinco y veintiocho años respectivamente. Eran de Fitchburg, Massachusetts. Una rueda pinchada las había dejado tiradas en el arcén de la carretera. Eso ocurrió a finales de noviembre y caía una nevada que nadie había previsto. Debieron de sentirse muy afortunadas cuando un coche se detuvo para recogerlas. Dos días después encontraron sus cadáveres a cincuenta kilómetros del lugar, en un cobertizo consumido por las llamas. Una semana después, la policía de Virginia detuvo a Amalthea Lank por una infracción de tráfico. Descubrieron que llevaba matrícula falsa. Luego advirtieron manchas de sangre en el parachoques trasero. Cuando la policía registró el vehículo, encontró las billeteras de las víctimas en el portaequipajes, así como una palanca para desmontar neumáticos con las huellas de Amalthea. Análisis posteriores hallaron restos de sangre en la palanca. Sangre de Nikki y de Theresa. La prueba definitiva quedó grabada en la cámara de seguridad de una gasolinera de Massachusetts. En la grabación se veía a Amalthea Lank llenando de gasolina un bidón de plástico. La gasolina que utilizó para quemar los cuerpos de las víctimas —su mirada coincidió con la de Maura—. Ahí lo tienes. He sido brutal. ¿Es lo que querías?

—¿Cuál fue la causa de la muerte? —preguntó Maura, con voz curiosamente tranquila, fría—. Has dicho que los cuerpos estaban quemados, pero... ¿cómo mataron a las dos mujeres?

Ballard se quedó mirándola un momento, como si no aceptara su calma.

—Las radiografías de los restos carbonizados mostraron que las dos jóvenes tenían el cráneo fracturado. Con toda probabilidad a causa de los golpes con la palanca de hierro. A Nikki, la hermana más joven, la golpearon en la cara con tal fuerza que se le hundió el hueso facial, dejando sólo un cráter. Así de cruel fue el crimen.

Maura reflexionó sobre el cuadro que él acababa de ofrecerle. En el arcén de una carretera cubierta de nieve y en las dos hermanas allí varadas. Cuando una mujer se detiene para ayudarlas, les sobran motivos para confiar en la buena samaritana, en especial porque es una mujer ya mayor. Con canas. Las mujeres ayudan a las mujeres.

Miró fijamente a Ballard.

—Has dicho que Anna no creía que fuera culpable.

—Acabo de informarte de las pruebas que presentaron en el juicio. La palanca de hierro, el vídeo de la gasolinera, las billeteras robadas... Cualquier jurado la habría condenado.

—Esto ocurrió hace cinco años. ¿Qué edad tenía Amalthea?

—No recuerdo. Sesenta y pico.

—¿Y consiguió reducir y matar a dos mujeres que eran varias décadas más jóvenes que ella?

—¡Dios, reaccionas del mismo modo que Anna! Dudas de lo obvio.

—Porque lo obvio no siempre es la verdad. Cualquier persona sana habría peleado o huido. ¿Por qué no lo hicieron Theresa y Nikki?

—Debió de cogerlas por sorpresa.

—¿A las dos? ¿Por qué no echó a correr la otra?

—Una de las dos no estaba lo que se dice en plenas facultades físicas.

—¿Qué quieres decir?

—Nikki, la hermana más joven, estaba en el noveno mes de embarazo.

14

Mattie Purvis no sabía si era de día o de noche. No tenía reloj y no podía llevar el control de las horas ni los días transcurridos. Aquello era lo peor de todo, no saber cuánto tiempo llevaba encerrada en aquella caja. ¿Cuántos latidos de corazón, cuántas respiraciones había pasado a solas con su miedo? Había intentado contar los segundos, luego los minutos, pero renunció en cuanto llegó a cinco. Era un ejercicio inútil, aunque sirviera de distracción para no caer en el desespero.

Había explorado ya cada centímetro cuadrado de su prisión. No había encontrado ningún punto débil, ninguna rendija que pudiera hender o ensanchar. Había extendido la manta debajo de su cuerpo, un agradable acolchado sobre la dura madera. Había aprendido a utilizar el orinal de plástico sin salpicar demasiado. Aunque estuviera atrapada dentro de una caja, la vida establecía su propia rutina. Dormir. Sorber un poco de agua. Orinar. Lo único que tenía para ayudarse a calcular el paso del tiempo era la reserva de comida. Cuántas barritas Hershey había comido y cuántas le quedaban.

Aún había una docena en la bolsa.

Se puso un trocito de chocolate en la boca, pero no lo masticó. Dejó que se fundiera con dulzura almizcleña sobre la lengua. Siempre le había encantado el chocolate, nunca era capaz de pasar delante de una confitería sin pararse a admirar las trufas expuestas como joyas oscuras dentro de sus cestitos de papel. Pensó en el polvo del cacao amargo, en el relleno de tarta de cerezas y en el jarabe de ron escurriéndose por la barbilla, algo muy alejado de aquella sencilla barrita dulce. Pero el chocolate era chocolate, y saboreó lo que tenía.

No iba a durar toda la eternidad.

Miró abajo, hacia los envoltorios arrugados que cubrían su prisión, consternada al ver que había consumido ya gran parte de la comida. Y cuando se acabara, ¿qué ocurriría entonces? Sin duda le traerían más. ¿Para qué iba a proporcionarle comida y agua el secuestrador, sólo para matarla de hambre días después?

No, no. Se supone que voy a vivir, no a morir.

Alzó la cara hacia la rejilla de ventilación e hizo inspiraciones profundas. Se supone que voy a vivir, no paraba de repetirse. Se supone que voy a vivir.

«¿Por qué?»

Se recostó de nuevo contra la pared, con aquella palabra resonando dentro de su cabeza. La única respuesta que se le ocurrió fue: «Por un rescate». ¡Oh, qué secuestrador más estúpido! Has caído en la ilusión de Dwayne. Los BMW, el reloj Breitling, las corbatas de diseño. «Cuando conduces un coche como éste, transmites una imagen.» Empezó a reír histéricamente. «Me han secuestrado por una imagen construida sobre dinero prestado. Dwayne no se puede permitir pagar ningún rescate.»

Se imaginó que entraba en casa y descubría que ella había desaparecido. «Verá mi coche en el garaje y la silla caída en el suelo», pensó. «Eso carecerá de sentido hasta que descubra la nota del rescate. Hasta que lea la exigencia de dinero.» «¿Lo vas a pagar, verdad?»

«¿Lo vas a pagar?»

La luz de la linterna disminuyó de repente. La cogió y la golpeó contra la palma de la mano. La luz se intensificó, pero sólo un momento; luego volvió a bajar. ¡Oh, Dios, las pilas! ¡Estúpida, no debieras haberla dejado encendida tanto rato! Buscó dentro de la bolsa de comestibles y sacó un paquete nuevo de pilas. Se le cayeron y rodaron por todos lados.

Y en ese momento se apagó la luz.

El sonido de su respiración llenó la oscuridad. Gimoteos de pánico creciente. «Está bien, Mattie, vale, para ya. Sabes que tienes pilas nuevas. Basta con que las metas en la dirección correcta.»

Tanteó por el suelo, reuniendo las pilas desperdigadas. Respiró hondo, desenroscó la linterna y depositó con cuidado la tapa sobre la rodilla doblada. Sacó las pilas gastadas y las dejó a un lado. Cada movimiento que hacía lo realizaba en la oscuridad más absoluta. Si perdía algo vital, nunca podría encontrarlo sin luz. «Tranquilízate, Mattie. Has cambiado pilas antes. Basta con introducirlas, el polo positivo en primer lugar. Una, dos. Ahora enrosca la tapa...»

Y de repente brotó la luz, brillante y hermosa. Mattie dejó escapar un suspiro y se dejó caer hacia atrás, agotada como si acabara de correr un kilómetro. «Ya has recuperado tu linterna, ahora guárdala. No la vuelvas a gastar.» Apagó la linterna y se quedó sentada en medio de la oscuridad. Esta vez su respiración era regular, lenta, sin pánico. Podía estar a ciegas, pero mantuvo el dedo sobre el interruptor a fin de encenderla cuando quisiera. «Controlo la situación.»

Lo que no podía controlar, sentada en la oscuridad, eran los temores que la asaltaban. «A estas alturas Dwayne ya debe saber que me han raptado», pensó. Habrá leído la nota o recibido la llamada telefónica. «Su dinero o su esposa.» «Pagará, claro que pagará.» Se lo imaginó suplicando frenético a la voz anónima que aguardaba al otro lado del teléfono. «¡No le hagan daño! ¡Por favor, no le hagan daño!» Se lo imaginó sollozando ante la mesa de la cocina, lamentándolo, lamentando con toda su alma las vilezas que le había dicho. Por las miles de veces que la había hecho sentir pequeña, insignificante. Ahora desearía borrar todo eso, decirle cuánto significaba para él...

«Estás soñando, Mattie.»

Apretó los ojos, cerrándolos a una congoja tan honda que parecía querer alcanzarle el corazón y estrujárselo con puño cruel.

«Sabes que él no te quiere. Lo sabes desde hace meses.»

Se rodeó el vientre con ambas manos, abrazándose a sí misma y al bebé. Encogida en un rincón de su cárcel, no podía seguir borrando de su mente la verdad. Recordó la mirada de disgusto de Dwayne cuando una noche ella salió de la ducha y él se quedó mirándole el vientre. O las noches en que ella se le acercaba por detrás para besarle la nuca y él la apartaba. O la fiesta en casa de los Everett, dos meses atrás, cuando ella le perdió de vista y le encontró en el mirador de atrás, coqueteando con Jen Hockmeister. Hubo indicios, demasiados, y ella no les había hecho caso porque creía en el amor verdadero. Creyó en él desde el día en que le presentaron a Dwayne Purvis en una fiesta de cumpleaños y comprendió que era el elegido, a pesar de que había cosas en él que deberían haberla preocupado. Como el hecho de que siempre compartía la cuenta cuando salían juntos, o de que no pudiera pasar ante un espejo sin que se retocara innecesariamente el cabello. Pequeños detalles que, al final, poco importaban porque ambos tenían el amor para mantenerlos unidos. Eso era lo que ella se decía, bellas mentiras que formaban parte del idilio de otros, tal vez de un idilio que había visto en el cine, pero no del suyo. No en su vida.

Su vida era la de aquellos momentos. Prisionera dentro de una caja, a la espera de que la rescatara un marido que no deseaba su regreso.

Entonces pensó en el Dwayne auténtico, no en el inventado, sentado en la cocina mientras leía la nota de rescate. «Tenemos a su esposa. A menos que nos pague un millón de dólares...»

No, eso era demasiado dinero. Ningún secuestrador en su sano juicio pediría tanto. ¿Qué pedirían los secuestradores por una esposa en aquellos momentos? Cien mil dólares era bastante razonable. Aun así, Dwayne pondría pegas. Evaluaría todos sus bienes. Los BMW, la casa. ¿Qué valía una esposa?

«Si me quieres, si me has querido alguna vez, lo pagarás. Págalo, por favor.»

Se deslizó sobre el suelo mientras mantenía el abrazo, replegándose en la desesperación. En su cárcel privada, más profunda y oscura que cualquier cárcel donde nadie pudiera encerrarla.

—Señora. Señora.

Se quedó paralizada en mitad de un sollozo, dudando de si en realidad había escuchado el susurro. Ahora oía voces. Se estaba volviendo loca.

—Dígame algo, señora.

Encendió la linterna y apuntó hacia arriba. De ahí procedía la voz, de la rejilla de ventilación.

—¿Me oye?

Era la voz de un hombre. Suave, meliflua.

—¿Quién es usted? —preguntó ella.

—¿Encontró la comida?

—¿Quién es usted?

—Cuidado con ella. Tiene que hacer que le dure.

—Mi marido le pagará. Seguro. ¡Por favor, déjeme salir!

205

—¿Sufre usted dolores?

—¿Qué?

—¿Algún dolor?

—¡Sólo quiero salir de aquí! ¡Déjeme salir!

—Cuando sea el momento.

—¿Y cuánto tiempo piensa tenerme aquí? ¿Cuándo me dejará salir?

—Luego.

—¿Y eso cuándo es?

No hubo respuesta.

—¡Oiga, señor! ¡Oiga! ¡Dígale a mi marido que estoy viva! ¡Dígale que le pague!

Los pasos se alejaron entre crujidos.

—¡No se vaya! —gritó ella—. ¡Déjeme salir! —Levantó los brazos y golpeó contra el techo. ¡Tiene que soltarme!

Ya no se oían los pasos. Mattie miró la rejilla. «Él ha dicho que volvería», pensó. «Mañana volverá. Después de que Dwayne le pague, me dejará salir.»

Entonces cayó en la cuenta. Dwayne. La voz de la rejilla no había hecho mención alguna a su marido.

206

15

Jane Rizzoli conducía como la bostoniana que era. Con la mano pronta para tocar el claxon, el Subaru serpenteaba con pericia entre la doble fila de coches que esperaban, detenidos en la rampa de acceso a la autopista de peaje. El embarazo no había amortiguado su agresividad; en todo caso, se sentía más impaciente de lo habitual mientras el tráfico conspiraba para frenar su avance en cada cruce.

—No estoy muy segura de lo que haces, Doc —comentó la detective, tamborileando con los dedos sobre el volante mientras aguardaban a que el semáforo cambiara—. Sólo contribuirá a que te comas el coco. Me refiero a… ¿de qué te va a servir verla?

—Al menos sabré quién es mi madre.

—Ya sabes su nombre. Sabes el crimen que cometió. ¿No es eso suficiente?

—No, no basta.

Tras ellas, alguien tocó el claxon. El semáforo había cambiado a verde.

—Gilipollas —murmuró Rizzoli mientras salía rugiendo en el cruce.

Enfilaron por la Massachusetts Turnpike en dirección oeste a Framingham. El Subaru de Rizzoli parecía todavía más pequeño al lado de la amenazadora caravana de tráilers y de todoterrenos. Después de un fin de semana en las tranquilas carreteras de Maine, para Maura supuso una fuerte impresión regresar a una autopista congestionada, donde un pequeño error o un momento de despiste bastaba para cerrar la brecha entre la vida y la muerte. La manera rápida y temeraria de conducir que tenía Rizzoli la ponía nerviosa. Ella, que nunca corría riesgos, que había insistido en comprar el coche más seguro y con doble airbag, que nunca permitía que el indicador de gasolina bajara más allá del cuarto de depósito, no renunciaba con facilidad al control. Sobre todo cuando enormes camiones de veinte toneladas rugían a un par de palmos de su ventanilla.

Hasta que salieron de la autopista, entraron en la Ruta 126 y pasaron por el centro de Framingham, Maura no se recostó en el asiento ni dejó de agarrarse con fuerza al salpicadero. Pero entonces tuvo que hacer frente a otros temores, no a los enormes camiones articulados ni al acero que pasaba veloz. Su mayor temor era tener que enfrentarse consigo misma.

Y no le gustó lo que vio.

—Puedes cambiar de idea en cualquier momento —dijo Rizzoli, como si leyera sus pensamientos—. Tú me lo pides y doy media vuelta. Podríamos ir a Friendly's y tomar una taza de café. Tal vez incluso un trozo de tarta de manzana.

—¿Pueden las embarazadas dejar de pensar en comida por un momento?

—Esta embarazada, no.

—No pienso cambiar de idea.

—Está bien, está bien —Rizzoli siguió conduciendo en silencio unos instantes—. Ballard vino a verme esta mañana.

Maura la miró, pero Rizzoli mantenía fija la mirada en la carretera que tenía al frente.

—¿Para qué?

—Quería explicarme por qué no te habló de tu madre. Oye, ya sé que estás enfadada con él, Doc, pero creo que de verdad intentaba protegerte.

—¿Es lo que te dijo?

—Yo le creo. Incluso es posible que esté de acuerdo con él. También a mí se me ocurrió ocultarte esa información.

—Pero no lo hiciste. Me telefoneaste.

—El caso es que entiendo que él no quisiera decírtelo.

—No tenía excusa para ocultármelo.

—Es sólo cosa de tíos, ¿sabes? Tal vez sólo de policías. Quieren proteger a la joven dama...

—¿Y por eso le ocultan la verdad?

—Lo único que digo es que entiendo a qué viene habértelo ocultado.

—¿No estarías enfadada si te lo hicieran?

—Por supuesto que sí.

—¿Entonces por qué le defiendes?

—¿Porque está como un tren?

—¡Oh, vamos!

—Sólo te digo que lo lamenta de veras. Aunque creo que ya intentó decírtelo él mismo.

—No estaba de humor para disculpas.

—¿Vas a seguir enfadada con él, pues?

—¿Por qué discutimos eso?

—No lo sé. Imagino que por la forma en que habló de ti. Como si hubiera ocurrido algo entre los dos allí arriba. ¿Fue así?

Maura sintió que Rizzoli la escudriñaba con aquellos brillantes ojos de policía y comprendió que, si mentía, lo descubriría.

—En estos momentos no necesito ninguna relación complicada.

—¿Qué hay de complicado en ésta, aparte del hecho de que estás molesta con él?

—Una hija. Una ex esposa.

—Los hombres de su edad son todos recauchutados. Todos van a tener ex esposas.

Maura siguió con la mirada fija en la carretera.

—¿Sabes una cosa, Jane? No todas las mujeres pretenden estar casadas.

—Eso es lo que yo solía pensar, y mira lo que me pasó. Un día no podía soportar al tío, y al día siguiente no dejaba de pensar en él. Nunca creí que acabara de esa manera.

—Gabriel es uno de los buenos.

—Sí, es un tipo honesto. Pero la verdad es que intentó el mismo truco que Ballard. Esa protección típica del macho. Y me enfadé con él. La cuestión es que nunca se puede predecir cuándo un tipo es un guardián.

Maura pensó en Victor, en el desastre de su matrimonio.

—No, no se puede.

—Pero te puedes centrar en lo posible, en lo que tiene posibilidades.

Aunque no hubieran mencionado su nombre, Maura supo que ambas pensaban en Daniel Brophy. La personificación de lo imposible. Un espejismo seductor que podía atraerla con engaños durante años, durante décadas, hasta alcanzar la vejez, para luego dejarla sola, desamparada.

—Ésta es la salida —indicó Rizzoli, doblando por Loring Drive.

A Maura el corazón empezó a latirle con fuerza cuando vio el letrero que anunciaba el centro de internamiento de Framingham. «Ha llegado el momento de enfrentarme con quien en realidad soy.»

—Todavía puedes cambiar de opinión —dijo Rizzoli.

—Eso ya lo hemos discutido antes.

—Sí. Sólo quería que supieras que podemos dar media vuelta.

—¿Lo harías, Jane? Después de toda una vida preguntándote quién es tu madre, qué aspecto tiene, ¿lo dejarías sin más ni más? ¿Cuando estás tan cerca de obtener por fin una respuesta a todas las preguntas que te has estado formulando?

Rizzoli se volvió a mirarla. Ella, que siempre parecía estar en movimiento, siempre en el ojo de un huracán u otro, miró a Maura con sosegada comprensión.

—No —contestó—. No lo dejaría.

En el ala administrativa del edificio Betty Cole Smith, ambas presentaron sus credenciales de identidad y firmaron. Minutos después, la directora Barbara Gurley bajó a reunirse con ellas en recepción. Maura había esperado un alcaide de aspecto impresionante, pero la mujer que les recibió tenía apariencia de bibliotecaria; el corto cabello más gris que castaño, la esbelta figura embutida en una falda color canela y una blusa rosa de algodón.

—Encantada de conocerla, detective Rizzoli —dijo Gurley, y luego se volvió a Maura—. ¿Usted es la doctora Isles?

—Sí. Gracias por recibirme.

También Maura le tendió la mano para estrechar la suya, y descubrió que el apretón de la mujer era frío y reservado. «Sabe quién soy yo», pensó. «Sabe por qué estoy aquí.»

—Subamos a mi despacho. Le he preparado el expediente.

Gurley abrió la marcha, moviéndose con indiscutible eficiencia. Ningún movimiento superfluo, ninguna mirada hacia atrás para comprobar si las visitantes la seguían. Entraron en el ascensor.

—Éste es un centro de nivel cuatro, ¿verdad? —preguntó Rizzoli.

—Sí.

—¿Y eso no es de seguridad media? —inquirió Maura.

—Estamos desarrollando un centro experimental de nivel seis. Pero de momento éste es el único correccional de mujeres en el estado de Massachusetts, así que eso es lo que hay. Tenemos que bregar con toda la gama de delincuentes.

—¿Incluso con asesinas en serie? —preguntó Rizzoli.

—Si son mujeres y están condenadas por asesinato, vienen a parar aquí. No tenemos que bregar con los mismos problemas de seguridad que en las cárceles de hombres. Además, nuestro enfoque es algo diferente. Hacemos hincapié en el tratamiento y la rehabilitación. Gran parte de nuestras internas tienen problemas de salud mental y de adicción a las drogas. Por otro lado, lo complica aún más el hecho de que muchas sean madres, de modo que tenemos que enfrentarnos también con la cuestión emocional de la separación materna. Hay un montón de criaturas que se quedan llorando cuando finalizan las horas de visita.

—¿Y qué ocurre con Amalthea Lank? ¿Hay alguna cuestión especial respecto a ella?

—Tenemos... —Gurley titubeó, con la mirada fija hacia delante— unas cuantas.

—¿Como cuáles?

La puerta del ascensor se abrió y Gurley fue la primera en salir.

—Ésta es mi oficina.

Pasaron por la antesala. Las dos secretarias miraron a Maura, luego bajaron presurosas la mirada a la pantalla de sus ordenadores. «Todo el mundo trata de esquivar mis ojos», pensó. «¿Qué temen que vea en ellas?»

Gurley hizo pasar a las visitantes a su despacho y cerró la puerta.

—Tomen asiento, por favor.

El despacho fue una sorpresa para Maura. Había pensado que reflejaría a la propia Gurley, eficiente y sin adornos. Pero por todas partes había fotografías de rostros sonrientes. Mujeres que sostenían en brazos a bebés. Chiquillos que posaban con la camisa planchada y el cabello pulcramente peinado con la raya en medio. Una novia y un novio recién casados, rodeados por un tropel de criaturas. De él, de ella, de los dos.

—Mis chicas —dijo Gurley, sonriendo hacia la pared de las fotos—. Éstas son las que efectuaron la transición de reintegrarse a la sociedad. Las que hicieron la elección correcta y han avanzado en sus vidas. Por desgracia —dijo, y la sonrisa desapareció de su cara—, Amalthea Lank nunca estará en esta pared —se sentó detrás del escritorio y fijó los ojos en Maura—. No estoy muy segura de que su visita sea una buena idea, doctora Isles.

—Nunca he llegado a conocer a mi madre.

—Eso es lo que me preocupa —Gurley se recostó en el asiento y estudió a Maura unos segundos—. Todas deseamos querer a nuestra madre. Queremos que sea una mujer especial porque nos hace especiales a nosotras, que somos sus hijas.

—Yo no espero quererla.

—¿Entonces qué espera?

La pregunta obligó a Maura a reflexionar. Pensó en la madre imaginaria que había evocado de pequeña, desde que su prima le lanzara cruelmente la verdad a la cara: que Maura era adoptada. Ésa era la razón de que en una familia de rubios con cabellos suaves, ella fuera la única con cabello negro. Se había construido una madre de cuento de hadas basándose en la negrura de su cabello. Una heredera italiana, obligada a entregar a su hija concebida en pecado. O una belleza española abandonada por su amante, que había muerto de forma trágica y con el corazón destrozado. Tal como había afirmado Gurley, siempre había imaginado a alguien especial, incluso extraordinario. Ahora estaba a punto de enfrentarse no a una fantasía, sino a la mujer real. Y semejante perspectiva le dejó la boca seca.

—¿Por qué piensa que no debería verla? —preguntó Rizzoli a Gurley.

—Sólo le pido que enfoque esta visita con cautela.

—¿Por qué? ¿Es peligrosa la interna?

—No en el sentido de que vaya a saltar ni a atacar a nadie. Lo cierto es que en apariencia es bastante dócil.

—¿Y en el fondo?

—Piense en lo que hizo, detective. ¿Cuánta rabia hace falta para enarbolar una palanca de hierro y hundir el cráneo de una mujer? Responda ahora a esta pregunta: ¿qué se oculta bajo la superficie de Amalthea? —Gurley miró a Maura—. Tiene que involucrarse en esto con los ojos muy abiertos, plenamente consciente de con quién está tratando.

—Es posible que ella y yo compartamos el mismo ADN —dijo Maura—, pero no tengo ningún vínculo sentimental con esa mujer.

—¿Entonces sólo siente curiosidad?

—Necesito poner fin a esto. Necesito continuar con mi vida.

—Es muy probable que su hermana pensara eso también. ¿Sabe que vino a visitar a Amalthea?

—Sí, me lo han dicho.

—No creo que la visita le proporcionara ningún tipo de paz mental. Pienso que sólo consiguió trastornarla.

—¿Por qué?

Gurley empujó una carpeta por encima del escritorio, en dirección a Maura.

—Aquí tiene el historial psiquiátrico de Amalthea. Todo

cuanto necesita saber sobre ella está aquí. ¿Por qué no se limita a leerlo, en vez de verla? Léalo, márchese y olvídese de Amalthea.

Maura no tocó la carpeta. Fue Rizzoli quien cogió el expediente.

—¿Está sometida a cuidados psiquiátricos? —preguntó.

—Sí.

—¿Por qué?

—Porque Amalthea es una esquizofrénica.

Maura miró a la directora.

—¿Entonces por qué la condenaron por asesinato? Si es una esquizofrénica no debería estar en la cárcel. Debería estar en un hospital.

—Eso mismo le pasa a un número considerable de nuestras internas. Hágaselo entender a los tribunales, doctora Isles, porque yo ya lo he intentado. El sistema es en sí demencial. Aunque un asesino sea un psicópata rematado a la hora de cometer el crimen, la defensa basada en la locura apenas hace vacilar al jurado.

—¿Está segura de que está loca? —preguntó Rizzoli, con voz amable.

Maura se volvió a la detective y vio que estaba examinando el expediente psiquiátrico de la interna.

—¿Tiene alguna duda sobre el diagnóstico?

—Conozco a la psiquiatra que la ha estado examinando. La doctora Joyce O'Donell. Por lo general no suele perder su tiempo tratando a esquizofrénicos corrientes —Rizzoli miró a Gurley—. ¿Por qué se ha involucrado en este caso?

—Parece que esto la inquietase —comentó Gurley.

—Si conociera usted a la doctora O'Donell, también se sentiría inquieta —Rizzoli cerró de golpe la carpeta y respiró hondo—. ¿Hay alguna otra cosa que la doctora Isles deba saber antes de ver a la presa?

Gurley miró a Maura.

—Imagino que no he logrado disuadirla, ¿verdad?

—No. Sigo decidida a verla.

—Entonces las acompaño abajo, a la entrada de visitas.

16

«Todavía puedo cambiar de idea.»

La idea seguía dando vueltas en la cabeza de Maura mientras pasaba los trámites de las visitas, mientras se quitaba el reloj y lo depositaba con el bolso en una taquilla. No se podían entrar joyas ni carteras en la sala de visitas, y ella se sentía desnuda sin el bolso, despojada de cualquier prueba de identidad, de todas las tarjetas de plástico que informaban al mundo acerca de quién era. Cerró la taquilla y el chasquido metálico fue el eco estridente del mundo en el que se disponía a entrar: un sitio donde las puertas se cerraban de golpe, donde las vidas quedaban confinadas en cubículos.

Maura había confiado en que aquel encuentro sería en privado pero, cuando la celadora la hizo pasar a la sala de visitas, vio que allí la intimidad era imposible. Hacía ya una hora que habían comenzado las visitas de la tarde y la sala se llenaba de ruido con las voces de la chiquillería y el caos de las familias reunidas. Las monedas caían sonoras en la ranura de las máquinas de venta automática, que regurgitaban emparedados envueltos en plástico, bolsas de patatas fritas y barritas de chocolate.

—Amalthea ya baja —dijo la celadora—. ¿Por qué no busca un sitio donde sentarse?

Maura se dirigió a una mesa sin ocupar y se sentó. La superficie de plástico estaba pegajosa por los zumos derramados. Mantuvo las manos en el regazo y aguardó; le martillaba el corazón, tenía la garganta reseca.

Se levantó y se dirigió a un lavabo. Llenó de agua un vaso de papel y la bebió de un trago. Aun así, siguió notando seca la garganta. Aquel tipo de sed no se podía apaciguar sólo con agua. La sed, el pulso acelerado, las manos sudorosas, todo era reflejo del cuerpo que se preparaba para la inminente amenaza. «Relájate, relájate. Vas a conocerla, intercambiaréis unas palabras, vas a satisfacer tu curiosidad y te irás. ¿Será tan duro eso?» Estrujó el vaso, dio media vuelta y se quedó paralizada.

La puerta de entrada se acababa de abrir y una mujer se detuvo en el umbral: los hombros rectos, la barbilla erguida con majestuosa seguridad en sí misma. Posó la mirada en Maura y por un momento la sostuvo sin desviarla. Pero en ese instante, justo cuando Maura pensaba: «Es ella», la mujer se volvió, sonrió y abrió los brazos para recibir a un niño que corría a su encuentro.

Maura se detuvo confusa, sin saber si debía sentarse o permanecer de pie. Entonces se abrió de nuevo la puerta y la celadora que antes le había hablado reapareció, guiando del brazo a una mujer. Una mujer que no caminaba sino que, arrastrando los pies, llevaba los hombros caídos hacia delante y la cabeza gacha, como si de manera obsesiva escrutara el suelo en busca de algo que hubiese perdido. La celadora la guió hasta la mesa de Maura, cogió una silla y sentó a la interna.

—Siéntate aquí, Amalthea. Esta señora ha venido a verte. ¿Por qué no mantienes una agradable charla con ella, eh?

Amalthea siguió con la cabeza gacha, la mirada fija en el tablero de la mesa. Los enmarañados cabellos le caían sobre la cara como una cortina grasienta. A pesar de las abundantes canas grises, no cabía la menor duda de que en el pasado su cabello había sido negro. «Como el mío», pensó Maura. «Como el de Anna.»

La celadora se encogió de hombros y miró a Maura.

—En fin, les dejo que continúen con la visita. Cuando terminen, me hace una seña y me la llevaré.

Amalthea ni siquiera miró a la celadora cuando se fue. Tampoco dio muestras de que advirtiera la presencia de la visitante que acababa de sentarse frente a ella. Mantuvo inmóvil la postura, el rostro oculto tras un velo de cabello sucio. La bata carcelaria le colgaba holgada de los hombros, como si ella se encogiera dentro de la ropa. Su mano, apoyada en la mesa, se mecía atrás y adelante con incesante temblor.

—Hola, Amalthea —la saludó—. ¿Sabes quién soy?

No obtuvo respuesta.

—Me llamo Maura Isles. Yo... —Tragó saliva—. Llevo mucho tiempo buscándote.

«Toda mi vida.»

La mujer ladeó la cabeza de una sacudida. No era como reacción a las palabras de Maura, sólo un tic involuntario. Un impulso incontrolable que le recorría los nervios y los músculos.

—Amalthea, soy tu hija.

Maura la observó, a la espera de la reacción. Incluso anhelando que tuviera alguna. En aquel momento, todo lo demás en la sala pareció desvanecerse. No oyó la cacofonía de los gritos de la chiquillería, ni las monedas al caer dentro de las máquinas expendedoras, ni el chirrido de las patas de las sillas sobre el linóleo. Lo único que veía era a aquella mujer quebrada.

—¿Podrías mirarme? Mírame, por favor.

Por fin levantó la cabeza, moviéndola a pequeñas sacudidas, como una muñeca mecánica que tuviera el mecanismo oxidado. La descuidada cabellera se separó y los ojos se fijaron en Maura. Ojos insondables. Maura no vio nada en ellos, ni siquiera conciencia. Ni siquiera alma. Los labios de Amalthea se movieron, pero sin sonido. Sólo otra contracción nerviosa de los músculos, sin intención, sin propósito.

Un niño pequeño pasó dejando una estela de olor a pañales mojados. En la mesa de al lado, una rubia teñida vestida de presidiaria estaba sentada con la cabeza entre las manos, sollozando en silencio, mientras el hombre que la visitaba la contemplaba impasible. En aquel momento se estaban desarrollando una docena de dramas familiares como el de Maura; ella era apenas otra intérprete secundaria, incapaz de ver más allá del círculo de su propia crisis.

—Mi hermana Anna vino a verte —dijo Maura—. Era idéntica a mí. ¿Te acuerdas de ella?

En ese momento, Amalthea movió la mandíbula. Como si masticara algo. Una comida imaginaria que sólo ella podía degustar.

«No, por supuesto que no se acuerda», pensó Maura, mirando frustrada la expresión en blanco de Amalthea. «No capta mi presencia, no sabe quién soy ni por qué estoy aquí. Estoy gritando dentro de una cueva vacía, donde sólo me responde el eco de mi voz.»

Decidida a provocar una reacción, de cualquier tipo, le espetó casi con deliberada crueldad:

—Anna ha muerto. Tu otra hija está muerta. ¿Lo sabías?

No hubo ninguna respuesta.

«¿Por qué diablos lo sigo intentando? No hay nadie ahí dentro. No hay luz en esos ojos.»

—Bien —dijo Maura—, ya volveré en otra ocasión. Quizás entonces me hables.

Se levantó dejando escapar un suspiro y miró a su alrededor en busca de la celadora. La localizó en el extremo opuesto de la sala. Acababa de levantar la mano para hacerle una seña cuando oyó la voz. Un susurro tan bajo que muy bien podría haberlo imaginado.

—Márchate.

Sobresaltada, Maura miró a Amalthea, que permanecía sentada en la misma postura de antes. Tenía los labios crispados, la mirada todavía sin enfocar.

Con movimientos lentos, Maura volvió a sentarse.

—¿Qué has dicho?

Amalthea levantó los ojos hacia ella. Y, sólo por un instante, Maura vio una expresión de alerta en ellos. Un destello de inteligencia.

—Márchate antes de que él te vea.

Maura la miró fijamente. Un escalofrío le subió por la espina dorsal e hizo que se le erizara el vello de la nuca.

En la mesa de al lado, la rubia teñida seguía llorando. El hombre que la visitaba se levantó y le dijo:

—Lo siento, pero tienes que aceptarlo. Eso es lo que hay.

Luego se alejó, de regreso a su vida de afuera, donde las mujeres llevaban blusas atractivas y no tela de vaquero azul. Donde las puertas cerradas con llave se podían abrir.

—¿Quién? —preguntó Maura, con voz queda, pero la mujer no le contestó—. ¿Quién me va a ver, Amalthea? —Maura la apremió—: ¿Qué has querido decir?

Sin embargo, la mirada de la mujer se había vuelto a nublar. Aquel breve destello de conciencia había desaparecido y Maura vio que de nuevo miraba al vacío.

—¿Así que ya hemos terminado con la visita? —preguntó la celadora, en tono animoso.

—¿Siempre está así? —preguntó Maura, observando que los labios de Amalthea formaban palabras inaudibles.

—Bastante a menudo. Tiene días buenos y días malos.

—Apenas me ha dicho nada.

—Ya lo hará si llega a conocerla mejor. La mayoría de las veces se mantiene aislada, pero otras sale de su ensimismamiento. Escribe cartas, incluso utiliza el teléfono.

—¿Y a quién llama?

—No lo sé. A su psiquiatra, supongo.

—¿A la doctora O'Donnell?

—A la mujer rubia. Ha venido varias veces, de modo que Amalthea se siente bastante cómoda en su compañía. ¿Verdad que sí, cariño? —la celadora cogió del brazo a la presa—. Arriba, preciosa. Andando. Te llevaremos de regreso.

Obediente, Amalthea se levantó y permitió que la celadora la apartara de la mesa. Avanzó sólo unos pasos, luego se detuvo.

—Vamos, Amalthea.

Pero la reclusa no se movió. Se quedó como si de repente los músculos se le hubieran paralizado.

—No puedo estar todo el día esperándote, cariño. Vamos.

Poco a poco, Amalthea se volvió. Los ojos seguían inexpresivos. Las palabras que pronunció a continuación brotaron con una voz que todavía no era humana sino mecánica. Un ente ajeno, canalizado a través de una máquina. Fijó los ojos en Maura.

—Ahora también tú vas a morir —dijo.

Luego dio media vuelta y se alejó arrastrando los pies, de regreso a su celda.

—Padece disquinesia tardía —explicó Maura—. Por ese motivo la directora Gurley intentó disuadirme de que la visitara. No quería que viera el estado de Amalthea. No quería que averiguase lo que le han hecho.

—¿Y qué le han hecho exactamente? —preguntó Rizzoli, que de nuevo iba al volante, conduciendo temeraria junto a camiones que hacían vibrar la carretera y estremecer el pequeño Subaru con sus turbulencias. ¿Quieres decir que la han convertido en una especie de zombi?

—Ya viste su expediente psiquiátrico. Los primeros médicos la trataron con fenotiacinas. Son una especie de drogas antipsicóticas. En mujeres de cierta edad, esas sustancias pueden tener efectos secundarios devastadores. Uno de los efectos lleva el nombre de disquinesia tardía: movimientos involuntarios de la boca y la cara. El enfermo no puede dejar de masticar, hinchar las mejillas o sacar la lengua. Ella no puede controlar ninguno de esos movimientos. Piensa en lo que significa eso. Todo el mundo te mira mientras haces muecas extrañas. Te conviertes en un fenómeno.

—¿Y cómo se eliminan esos movimientos?

—Ya no es posible. Tendrían que haber interrumpido la administración del medicamento tan pronto como sufrió los primeros síntomas. Pero esperaron demasiado. Luego la doctora O'Donnell se involucró en el caso. Fue ella quien al final eliminó la medicación. Identificó lo que estaba ocurriendo —Maura dejó escapar un suspiro de rabia—. Lo más probable es que la disquinesia tardía sea permanente.

Observó el tráfico al otro lado de la ventanilla. Esta vez no se asustó al ver toneladas de acero pasando veloces. Estaba pensando en Amalthea Lank, en sus labios que se movían sin cesar, como si musitara secretos.

—¿Quieres decir que al principio no necesitaba esos medicamentos?

—No, lo que digo es que debieron dejar de suministrárselos antes.

—Entonces… ¿está loca o no lo está?

—Ése fue el diagnóstico inicial. Esquizofrenia.

—¿Y cuál es tu diagnóstico?

Maura pensó en la mirada vacía de Amalthea, en sus enigmáticas palabras. Palabras que carecían de sentido, salvo como un delirio paranoico.

—Tendría que coincidir —con un suspiro, se recostó en el asiento—. No me veo reflejada en ella, Jane. No veo ni un átomo mío en esa mujer.

—Bueno, eso debería ser un alivio, teniendo en cuenta la situación.

—Pero aún sigue ahí el vínculo entre las dos. No puedes negar el ADN.

—¿Conoces el viejo dicho sobre la atracción de la sangre? Es pura tontería, Doc. No tienes nada en común con esa mujer. Ella te tuvo y te entregó a otros al nacer. Eso es todo. La relación termina aquí.

—Ella conoce muchas respuestas. Quién es mi padre. Quién soy yo.

Rizzoli le lanzó una dura mirada, luego volvió a centrarla en la carretera.

—Te voy a dar un consejo. Sé que te preguntarás qué pinto yo en todo esto. Créeme, si te lo digo no es por ganas de hablar. Pero esa mujer, Amalthea Lank, es alguien de quien es preferible que te mantengas alejada. No vuelvas a verla, no hables con ella. No pienses siquiera en ella. Es peligrosa.

—No es más que una esquizofrénica, ya sin fuerzas.

—Yo no estaría tan segura.

Maura se volvió hacia Rizzoli.

—¿Qué sabes de ella que no sepa yo?

Por un momento, la detective siguió conduciendo sin decir palabra. No era el tráfico lo que la preocupaba: parecía sopesar la respuesta, considerar la mejor manera de contestar.

—¿Te acuerdas de Warren Hoyt? —inquirió al fin.

Aunque pronunció el nombre sin ninguna emoción perceptible, apretó la mandíbula y las manos se le tensaron sobre el volante.

«Warren Hoyt», pensó Maura. «El Cirujano.»

Así fue como le apodó la policía. Se había ganado el sobrenombre por las atrocidades que infligía a las víctimas. Sus instrumentos consistían en cinta adhesiva y un escalpelo; la presa eran mujeres que dormían en sus camas, ajenas al intruso que estaba a su lado en la oscuridad, anticipando el placer de efectuar el primer corte. Jane Rizzoli había sido su último objetivo, su oponente en un juego de ingenio que él nunca creyó que perdería.

Pero fue Rizzoli quien le tumbó de un solo disparo, cuando le atravesó con una bala la espina dorsal. En la actualidad era un tetrapléjico. Con las extremidades paralizadas e inútiles, el universo de Warren Hoyt se había reducido a la habitación de un hospital, donde los pocos placeres que le quedaban eran los de su mente: una mente que seguía siendo tan brillante y peligrosa como siempre.

—Claro que lo recuerdo —contestó Maura, que había visto las consecuencias de la obra de aquel asesino, la terrible mutilación que su escalpelo había hecho en la carne de una de sus víctimas.

—Le he mantenido vigilado —dijo Rizzoli—. Ya sabes, sólo para asegurarme de que el monstruo continúa en su jaula. Todavía sigue allí, por supuesto. En la unidad de médula espinal. Y durante los últimos ocho meses, todos los miércoles por la tarde ha recibido una visita. La de la doctora Joyce O'Donnell.

Maura frunció el entrecejo.

—¿Para qué?

—Ella asegura que forma parte de su investigación sobre conductas violentas. Su teoría consiste en que los asesinos no son responsables de sus actos. Que alguna abolladura en el coco cuando eran pequeños los ha hecho propensos a la violencia. Como es natural, los abogados defensores tienen memorizado su número. Con toda seguridad, ella te diría que Jeffrey Dahmer era sólo un incomprendido; que a John Wayne Gacy le golpearon demasiadas veces en la cabeza. Esa mujer saldría en defensa de cualquiera.

—A la gente se le paga para que haga su trabajo.

—No creo que ella lo haga por dinero.

—¿Entonces por qué lo hace?

—Porque le proporciona la ocasión de estar cerca, y en estrecha intimidad, con gente que mata. Ella dice que es su campo de estudio, que lo hace por la ciencia. En fin, Josef Mengele también lo hacía por la ciencia... No es más que una excusa, una manera de conseguir que parezca respetable lo que está haciendo.

—¿Y qué es lo que hace?

—O'Donnell es una buscadora de emociones. Encuentra placer escuchando las fantasías de un asesino. Le gusta penetrar en su cabeza, echar un vistazo por allí, a ver qué encuentra. Saber lo que se siente cuando se es un monstruo.

—Haces que suene como si fuera uno de esos monstruos.

—Tal vez le gustara serlo. He visto las cartas que le escribió a Hoyt mientras él estuvo en la cárcel. Le animaba a que le contara todos los detalles sobre sus asesinatos. Oh, sí, le encantan los detalles.

—Mucha gente siente curiosidad por lo macabro.

—Lo suyo es algo más que curiosidad. Lo que quiere es saber qué se siente al cortar la piel de la víctima y observar cómo se desangra. Cómo se disfruta ante ese poder supremo. Está hambrienta de detalles como los vampiros están sedientos de sangre —Rizzoli se interrumpió y soltó una risa nerviosa—. ¿Sabes que acabo de caer en la cuenta de algo? Que O'Donnell es justo eso, un vampiro. Hoyt y ella se alimentan mutuamente. Él le cuenta sus fantasías y ella le dice que no es malo disfrutar con ellas. Que no es malo excitarse con la idea de rebanarle el cuello a alguien.

—Y ahora ella visita a mi madre.

—Sí —Rizzoli se volvió a mirarla. Me pregunto qué fantasías compartirán las dos.

Maura reflexionó acerca de los crímenes por los que Amalthea Lank había sido condenada. Se preguntó qué pasaría por su mente cuando recogió a las dos hermanas al borde de la carretera. ¿Sintió un escalofrío de placer al anticipar lo que se avecinaba, una embriagadora inyección de poder?

—El simple hecho de que O'Donnell considere que vale la pena visitar a Amalthea, ya debería indicarte algo —insinuó Rizzoli.

—¿Qué debería indicarme?

—O'Donnell no suele malgastar su tiempo con tus asesinos normales y corrientes. Le importa un rábano el individuo que se carga a tiros a un dependiente de refrescos durante un atraco. Ni el marido que se enfada con su esposa y la tira escaleras abajo. No, ella dedica su tiempo a canallas que matan porque disfrutan haciéndolo. Los que retuercen el cuchillo sólo porque les gusta el ruido que hace al rascar contra el hueso. Dedica su tiempo a los especiales. A los monstruos.

«Mi madre», pensó Maura. «¿También es ella un monstruo?»

17

La casa que la doctora Joyce O'Donnell tenía en Cambridge era enorme y blanca, de estilo colonial, situada en un entorno de casas elegantes que constituía Bratle Street. Una verja de hierro forjado rodeaba el jardín delantero donde se veía un césped perfecto y macizos de flores con el suelo cubierto de corteza de árboles; ahí se abrían obedientes rosas ornamentales. Aquél era un jardín disciplinado, donde no se permitía el más leve desorden.

Mientras Maura avanzaba por el sendero empedrado de granito que conducía hasta la puerta principal, se imaginó ya a la moradora de aquella casa: pulcra, bien vestida; con una mente tan organizada como su jardín.

La mujer que acudió a la puerta respondía a la imagen que Maura se había forjado.

La doctora O'Donnell era una rubia de color desvaído, piel clara e inmaculada. La camisa azul oscuro, que llevaba remetida dentro de unos pantalones blancos largos y holgados, estaba cortada para realzar la cintura esbelta.

Observó a Maura con cierta cordialidad. Sin embargo, lo que Maura vio en sus ojos fue el afilado destello de la curiosidad. La mirada de una científica al analizar un espécimen nuevo.

—¿Doctora O'Donnell? Soy Maura Isles.

La otra respondió con un enérgico apretón de manos.

—Pase.

Maura entró en la casa, tan gélida y elegante como su dueña. Los únicos toques cálidos eran las alfombras orientales que cubrían el oscuro suelo de madera de teca. O'Donnell la precedió desde el vestíbulo hasta una sala de estar de estilo formal, donde Maura se instaló incómoda en el sofá tapizado de seda blanca. O'Donnell eligió un sillón situado enfrente. En la mesita de palo de rosa que las separaba había un montón de expedientes y una grabadora digital. Aunque no la puso en marcha, la amenaza de aquella grabadora era otro detalle que contribuía a la incomodidad de Maura.

—Le agradezco que haya accedido a recibirme —dijo.

—He sentido curiosidad. Me preguntaba cómo sería la hija de Amalthea. Yo ya la conocía, doctora Isles, pero sólo de lo que había leído en los periódicos —se recostó en el sillón y dio la impresión de que se sentía a sus anchas: la ventaja de estar en casa. Era ella quien impartía los favores; Maura no era más que una suplicante—. No sé nada personal de usted, pero me gustaría.

—¿Por qué?

—Conozco muy bien a Amalthea. No puedo evitar preguntarme si…

—¿De tal madre tal hija?

O'Donnell levantó una elegante ceja.

—Es usted quien lo ha dicho, no yo.

—Es la razón de su curiosidad hacia mí, ¿no?

—¿Y cuál es la razón de la suya? ¿Por qué ha venido a verme?

Maura desvió la mirada a un cuadro que había encima de la chimenea. Un óleo moderno, con rayas negras y rojas.

—Quiero saber quién es en realidad esa mujer —dijo.

—Usted ya lo sabe. Sólo que no quiere creerlo. Su hermana tampoco quiso.

Maura frunció las cejas.

—¿Conoció usted a Anna?

—No, en realidad, no. Nunca la conocí. Pero hace cuatro meses recibí la llamada de una mujer que se identificó como la hija de Amalthea. Yo estaba a punto de salir para un juicio de dos semanas en Oklahoma, de modo que no pude entrevistarme con ella. Nos limitamos a hablar por teléfono. Ella había visitado a su madre en el centro de internamiento de Framingham, así que estaba enterada de que yo era la psiquiatra de Amalthea. Quería saber más cosas de ella. De la infancia de su madre, de su familia.

—¿Y estaba usted al tanto de todo eso?

—Conozco parte por los informes escolares, y parte por lo que ella ha podido contarme cuando está lúcida. Sé que nació en Lowell. Cuando tenía nueve años murió su madre y se fue a vivir a Maine con un tío y un primo.

Maura alzó la vista.

—¿A Maine?

—Sí. Se graduó en el instituto de una ciudad llamada Fox Harbor.

«Ahora entiendo por qué Anna eligió ese pueblo. Yo seguía los pasos de Anna, y ella seguía los de nuestra madre.»

—Después del instituto, sus huellas se borran —comentó O'Donnell—. No sabemos adónde se trasladó al marcharse de allí, ni de qué vivió. Lo más probable es que entonces se manifestara la esquizofrenia. Suele presentarse en los primeros años de la edad adulta. Seguramente deambuló durante años y terminó tal como la vemos hoy. Consumida y delirante —O'Donnell miró a Maura sin pestañear—. Es un retrato bastante sombrío. A su hermana le costó aceptar que era de verdad su madre.

—Yo la miro y no encuentro nada familiar. No hay nada de ella en mí.

—Pues yo sí veo la semejanza. Veo el mismo color del cabello. La misma mandíbula...

—No nos parecemos en nada.

—¿De veras? —O'Donnell se inclinó hacia delante, con la mirada concentrada en Maura. Dígame una cosa, doctora Isles. ¿Por qué eligió patología?

Perpleja ante la pregunta, Maura se limitó a mirarla sin contestar.

—Podría haber elegido cualquier otro campo de la medicina. Obstetricia, pediatría. Podría haber trabajado con pacientes vivos, pero eligió patología. Para ser más específicos, patología forense.

—¿Qué quiere decir con eso?

—Quiero decir que, en cierto modo, se siente atraída por los muertos.

—Eso es absurdo.

—¿Entonces por qué eligió esa especialidad?

—Porque me gustan las respuestas concluyentes. No los juegos de adivinanzas. Me gusta ver el diagnóstico bajo la lente del microscopio.

—No le gusta la incertidumbre.

—¿Le gusta a alguien?

—Entonces pudo elegir matemáticas o ingeniería. Hay muchos campos en los que se exige precisión, respuestas concluyentes. Pero ahí está usted, en el centro de medicina forense, conviviendo con los cadáveres —O'Donnell hizo una pausa, luego, con voz queda, preguntó—: ¿Alguna vez ha disfrutado con lo que hace?

Maura la miró de frente:

—No.

—¿Y eligió una profesión con la que no disfruta?

—Elegí el reto. La satisfacción está en eso. Aunque el trabajo en sí sea desagradable.

—¿Se da cuenta de adónde quiero ir a parar? Usted me dice que no encuentra nada familiar en Amalthea Lank. La mira y con toda probabilidad ve a un ser horrible. O por lo menos a una mujer que ha cometido actos horrendos. Hay gente que la mirará a usted, doctora Isles, y probablemente pensará lo mismo.

—Es imposible que usted nos compare.

—¿Sabe por qué condenaron a su madre?

—Sí, ya me han informado.

—Pero... ¿ha visto los informes de la autopsia?

—Todavía no.

—Yo sí. Durante el juicio, el equipo de la defensa me consultó acerca del estado mental de su madre. Vi las fotos, repasé las pruebas. ¿Sabe que las víctimas eran dos hermanas? ¿Dos jóvenes a quienes el coche dejó tiradas en un arcén de la carretera?

—Sí

—¿Y que la más joven estaba embarazada de nueve meses?

—También lo sé.

—Entonces sabrá que su madre recogió a esas dos mujeres en la autopista. Que se las llevó a unos cincuenta kilómetros de allí, a un cobertizo en el bosque. Que les aplastó el cráneo con una palanca de hierro y luego hizo algo sorprendente, asombrosamente lógico. Se dirigió a una estación de servicio y llenó de gasolina una lata. Regresó al cobertizo y le pegó fuego, con dos cadáveres en el interior —O'Donnell ladeó la cabeza. ¿Le resulta esto interesante?

—Lo encuentro nauseabundo.

—Sí, pero en otro nivel quizá experimente otra cosa, algo que ni siquiera se atreve a reconocer. Que se siente intrigada por ese proceder, no sólo por lo que tiene de acertijo intelectual. Hay algo en él que la fascina, que incluso la excita.

—¿Del mismo modo que sin duda la excita a usted?

O'Donnell no se mostró ofendida ante la réplica; sonrió, aceptando sin ambages el comentario de Maura.

—Mi interés es profesional. Mi trabajo consiste en estudiar qué impulsos conducen al asesinato. Sólo me preguntaba qué razones motivan su interés por Amalthea Lank.

—Hace sólo dos días, yo ni siquiera sabía quién era mi madre. Ahora intento enfrentarme a la verdad. Intento comprender...

—¿Comprender quién es usted? —preguntó O'Donnell, en voz baja.

Maura no rehuyó su mirada.

—Yo ya sé quién soy.

—¿Está segura? —O'Donnell se inclinó, acercándose más—. Cuando se encuentra en el laboratorio de autopsias, examinando las heridas de una víctima, describiendo las cuchilladas de un asesino, ¿nunca ha experimentado un ligero estremecimiento?

—¿Qué le hace pensar que debería sentirlo?

—Es hija de Amalthea.

—Un puro accidente de la biología. Ella no me crió.

O'Donnell volvió a recostarse en el respaldo del sillón y la estudió con ojos fríos, escrutadores.

—¿Sabe que existe un componente genético en la violencia? ¿Qué algunas familias lo llevan en su ADN?

Maura recordó lo que Rizzoli le había dicho sobre la doctora O'Donnell. «Lo suyo es algo más que curiosidad. Lo que quiere es saber qué se siente al cortar la piel de la víctima y observar que se desangra. Cómo se disfruta ante ese poder supremo. Está hambrienta de detalles como los vampiros están sedientos de sangre.» Justo entonces vio aquel destello de hambre en los ojos de O'Donnell. «Esta mujer disfruta estando en contacto con los monstruos», pensó. «Y ahora confía en haber encontrado otro.»

—Yo he venido para hablar de Amalthea —dijo Maura.

—¿No es de ella de quien estamos hablando?

—Según el centro de internamiento de Framingham, usted la ha visitado una docena de veces. ¿Por qué tantas visitas? Seguro que no es por el bien de ella.

—Me intereso por Amalthea en calidad de investigadora. Quiero entender qué es lo que empuja a las personas a matar. Por qué sienten placer al hacerlo.

—¿Quiere decir que ella lo hizo por placer?

—Bueno… ¿Sabe usted por qué mató?

—Porque sin duda es una psicótica.

—La gran mayoría de los psicóticos no matan.

—¿Pero está usted de acuerdo en que lo es?

O'Donnell vaciló.

—Por lo menos aparenta serlo.

—No lo dice muy segura, después de todas las visitas que le ha hecho.

—En su madre hay algo más que simple psicosis. Y en su crimen hay más cosas que llaman la atención.

—¿Como cuáles?

—Usted ha dicho que ya sabe lo que ella hizo. O al menos lo que el fiscal asegura que hizo.

—Las pruebas eran bastante sólidas para condenarla.

—Oh, pruebas hubo muchas. La cámara de la gasolinera que captó la matrícula del coche. La sangre de las mujeres en la palanca. Las billeteras en la camioneta de Amalthea… Pero es muy probable que no sepa nada de esto —O'Donnell cogió una de las carpetas de la mesita y se la tendió a Maura—. Es del laboratorio de criminología de Virginia, donde arrestaron a su madre.

Maura abrió el expediente y vio la fotografía de un sedán blanco, con matrícula de Massachusetts.

—Era el coche que Amalthea conducía —explicó O'Donnell.

Maura pasó a la siguiente página. Se trataba de un resumen de las pruebas basadas en huellas digitales.

—Se encontraron un montón de huellas en el coche —aclaró O'Donnell—. Las de las dos víctimas, Nikki y Theresa Wells, se encontraban en los cierres del cinturón de seguridad de los asientos posteriores, lo cual indica que subieron detrás y que se pusieron ellas mismas el cinturón. Había huellas de Amalthea, por supuesto, en el volante y en el cambio de marchas —O'Donnell hizo una pausa. Y luego está el cuarto grupo.

—¿Un cuarto grupo?

—Figura ahí, en ese informe. Las encontraron en la guantera, en ambas puertas y también en el volante. Nunca llegaron a identificar esas huellas.

—Eso no significa nada. A lo mejor un mecánico trabajó con el coche y dejó sus huellas por allí.

—Es una posibilidad. Fíjese ahora en el informe de cabellos y fibras.

Maura pasó a la siguiente hoja y vio que en el asiento trasero habían encontrado cabellos rubios; cabellos que coincidían con los de Theresa y Nikki Wells.

—No veo nada sorprendente en eso. Ya sabemos que las víctimas subieron al coche.

—Pero observe cómo ninguno de sus cabellos aparece en el asiento delantero. Piense en ello. Dos mujeres atascadas en la carretera, alguien se para y se ofrece a llevarlas. ¿Y qué hacen las hermanas? Las dos se sientan en el asiento de atrás. Resulta algo desconsiderado, ¿no cree? Dejar que el chófer vaya solo delante. A menos que...

Maura alzó la mirada hacia ella.

—A menos que ya hubiera alguien sentado en el asiento del acompañante.

O'Donnell se recostó en el respaldo, con una sonrisa de satisfacción en los labios.

—Ahí está la pregunta más excitante. Una pregunta que nunca se contestó en el juicio. Y es la razón de que yo regrese, una y otra vez, a visitar a su madre. Quiero averiguar lo que la policía nunca se preocupó de investigar. ¿Quién iba sentado en el asiento del acompañante, al lado de Amalthea?

—¿Ella no se lo ha dicho?

—Todavía no me ha facilitado el nombre de él.

Maura la miró fijamente.

—¿De él?

—Sólo estoy suponiendo el sexo. Pero creo que alguien iba en el coche con Amalthea en el momento en que ella divisó a aquellas dos mujeres en la carretera. Alguien la ayudó a inmovilizar a las dos víctimas. Alguien lo bastante fuerte para ayudarle a apilar los dos cadáveres en el cobertizo y luego prenderles fuego —O'Donnell hizo una pausa—. Quien me interesa es él, doctora. Es a él a quien quiero encontrar.

—¿Así que todas sus visitas a Amalthea no eran... por ella?

—La locura no me interesa. La maldad, sí.

Maura la miró al tiempo que pensaba: «Sí, por supuesto. Disfrutas aproximándote hasta rozarla, hasta olerla. No es mi madre la que te atrae. Ella es sólo la mensajera, la que puede presentarte al verdadero objeto de tu deseo».

—Un socio... —susurró Maura.

—Nosotras no sabemos quién es ese hombre, ni qué aspecto tiene. Pero Amalthea sí.

—¿Entonces por qué no le ha dicho su nombre?

—Ésa es la cuestión… ¿Por qué lo oculta? ¿Acaso le tiene miedo? ¿Lo está protegiendo?

—Usted no sabe siquiera si esa persona existe. Lo único que tiene son unas huellas sin identificar. Y una teoría.

—Tengo más que una teoría. La Bestia es real —O'Donnell se inclinó hacia delante y en voz baja, casi íntima, le confesó—: Así lo llamaba ella cuando la arrestaron en Virginia. Cuando la policía local la interrogó. Cito sus palabras: «La Bestia me dijo que lo hiciera», y cierro la cita. Él le indicó que matara a aquellas mujeres.

En el silencio que siguió, Maura oyó los latidos de su propio corazón como el acelerado redoble de un tambor. Tragó saliva.

—Estamos hablando de una esquizofrénica —dijo—. Una mujer que con toda probabilidad sufría alucinaciones auditivas.

—O que se refería a alguien real…

—¿La Bestia? —Maura logró controlar la risa—. Un demonio personal, quizás. Un monstruo salido de sus pesadillas.

—¿Que deja huellas al marcharse?

—No parece que eso impresionase al jurado.

—Ellos no hicieron caso de estas pruebas. Yo asistí al juicio. Vi cómo el fiscal construía su acusación contra una mujer tan loca que incluso la propia fiscalía tenía que saber que no era responsable de sus actos. Sin embargo, Amalthea era el blanco ideal, la sentencia más fácil.

—¿A pesar de que no cabía la menor duda de que estaba loca?

—Oh, nadie dudó de que fuera una enferma mental ni de que oyera voces. Esas voces pueden decirte que aplastes el cráneo a una mujer y luego le prendas fuego a su cadáver, pero el jurado dio por sentado que era capaz de discernir lo que está bien de lo que está mal. Amalthea era una excusa perfecta para el fiscal, de modo que eso es lo que hicieron. Lo interpretaron mal. La presencia de la Bestia les pasó inadvertida —O'Donnell volvió a recostarse en su sillón—. Y su madre es la única que sabe de quién se trata.

Eran casi las seis cuando Maura se detuvo detrás del edificio de medicina forense. En el aparcamiento aún quedaban dos coches, el Honda azul de Yoshima y el Saab negro del doctor Costas. Debían de realizar una autopsia de última hora, pensó con una punzada de remordimiento: aquel tenía que ser su día de guardia, pero había pedido a sus colegas que la sustituyeran.

Abrió con llave la puerta posterior, entró en el edificio y se dirigió directamente a su despacho, sin encontrarse con nadie en el trayecto. Sobre el escritorio encontró lo que había ido a buscar: dos carpetas con una nota adhesiva amarilla en la que Louise había escrito: «Los expedientes que me pidió». Se sentó ante el escritorio, respiró hondo y abrió la primera carpeta.

Era el expediente de Theresa Wells, la hermana mayor. En la portada figuraban el nombre de la víctima, el número del caso y la fecha de la autopsia. No reconoció el nombre del patólogo, un tal doctor James Hobar. Claro que hacía sólo dos años que Maura había entrado en el centro de medicina forense, y el informe de aquella autopsia se había redactado cinco años atrás. Regresó a la lectura del dictado mecanografiado del doctor Hobart.

«La difunta es una mujer bien alimentada, de edad indefinida, que mide un metro sesenta y cinco centímetros y pesa cincuenta y dos kilos. La identificación definitiva se ha hecho mediante las placas dentales; imposible obtener huellas de los dedos. Son notables las quemaduras generalizadas en tronco y extremidades, con intensa carbonización en piel y zonas de musculatura al descubierto. La cara y parte superior del torso se han salvado en parte. Hay restos de indumentaria en su sitio, consistentes en vaqueros azules de la talla treinta y cuatro, con la cremallera y broches todavía cerrados, así como un suéter blanco chamuscado y sostén, con los corchetes también sujetos. El examen de las vías respiratorias no ha revelado deposición de hollín; y la saturación de carboxihemoglobina en sangre era mínimo.»

En el momento en que su cuerpo ardió, Theresa Wells no respiraba. La causa de la muerte estaba muy clara, según la interpretación que el doctor Hobart hizo de las radiografías.

«Placas laterales y anteroposteriores del cráneo revelan depresión y fractura conminuta del parietal derecho, con fragmento en forma de cuña de cuatro centímetros de grosor.»

Un golpe en la cabeza era lo que, con mayor probabilidad, le había causado la muerte.

Al pie del informe mecanografiado, debajo de la firma del doctor Hobart, Maura vio una serie de iniciales que le resultó familiar. Louise lo había escrito al dictado. Los patólogos podían ir y venir, pero en el centro siempre quedaba Louise.

Maura pasó las siguientes páginas del expediente. Había una hoja con la lista de radiografías que se habían hecho durante la autopsia, qué tipos de sangre, fluidos o indicios de pruebas se habían recogido. Las páginas de administración contabilizaban los bienes en custodia, posesiones personales y nombre de todos los presentes en la autopsia. Yoshima había ejercido de ayudante de Hobart. No reconoció al oficial de la policía de Fitchburg que había asistido a los trámites, un tal detective Swigert.

Siguió pasando páginas hasta el final del expediente, donde había una fotografía. Ahí se detuvo, dando un respingo ante la imagen. Las llamas habían carbonizado las piernas de Theresa Wells y dejado al descubierto los músculos del torso; pero su cara había quedado sorprendentemente intacta y no cabía la menor duda de que era la cara de una mujer. «De sólo treinta y cinco años», pensó Maura. «He superado en cinco años la edad de Theresa Wells. De haber vivido, hoy tendría mi misma edad. Si no se les hubiera reventado el neumático aquel día de noviembre.»

Cerró el expediente de Theresa y cogió el siguiente. De nuevo se interrumpió antes de abrirlo, reacia a contemplar los horrores que contenía. Pensó en la víctima de quemaduras a quien había hecho la autopsia el año anterior, en los olores que perduraban en su cabello y en sus ropas incluso después de abandonar la sala. Durante el resto de aquel verano había evitado encender la parrilla del patio trasero, incapaz de tolerar el olor de la carne a la barbacoa. En aquel preciso momento, mientras abría el expediente de Nikki Wells, casi percibió de nuevo ese olor, que regresaba flotando a través de la memoria.

Si la cara de Theresa había sido en gran medida respetada por el fuego, no podía decirse lo mismo de su hermana menor. Las llamas que habían consumido de manera parcial a Theresa, en cambio habían concentrado su rabia en la carne de Nikki Wells.

«La víctima está muy chamuscada, con partes del pecho y de la pared abdominal completamente quemadas, dejando al descubierto las vísceras. Los tejidos blandos de la cara y del cuero cabelludo también aparecen quemados. Se ven zonas de la bóveda craneal; en los huesos faciales hay heridas producidas por aplastamiento. No quedan fragmentos de la ropa pero, a la altura de la quinta costilla, hay pequeñas densidades metálicas visibles por rayos X, que podrían deberse a los corchetes del sujetador, así como un único fragmento metálico incrustado en el pubis. La radiografía del abdomen revela

240

asimismo restos adicionales de un esqueleto que representa un feto, cuyo diámetro del cráneo podría ser compatible con una gestación de treinta y seis semanas...»

El embarazo de Nikki Wells debería haber sido evidente para su asesina. No obstante, ni su estado, ni su hijo por nacer, le habían merecido compasión alguna, ninguna concesión. Sólo una hoguera funeraria compartida en el bosque.

Pasó página y, frunciendo las cejas, se detuvo ante la siguiente frase del informe:

«En la radiografía del feto, es notable la ausencia de la tibia, la fíbula y los huesos del tarso.»

A pluma habían añadido un asterisco, con tres palabras escritas a mano: «Véase nota adjunta». Maura pasó a la página adjunta y leyó:

«En un informe obstétrico de la víctima, datado tres meses atrás, figura una anomalía del feto. La ecografía realizada durante el segundo trimestre reveló que al feto le faltaba la parte inferior de la pierna derecha, con toda probabilidad debido al síndrome del cordón amniótico.»

Una malformación del feto. Meses antes de la muerte de ella. A Nikki Wells le habían dicho que su hijo nacería sin la pierna derecha, y sin embargo había decidido seguir adelante con el embarazo. Conservar a su bebé.

Maura sabía que las últimas páginas del expediente serían las más difíciles de encarar. No tenía valor para ver la fotografía, pero aun así se obligó a darle la vuelta. Vio las piernas y el torso renegridos. No había ninguna mujer hermosa allí, ni el rosado fulgor del embarazo; sólo el rostro de una calavera asomándose tras una máscara carbonizada, con los huesos faciales hundidos por el golpe mortal.

«Amalthea Lank hizo esto. Mi madre. Ella les aplastó el cráneo y las arrastró al interior de un cobertizo. Mientras derramaba gasolina sobre sus cadáveres, mientras encendía la cerilla... ¿experimentó alguna emoción al ver que las llamas prendían? ¿Se demoró junto al cobertizo en llamas para inhalar el hedor de la carne y del cabello al chamuscarse?»

Incapaz de soportar por más tiempo aquella imagen, cerró la carpeta. Dirigió la atención a los dos grandes sobres de radiografías que había también encima del escritorio. Los acercó al expositor e introdujo bajo las pinzas las películas de la cabeza y la nuca de Theresa Wells. Encendió las luces, que parpadearon un momento, iluminando las sombras fantasmagóricas de los huesos. Las radiografías eran más fáciles de digerir que las fotos. Despojados de toda carne reconocible, los cadáveres perdían la facultad de horrorizar. Un esqueleto se parecía a cualquier otro. El cráneo que vio bajo la luz del expositor podía ser el de cualquier mujer, querida o desconocida. Miró la bóveda craneal fracturada, el triángulo de hueso que habían forzado al penetrar bajo la capa del cráneo. No había sido un golpe oblicuo; sólo un empujón salvaje y deliberado del brazo podía haber hundido con tanta profundidad aquella astilla dentro del lóbulo parietal.

Retiró las placas de Theresa, buscó en el segundo sobre un nuevo par de radiografías y las sujetó sobre el expositor. Otro cráneo: en esta ocasión el de Nikki. Al igual que a su hermana, a Nikki la habían golpeado en la cabeza, pero el golpe había impactado en la frente, penetrando en el hueso frontal, estrujando de tal forma las cuencas de los ojos que éstos habían estallado en su interior. Nikki Wells debió de ver cómo se le acercaba el golpe.

Maura quitó las radiografías del cráneo y colocó otro par, en las que se veía la espina dorsal y la pelvis de Nikki, asombrosamente intactas bajo la carne chamuscada. Superpuestos a la pelvis estaban los huesos del feto. Aunque las llamas habían fundido a la madre y al hijo hasta formar una sola masa carbonizada, en las radiografías Maura vio que eran individuos separados. Dos conjuntos de huesos, dos víctimas.

Pero también descubrió otra cosa: un fragmento brillante que se destacaba incluso en medio de la maraña de sombras entrelazadas. Era sólo una astilla, delgada como una aguja, sobre el hueso púbico de Nikki Wells. ¿Un diminuto fragmento de metal? ¿Tal vez algo procedente de las prendas que llevaba encima? ¿Una cremallera o una presilla que se había adherido a la piel quemada?

Maura buscó dentro del sobre y encontró una toma lateral del torso. La sujetó al lado de la visión frontal. La astilla metálica seguía en la visión lateral, pero entonces pudo ver que no estaba encima del pubis, sino que parecía incrustada dentro del hueso.

Sacó todas las radiografías del sobre de Nikki y las sujetó, de dos en dos. Observó las densidades que el doctor había visto en la radiografía del pecho, bucles metálicos que representaban el gancho y las presillas del sujetador. En las tomas laterales, aquellos fragmentos metálicos estaban sin la menor duda encima del tejido blando. Volvió a colocar las radiografías de la pelvis y examinó la astilla metálica clavada en el hueso púbico de Nikki Wells. Aunque el doctor Hobart lo mencionaba en el informe, en las conclusiones no decía nada al respecto. Tal vez creyó que se trataba de un descubrimiento sin importancia. ¿Y por qué no iba a serlo, a la luz de los otros horrores infligidos a la víctima?

Yoshima había ayudado a Hobart en la autopsia; quizá se acordara del caso.

Salió del despacho, bajó la escalera y empujó la doble puerta que daba paso a las dependencias donde se realizaban las autopsias.

—¿Yoshima? —llamó.

Se colocó las fundas para los zapatos y entró en el laboratorio, pasó ante las mesas de acero inoxidable y empujó otra puerta de dos batientes que llevaba a la zona de carga y descarga. Empujó la puerta que daba a la sala de refrigeración y miró dentro. Sólo vio a los muertos, dos bolsas blancas para cadáveres sobre dos camillas paralelas.

Cerró la puerta y se quedó un momento en la desierta zona de carga y descarga, a la espera de oír voces, pasos, cualquier cosa que le indicara que aún había alguien más en el edificio. Pero sólo escuchó el ruido sordo de la refrigeración y, más débil todavía, el gemido de una ambulancia en la calle.

Acabada su jornada, Costas y Yoshima sin duda se habían marchado.

Un cuarto de hora después, cuando salió del edificio, vio que, en efecto, el Saab y el Toyota habían desaparecido. Salvo su Lexus negro, los únicos vehículos que quedaban en el aparcamiento eran tres furgonetas del depósito de cadáveres, con el anuncio serigrafiado que ponía: CENTRO DE MEDICINA FORENSE, MANCOMUNIDAD DE MASSACHUSETTS. Había oscurecido, y su coche se destacaba aislado bajo el foco de luz amarilla que proyectaba la farola.

Todavía le perseguían las imágenes de Theresa y Nikki Wells. Mientras se dirigía al Lexus, permanecía alerta a cada sombra que había a su alrededor, a cada ruido fuera de contexto, a cada atisbo de movimiento. A pocos pasos del coche, se detuvo y se quedó mirando la puerta del pasajero. De repente, el vello de la nuca se le erizó. El montón de expedientes que llevaba consigo se le cayó de las entumecidas manos, y los papeles se desparramaron por el asfalto.

Tres arañazos paralelos estropeaban el reluciente acabado del coche. La marca de una garra.

«Huye. Entra en el centro.»

Giró en redondo y corrió de regreso al edificio. De pie

ante la puerta cerrada, buscó a tientas las llaves. ¿Dónde está, donde está la que corresponde? Al final la encontró, la metió en la cerradura y abrió. Cerró la puerta de golpe y también apoyó todo su peso contra ella, como si quisiera reforzar la barrera.

Era tal el silencio que reinaba dentro del edificio, que podía oír su propia respiración dominada por el pánico.

Corrió por el pasillo hasta su despacho y se encerró con llave. Sólo entonces, rodeada por todo lo que le era familiar, notó que el pulso dejaba de latirle desenfrenado, que las manos dejaban de temblar. Se dirigió al escritorio, cogió el teléfono y llamó a Jane Rizzoli.

245

18

—Has hecho justo lo que debías. Largarte como si te persiguiera el diablo y dirigirte a un sitio seguro —dijo Rizzoli.

Maura estaba sentada ante su escritorio y miró los arrugados papeles que Rizzoli había recuperado del aparcamiento. Un desordenado montón de hojas del expediente de Nikki, manchadas de polvo y pisoteadas a causa del pánico.

—¿Habéis encontrado huellas en la puerta? —preguntó Maura.

—Unas cuantas. ¿Qué esperabas encontrar en la puerta de cualquier coche?

Rizzoli arrastró una silla cerca del escritorio de Maura y se sentó. Apoyó las manos sobre la repisa de su vientre. «Mamá Rizzoli, embarazada y armada», pensó Maura. «¿Existe un salvador menos apropiado para acudir en mi rescate?»

—¿Cuánto tiempo ha estado tu coche en el aparcamiento? Has dicho que llegaste en torno a las seis.

—Pero los arañazos podían estar antes. No utilizo la puerta del acompañante todos los días; sólo si cargo la bolsa de la compra, o cualquier cosa. Los he visto esta noche por como estaba aparcado el coche. Y porque estaba justo debajo de la farola.

—¿Cuándo fue la última vez que cerraste esa puerta?

Maura se apretó las sienes con ambas manos.

—Sé que estaba bien ayer por la mañana, cuando salí de Maine. Puse la bolsa de viaje en el asiento de delante. Habría visto los arañazos.

—De acuerdo. Regresaste a casa ayer. ¿Y después qué?

—El coche permaneció en mi garaje toda la noche. Y luego, esta mañana, fui a verte a Schroeder Plaza.

—¿Dónde aparcaste?

—En el garaje que hay cerca del cuartel general de la policía, en la avenida Columbus.

—Así que se quedó toda la tarde en ese aparcamiento. Mientras visitábamos la cárcel...

—Sí.

—El garaje está vigilado por cámaras. ¿Lo sabías?

—¿De veras? No me había dado cuenta.

—¿Y luego adónde fuiste? ¿Después de regresar de Framingham?

Maura titubeó.

—¿Doc?

—Fui a ver a Joyce O'Donnell —se enfrentó a la severa mirada de Rizzoli. No me mires así. Tenía que verla.

—¿Y pensabas contármelo?

—Por supuesto. Oye, sólo pretendía saber más cosas sobre mi madre.

Rizzoli se recostó en el respaldo, su boca formaba una línea recta. «No está contenta conmigo», pensó Maura. «Me dijo que me mantuviera lejos de O'Donnell y no he hecho caso de su consejo.»

—¿Cuánto tiempo estuviste en su casa? —inquirió Rizzoli.

—Alrededor de una hora. Jane, ella me comentó algo que yo no sabía. Amalthea se crió en Fox Harbor. Por eso Anna fue a Maine.

—¿Y después de que salieras de casa de O'Donnell? ¿Qué ocurrió a continuación?

Maura dejó escapar un suspiro.

—Vine directamente aquí.

—¿Viste que te siguiera alguien?

—¿Por qué iba a preocuparme en mirar? Ya tengo demasiadas cosas en la cabeza.

Ambas se miraron un momento, pero ninguna dijo nada. La tensión de su visita a O'Donnell todavía planeaba entre las dos.

—¿Sabes que vuestra cámara de seguridad no funciona? —preguntó Rizzoli—. La que está en el aparcamiento.

Maura soltó una risa y se encogió de hombros.

—¿Y tú sabes cuánto han recortado nuestro presupuesto este año? La cámara lleva meses estropeada. Casi pueden verse los cables que cuelgan.

—Mi opinión es que esa cámara tendría que asustar a la mayoría de los vándalos.

—Por desgracia, no ha sido así.

—¿Quién más sabe que la cámara está estropeada? Todos los que trabajan en el centro, ¿verdad?

Maura sintió un pinchazo de desánimo.

—No me gusta lo que estás dando a entender. Mucha gente ha advertido que está estropeada. Polis. Chóferes del depósito de cadáveres. Cualquiera que haya entregado un cadáver aquí. Basta con mirar hacia arriba para verlo.

—Has dicho que había dos coches aparcados cuando llegaste. El del doctor Costas y el de Yoshima.

—Sí.

—Y que al abandonar el edificio, en torno a las ocho, esos coches habían desaparecido.

—Se marcharon antes que yo.

—¿Te llevas bien con los dos?

Maura soltó una risa de incredulidad.

—Estás bromeando, ¿verdad? Porque estas preguntas son ridículas.

—No me entusiasma tener que formularlas.

—¿Entonces por qué las haces? Conoces al doctor Costa, Jane. Y también a Yoshima. No puedes tratarlos como si fueran sospechosos.

—Ambos pasaron por este aparcamiento. Justo al lado de tu coche. El doctor Costa fue el primero en marchar, alrededor de las siete menos cuarto. Yoshima se fue poco después, quizá en torno a las siete y cuarto.

—¿Has hablado con ellos?

—Los dos me han dicho que no vieron ningún arañazo en tu coche. Piensa que deberían haberlo visto. Sobre todo Yoshima, dado que estaba aparcado a tu lado.

—Llevamos más de dos años trabajando juntos. Le conozco. Y tú también.

—Creemos conocerle.

«No, Jane», pensó. «No hagas que ahora tenga miedo de mis colegas.»

—Lleva dieciocho años trabajando en este mismo centro —continuó Rizzoli.

—Abe lleva casi el mismo tiempo. Y también Louise.

—¿Sabías que Yoshima vive solo?

—Y yo también.

—Tiene cuarenta y ocho años, nunca se ha casado y vive sin pareja. Viene a trabajar todos los días y aquí estás tú, muy cerca y en privado. Ambos trabajáis con cadáveres. Tratáis con material bastante macabro. Eso tiene que crear por fuerza un vínculo entre los dos. Esas cosas terribles que sólo él y tú habéis visto...

Maura pensó en las horas que Yoshima y ella habían compartido en aquella sala, con sus mesas de acero y sus instrumentos afilados. Él parecía adivinar siempre sus necesidades, incluso antes de que ella se diese cuenta. Sí, existía un vínculo, por supuesto que lo había, porque ambos formaban un equipo. Pero después de que se quitaban la bata y la protección de los zapatos, salían por la puerta y entraban en sus vidas por separado. No hacían vida social, nunca habían compartido una copa juntos después del trabajo. «En ese aspecto, somos idénticos.», pensó. «Dos personas solitarias que sólo se reúnen junto a los cadáveres.»

—Oye —dijo Rizzoli, después de un suspiro—, Yoshima me cae bien. Lamento tener que hablar de eso, pero es algo que debo considerar o, de lo contrario, no haría bien mi trabajo.

—¿Adónde conduce esto? ¿A que me convierta en una paranoica? Ya estoy bastante asustada, Jane. No hagas que recele de la gente en quien necesito confiar —Maura recogió los papeles del escritorio. ¿Habéis acabado ya con mi coche? Me gustaría irme a casa.

—Sí, ya hemos acabado. Pero no estoy muy segura de que debas volver a casa.

—¿Y qué se supone que debo hacer?

—Hay otras opciones. Podrías ir a un hotel. O dormir en mi sofá. Acabo de hablar con el detective Ballard y ha mencionado que dispone de una habitación libre.

—¿Para qué has hablado con Ballard?

—Me llama todos los días para saber cómo va el caso. Ha telefoneado hace una hora y le he dicho lo que ha ocurrido con tu coche. Ha venido para echarle un vistazo.

—¿Está en el aparcamiento ahora?

—Llegó hace un rato. Está muy preocupado, Doc. Y yo también —Rizzoli hizo una pausa—. ¿Entonces qué quieres hacer?

—No lo sé.

—Bien, dispones de unos minutos para pensarlo —Rizzoli tuvo que coger impulso para levantarse—. Vamos, te acompaño afuera.

«Qué situación más absurda», pensó Maura mientras avanzaban juntas por el pasillo. «Me protege una mujer que a duras penas puede levantarse de la silla.» Pero Rizzoli dejó claro que era ella quien estaba al mando, la que asumía el papel de guardiana: fue ella quien abrió la puerta, y la primera en salir.

Maura la siguió por la zona de aparcamiento hasta el Lexus, donde aguardaban Frost y Ballard.

—¿Te encuentras bien, Maura? —preguntó este último.

La luz de la farola dejaba sus ojos en sombras y ella vio un rostro cuya expresión no podía interpretar.

—Sí, estoy bien.

—Esto podría haber terminado de forma mucho peor —se volvió a Rizzoli—. ¿Le has dicho lo que pensamos?

—Le he dicho que tal vez no debiera regresar a casa esta noche.

Maura examinó el coche. Las tres marcas se destacaban, más feas incluso de lo que las recordaba, como heridas producidas por las garras de un depredador. «El asesino de Anna me ha hablado. Y nunca sabré cuán cerca de mí ha estado.»

—Los del laboratorio han hallado un pequeño golpe en la puerta del conductor —dijo Frost.

—Eso ya es viejo. Hace unos meses, alguien me hizo una abolladura al aparcar.

—Bien, entonces sólo quedan los arañazos. Han obtenido unas cuantas huellas digitales. Necesitamos las tuyas, Doc. Tan pronto como puedas, envía un juego al laboratorio.

—De acuerdo.

Maura pensó en todos los dedos que había untado con tinta en el depósito de cadáveres, y en toda la carne fresca que de forma rutinaria había apretado contra las fichas. «Van a conseguir las mías por adelantado. Cuando aún estoy viva.» Cruzó los brazos sobre el pecho al notar un escalofrío, a pesar de que la noche era cálida. Imaginó que entraba en la casa vacía y se encerraba con llave en el dormitorio. Incluso con todas aquellas barreras, seguiría siendo sólo una casa, no una fortaleza. Una casa con ventanas fáciles de destrozar, con una tela metálica que se podía cortar con navaja.

—Dijiste que quien hizo las marcas en el coche de Anna fue Charles Cassell —Maura miró a Rizzoli. Pero Cassell no puede haber hecho esto. No al mío.

—No, no tiene motivos para hacerlo. Está claro que esto es una advertencia dirigida a ti —contestó Rizzoli, con voz queda—. Quizá lo de Anna fuera un error.

«Es a mí. Soy yo la que debería estar muerta.»

—¿Dónde quieres pasar la noche, Doc? —preguntó Rizzoli.

—No lo sé —contestó Maura—. No sé qué hacer…

—Bueno, ¿puedo sugerirte que no te quedes aquí parada? —dijo Ballard—. ¿Donde todo el mundo te puede ver?

Maura miró hacia la acera. Vio siluetas de gente que se había sentido atraída por el centelleo de las luces del coche patrulla de la policía. Personas cuyo rostro no podía distinguir porque permanecían en la sombra, mientras ella estaba allí, bajo el resplandor de la farola, iluminada como la estrella protagonista.

—Yo dispongo de un dormitorio libre —dijo Ballard.

Maura no le miró. Mantuvo la vista enfocada en aquellas sombras sin rostro. Mientras pensaba: «Esto está ocurriendo demasiado rápido. Hay que tomar demasiadas decisiones sin tiempo para reflexionar. Decisiones que tal vez luego lamente.»

—¿Doc? —preguntó Rizzoli—. ¿Qué decides?

Al final, Maura se volvió hacia Ballard. Y, una vez más, experimentó aquel inquietante tirón de atracción.

—No conozco otro sitio adonde ir —dijo.

Ballard conducía tras ella, tan pegado que sus faros la deslumbraban a través del retrovisor, como si temiera que fuera a escapar, a perderla en medio de la densa maraña del tráfico. Y siguió pegado incluso al entrar en el barrio más tranquilo de Newton, incluso al dar la vuelta dos veces a la manzana, tal como él le había indicado, para confirmar que ningún coche les seguía. Cuando por fin se detuvieron ante la casa de Ballard, éste se acercó casi de inmediato a la ventanilla de Maura y dio unos golpecitos en el cristal.

—Éntralo en el garaje —dijo.

—Pero voy a ocupar tu sitio.

—No importa. No quiero tu coche en la calle. Voy a abrir la puerta del garaje.

Maura dobló por la rampa de entrada y observó que, al abrirse la puerta, descubría un garaje ordenado, donde las herramientas colgaban de sus ganchos clavados en una tabla, y estantes empotrados soportaban hileras de latas de pintura. Hasta el suelo de cemento relucía. Maura avanzó hacia la zona despejada y la puerta se cerró de inmediato a sus espaldas, impidiendo cualquier atisbo de su coche desde la calle. Por un momento se quedó escuchando los chasquidos del motor al enfriarse y se preparó para la noche que le aguardaba. Hacía unos instantes, había considerado una locura, una insensatez, regresar a su casa. Pero ahora se preguntaba si la decisión que había tomado podía considerarse más sensata.

Ballard le abrió la puerta del coche.

—Entra. Te enseñaré cómo conectar el sistema de seguridad. Sólo por si yo no estuviera para hacerlo.

La precedió al interior de la casa y avanzó por un corto

pasillo hasta el recibidor. Allí le indicó un pequeño teclado instalado junto a la puerta principal.

—Hace sólo unos meses que lo actualizaron. Primero tecleas el código de seguridad y luego pulsas ACTIVAR. Una vez que lo has conectado, si alguien abre la puerta o una ventana, se dispara una alarma tan potente que te deja sordo. También avisa automáticamente a la empresa de seguridad y ellos telefonean. Para desconectarla hay que teclear el mismo código y luego pulsar DESACTIVAR. ¿Está claro?

—Sí. ¿Vas a decirme el código?

—A eso iba —la miró a los ojos. Eres consciente de que estoy a punto de entregarte la clave numérica de mi casa, ¿verdad?

—¿Intentas preguntarme si puedes confiar en mí?

—Prométeme que no la pasarás a tus amigos más indeseables.

—Dios sabe que de ésos tengo muchos.

—Sí —dijo él, riendo—, y lo más probable es que todos lleven placa. Bien, el código es doce diecisiete. Es el cumpleaños de mi hija al revés. ¿Lo recordarás o necesitas anotarlo?

—Lo recordaré.

—Perfecto. Adelante, conéctala, dado que no creo que vayamos a salir.

Mientras Maura tecleaba los números, él se quedó a sus espaldas, tan próximo que sentía su respiración en el cabello. Pulsó ACTIVAR y oyó un tenue zumbido. Entonces, en la pantalla digital apareció: SISTEMA ACTIVADO.

—Fortaleza segura —dijo él.

—Es bastante sencillo.

Se volvió y, al descubrir que la miraba con demasiada intensidad, sintió el impulso de retroceder. Aunque sólo fuera para restablecer una distancia segura entre los dos.

—¿Piensas cenar algo? —preguntó Ballard.

—Han ocurrido tantas cosas esta noche que ni he pensado en la cena.

—Andando, pues. No puedo permitir que pases hambre.

La cocina tenía exactamente el aspecto que ella había imaginado, con robustos armarios de arce y encimeras que recordaban la mesa de trabajo de un carnicero. Los utensilios de cocina colgaban ordenados de ganchos que bajaban del techo. No había toques extravagantes, era simplemente la zona de trabajo de un hombre práctico.

—No quiero que te molestes —dijo ella—. Bastará con unos huevos y una tostada.

Ballard abrió la nevera y sacó un estuche de huevos.

—¿Revueltos?

—Puedo hacerlo yo, Rick.

—¿Qué te parece si preparas las tostadas? El pan está allí. Yo también querré una.

Maura cogió dos rebanadas de pan y las introdujo en la tostadora. Se volvió para ver cómo batía él los huevos en un cuenco y se acordó de la última comida juntos, descalzos los dos, riéndose. Disfrutando de estar juntos. Antes de que la llamada telefónica de Jane la pusiera a la defensiva contra él. Si aquella noche Jane no hubiese telefoneado, ¿qué habría ocurrido entre los dos? Observó cómo vertía los huevos en la sartén y subía la llama. Sintió que la cara se le ponía colorada, como si Ballard hubiera encendido también otra llama dentro de ella.

Maura le dio la espalda y contempló la puerta de la nevera, donde había una serie de fotografías de su hija y de él. Katie recién nacida en brazos de la madre. De pequeña, sentada en la silla alta. Progresión de imágenes que conducían a la foto de una adolescente rubia con sonrisa reticente.

—Ha cambiado tan deprisa… —comentó él—. Me cuesta creer que estas fotos sean todas de la misma cría.

Maura le miró por encima del hombro.

—¿Qué decidisteis hacer con lo del porro en su taquilla?

—Ah, eso —Ballard dejó escapar un suspiro—. Carmen la castigó sin salir. Peor todavía, le dijo que no vería televisión durante un mes. Ahora voy a tener que encerrar con llave mi televisor para asegurarme de que Katie no viene por aquí a verla mientras yo no estoy en casa.

—Carmen y tú hacéis bien manteniendo un frente unido.

—No queda mucho donde elegir, en realidad. Por amargo que haya sido el divorcio, hay que mantenerse unidos por el bien de los hijos —apagó el fuego y distribuyó en dos platos los huevos humeantes—. ¿Tú no tienes hijos?

—No, por suerte.

—¿Por qué por suerte?

—Victor y yo no nos separamos de manera tan civilizada como vosotros.

—Lo nuestro no ha sido tan fácil como parece. En especial desde...

—¿Sí?

—Conseguimos mantener las apariencias, eso es todo.

Prepararon la mesa, pusieron los platos con los huevos, las tostadas y la mantequilla y se sentaron frente a frente. El tema de sus matrimonios fracasados les había dejado algo silenciosos. «Los dos nos estamos recuperando todavía de las heridas emocionales», pensó Maura. «Poco importa la atracción que sintamos el uno hacia el otro, éste es mal momento para comprometerse.»

Sin embargo, más tarde, cuando él la acompañó al dormitorio de arriba, Maura intuyó que las mismas posibilidades bailaban sin duda en la cabeza de ambos.

—Ésta es tu habitación —dijo él, abriendo la puerta del dormitorio de Katie.

Apenas entró, Maura se enfrentó a los seductores ojos

de Britney Spears, que miraban hacia abajo desde un póster gigantesco en la pared. Las muñecas y los CD de Britney se alineaban en los estantes. «Esta habitación me provocará pesadillas», pensó.

—Detrás de esa puerta tienes tu baño privado —dijo él—. Tiene que haber un par de cepillos de dientes nuevos en el armario. Y puedes utilizar el albornoz de Katie.

—¿No le molestará?

—Se queda con Carmen esta semana. Ni siquiera sabe que estás aquí.

—Gracias, Rick.

Él no dijo nada, como si esperase a que ella añadiera algo más. Como si aguardara las palabras que lo cambiarían todo.

—Maura —dijo al fin.

—¿Sí?

—Sí, yo cuidaré de ti. Sólo quiero que lo sepas. Lo que le sucedió a Anna…, no dejaré que te pase a ti —dio media vuelta para marcharse—. Buenas noches —dijo con voz suave, y cerró la puerta a sus espaldas.

«Yo cuidaré de ti.»

«¿No es eso lo que todos queremos?», pensó Maura. «¿Alguien que nos mantenga a salvo?» Había olvidado lo que significaba sentir que alguien cuidara de ella. Ni siquiera cuando estaba casada con Victor se había sentido protegida por él. Su marido estaba demasiado ensimismado para cuidar de alguien que no fuera él.

Acostada en la cama, escuchó el tictac del reloj que había en la mesita de noche. El rechinar de los pasos de Ballard en la habitación de al lado. Poco a poco, la casa quedó en silencio. Observó el paso de las horas en el reloj. Medianoche. La una. Y seguía sin poder dormir. Al día siguiente estaría agotada.

«¿Estará él acostado y también despierto?»

Apenas conocía a aquel hombre, claro que tampoco conocía demasiado a Victor cuando se casó con él. Y menudo embrollo había resultado. Tres años de su vida lanzados por la borda; y todo por culpa de la química. Chispas. No podía fiarse de su propio juicio en lo que se refería a los hombres. Aquel con quien más desearía acostarse, sin duda sería la peor elección.

Las dos de la madrugada.

Los rayos de los faros de un coche pasaron por la ventana. Un motor ronroneó en la calle. Maura se puso tensa. «No es nada», pensó. «Probablemente sólo se trata de un vecino que llega tarde a casa.» Luego oyó el chirriar de pasos en el porche. Contuvo la respiración. De repente, la oscuridad soltó un alarido. Maura se incorporó en la cama.

«La alarma de seguridad. Alguien ha entrado en la casa.»

—¿Maura? —Ballard llamó a la puerta. ¡Maura! ¡Maura! —gritó.

—¡Estoy bien!

—¡Cierra con llave! No salgas.

—¿Rick?

—¡Quédate en la habitación!

Salió a gatas de la cama y cerró la puerta con llave. Allí agachada, tapándose las orejas con las manos contra los alaridos de la alarma, incapaz de oír cualquier otra cosa. Pensó en Ballard, deslizándose por las escaleras. Imaginó la casa llena de sombras. A alguien esperándole abajo. «¿Dónde estás, Rick?» No podía oír nada, salvo el penetrante aullido de la alarma. Allí, en plena oscuridad, era sorda y ciega frente a quienquiera que se acercase a la puerta.

Los alaridos se interrumpieron con brusquedad. En el silencio que siguió, al final pudo oír sus propios jadeos provocados por el pánico, los latidos del corazón.

Y voces.

—¡Por el amor de Dios! —vociferó Rick—. ¡He podido pegarte un tiro! ¿En qué diablos estabas pensando?

Entonces oyó la voz de una muchacha. Herida, enfadada.

—¡Has puesto la cadena en la puerta! ¡No podía entrar para desconectar la alarma!

—A mí no me grites.

Maura abrió la puerta y salió al pasillo. Entonces las voces le llegaron con mayor potencia, las dos enfurecidas. Miró por encima de la barandilla y vio a Rick de pie abajo, sin camisa y con vaqueros, la pistola que había llevado consigo metida en la cintura. Su hija le miraba colérica.

—Son las dos de la madrugada, Katie. ¿Cómo has llegado hasta aquí?

—Me han traído.

—¿A estas horas de la noche?

—Sólo he venido a buscar la mochila, ¿vale? Me acordé de que la necesitaba para mañana y no he querido despertar a mamá.

—¿Quién te ha traído, pues?

—¡Se ha largado ya! Seguro que la alarma ha asustado al chico.

—¿Un chico? ¿Quién?

—¡No voy a meterle también en problemas!

—¿Quién es ese chico?

—No, papá. No empecemos.

—Katie, quédate aquí abajo y habla conmigo. No subas a...

Los pasos empezaron a subir con fuerza los peldaños; de pronto se interrumpieron. Katie se quedó paralizada en la escalera, fija la mirada en Maura.

—¡Vuelve aquí enseguida! —gritó Rick.

—Sí, papá —murmuró Katie, con los ojos todavía fijos

en Maura—. Ahora entiendo por qué has puesto la cadena para que no entrara.

—¡Katie! —Rick se interrumpió, acallado por el repiqueteo del teléfono, y acudió a contestar. ¿Diga? Sí, soy Rick Ballard. Todo está bien por aquí. No, no necesito que envíen a ningún agente. Mi hija ha regresado a casa y no ha desconectado a tiempo el sistema de alarma...

La muchacha todavía miraba a Maura con abierta hostilidad.

—De modo que tú eres su nueva novia.

—Por favor, no tienes que preocuparte por eso —dijo Maura, sin levantar la voz—. No soy su novia. Sólo necesitaba un sitio donde dormir esta noche.

—Oh, perfecto. ¿Y por qué no con papá?

—Es la verdad, Katie.

—En esta familia, nadie dice nunca la verdad.

Abajo, el teléfono sonó otra vez. Rick volvió a contestar.

—Carmen, tranquilízate. Katie está aquí. Sí, se encuentra bien. Un chico la trajo para recoger la mochila...

La muchacha lanzó una última mirada emponzoñada a Maura y regresó escaleras abajo.

—Es tu madre quien llamaba —anunció Rick.

—¿Piensas contarle lo de tu nueva novia? Papá, ¿cómo puedes hacerle esto a mamá?

—Tenemos que hablar, Katie. Debes aceptar el hecho de que tu madre y yo ya no estamos juntos. Las cosas han cambiado.

Maura regresó al dormitorio y cerró la puerta. Mientras se vestía, oyó que en la planta baja seguía la discusión. La voz de Rick, firme y contenida; la de la chica, aguda y colérica. A Maura sólo le llevó unos instantes cambiarse de ropa. Cuando bajó, encontró a Ballard y a su hija sentados en la sala de estar. Katie hecha un ovillo encima del sofá, como un erizo colérico.

—Me marcho, Rick —anunció Maura.

Ballard se levantó.

—No puedes.

—No pasa nada. Necesitas estar a solas con tu familia.

—No es seguro para ti volver a casa.

—No voy a casa. Me alojaré en algún hotel. De veras, no pasará nada.

—Maura, espera...

—Ella quiere irse, ¿no? —intervino Katie—. Deja que se vaya de una vez.

—Te llamo por teléfono en cuanto llegue al hotel —dijo Maura.

Mientras daba marcha atrás para salir del garaje, vio que Rick salía de la casa y se quedaba a un lado de la rampa de entrada. Sus miradas se encontraron a través de la ventanilla del coche y él avanzó un paso, como si intentara convencerla una vez más para que se quedase, para que regresara a la seguridad que le ofrecía aquella casa.

Entonces se interpuso otro par de faros y un coche se detuvo junto al bordillo de la acera. Casi al instante bajó Carmen, con el rubio cabello despeinado. El camisón le asomaba por debajo del albornoz. Otro progenitor sacado de la cama por aquella adolescente descarriada. Carmen perforó con la mirada a Maura, luego dijo algo a Ballard y entró en la casa. Maura vio cómo, al otro lado de la ventana de la sala de estar, madre e hija se abrazaban.

Ballard se demoró un instante en la rampa. Miró hacia la casa y de nuevo a Maura, como si tiraran de él en direcciones opuestas.

Decidida a tomar la determinación por él, puso la marcha, pisó el acelerador y se alejó. La última imagen que tuvo de

Rick fue en el espejo retrovisor, mientras él daba media vuelta y entraba en la casa, de regreso con su familia. «Aunque esté divorciado», pensó ella, «no puede borrar todos los vínculos forjados durante años de matrimonio. Mucho después de haber firmado los documentos, y de que el notario los haya certificado, las ataduras aún subsisten. Y la más poderosa de todas está escrita en la carne y la sangre de un hijo.»

Maura soltó un profundo suspiro, y de repente se sintió limpia de tentaciones. Libre.

Tal como le había prometido a Ballard, no regresó a casa; se dirigió hacia el oeste, a la Ruta 95, que trazaba un amplio arco en torno a las afueras de Boston. Se detuvo en el primer motel de carretera que encontró. La habitación que le dieron aún olía a tabaco y a jabón Ivory. El váter tenía sobre la tapa una cinta de papel que ponía: «Esterilizado»; los vasos del baño, envueltos en celofán, eran de plástico. El ruido del tráfico de la autopista cercana se filtraba a través de las delgadas paredes. No podía recordar la última vez que se había alojado en un hotel tan malo, tan deteriorado.

Telefoneó a Rick. Una corta llamada de treinta segundos para indicarle dónde estaba. Luego desconectó el móvil y se metió entre las sábanas deshilachadas.

Esa noche durmió más profundamente de lo que había dormido en una semana.

19

«Nadie me quiere, todos me odian, creo que voy a terminar comiendo gusanos. Gusanos, gusanos, gusanos.»

«¡Deja de pensar en eso!»

Mattie cerró los ojos e hizo rechinar los dientes, pero no consiguió anular la melodía de aquella insulsa canción infantil. La oía una y otra vez dentro de la cabeza, y siempre regresaba a aquellos gusanos.

«Salvo que yo no me los comeré; serán ellos los que me comerán.»

Oh, pensar en otra cosa. En cosas bonitas, cosas hermosas. En flores, vestidos... Vestidos blancos de tul y lentejuelas. En el día de su boda. Sí, pensar en eso.

Recordó estar en la sala de las novias de la iglesia metodista de St. John, mirándose en el espejo y pensando: «Hoy es el día más bonito de mi vida. Me caso con el hombre a quien amo». Recordaba que su madre había entrado en la sala para ayudarle con el velo, en cómo se le acercó y, con un suspiro de alivio, le dijo: «Creía que nunca vería este día». El día en que por fin un hombre se casara con su hija.

Y ahora, siete meses después, Mattie pensaba en las palabras de su madre, y en que no había sido un comentario especialmente amable. Sin embargo, aquel día nada pudo empañar su alegría. Ni las náuseas matinales, ni los agotadores zapatos de tacón alto, ni el hecho de que Dwayne bebiera tanto champán la noche de bodas que cayó dormido en la cama del hotel antes de que ella tuviera tiempo de salir del baño. Nada importaba, salvo que ya era la señora Purvis y su vida, la de verdad, por fin iba a empezar.

«Y ahora va a terminar aquí, en esta caja, a menos que Dwayne me salve.»

«¿Lo hará, verdad? Él quiere que yo vuelva.»

Oh, eso era peor que pensar en que se la comían los gusanos. «¡Cambia de tema, Mattie!»

«¿Qué ocurrirá si él no quiere mi regreso? ¿Y si ha estado esperando todo ese tiempo a que yo me haya largado, y así poder estar con aquella mujer? ¿Y si es él quien...?»

No, no podía ser Dwayne. Si él quisiera su muerte, ¿para qué mantenerla en una caja? ¿Para qué mantenerla con vida?

Respiró hondo y los ojos se le llenaron de lágrimas. Quería vivir. Haría cualquier cosa por vivir, pero no sabía cómo salir de aquella caja. Había pasado horas pensando en cómo lograrlo. Golpeó las paredes, pateó una y otra vez la tapa. Incluso pensó en desmontar la linterna y quizá utilizar las partes para fabricar... ¿qué?

Una bomba.

Casi podía oír a Dwayne riéndose de ella, ridiculizándola. «Está bien, Mattie, eres una auténtica MacGyver.»

«¿Y qué se supone que debo hacer?»

«Gusanos...»

De nuevo se introdujeron en sus pensamientos. En su futuro, reptando bajo su piel, devorándole la carne. «Están ahí fuera, esperando entre la tierra, pegados a la caja», pensó. Esperando a que muera. Luego entrarían para darse un festín.

Se tumbó de lado y sintió un estremecimiento.

«Tiene que haber una salida.»

20

Yoshima estaba inclinado encima del cadáver. En la mano enguantada sostenía una jeringuilla con una aguja del calibre dieciséis. El cuerpo pertenecía a una mujer joven, tan delgada que el vientre le caía como una tienda de lona combada sobre los huesos de la cadera. Yoshima tensó la piel en la ingle y clavó la aguja en la vena femoral. Luego tiró del émbolo y la sangre, tan oscura que casi salió negra, empezó a llenar la jeringuilla.

Cuando Maura entró en la sala, Yoshima no alzó la vista; siguió concentrado en su labor. Ella observó en silencio cómo sacaba la aguja y transfería la sangre a varios tubos de cristal, trabajando con la eficiencia apacible de alguien que ha llenado innumerables tubos con sangre de innumerables cadáveres. «Si yo soy la reina de los muertos», pensó, «no cabe la menor duda de que Yoshima es el rey. Los ha desnudado, pesado, les ha tanteado la ingle y el cuello en busca de las venas, ha depositado sus órganos en tarros con formol. Y al finalizar la autopsia, cuando yo termino de cortar, es él quien coge aguja e hilo y cose la carne escindida para unirla de nuevo.»

Yoshima rompió la aguja y depositó la jeringuilla usada en el depósito de contaminantes. Después hizo una pausa y echó un vistazo a la mujer cuya sangre acababa de recoger.

—Llegó esta mañana —comentó—. Su novio la encontró muerta en el sofá cuando se levantó.

Maura observó huellas de pinchazos en los brazos del cadáver.

—Es una pérdida.

—Siempre lo es.

—¿Quién ha hecho la autopsia?

—El doctor Costas. El doctor Bristol está hoy en los juzgados.

Yoshima acercó a la mesa la bandeja rodante y empezó a ordenar encima los instrumentos. En medio del embarazoso silencio, los golpes del metal sonaban dolorosamente fuertes. Sus comentarios habían sido tan formales como siempre, pero ese día él no la había mirado. Parecía esquivar su mirada, evitando incluso mirar en la dirección donde ella se había detenido. Soslayando, también, cualquier mención a lo que había ocurrido en el aparcamiento la noche anterior. Sin embargo, el tema estaba presente, planeando entre los dos, de modo que era imposible ignorarlo.

—Tengo entendido que la detective Rizzoli le llamó anoche a su casa —dijo Maura.

Yoshima, de perfil a ella, interrumpió lo que hacía y dejó las manos inmóviles sobre la bandeja.

—Yoshima —insistió Maura—, lo lamento si de alguna manera ella dio a entender…

—¿Sabe cuánto tiempo llevo trabajando en el centro de medicina forense, doctora Isles? —la interrumpió.

—Sé que lleva aquí más tiempo que cualquiera de nosotros.

—Dieciocho años. El doctor Tierney me contrató apenas me licenciaron del ejército. Yo había hecho el servicio en la unidad forense. Era duro trabajar sobre tanta gente joven, ¿sabe? La mayoría muertos por accidente o por suicidio, aunque son gajes del oficio. Eran jóvenes y corrían riesgos. Se enzarzaban en peleas, conducían con exceso de velocidad. O las esposas les abandonaban, así que cogían el arma y se pegaban un tiro. Y yo pensaba: «Al menos puedo hacer algo por ellos, puedo tratarles con el respeto que se merece un soldado». Algunos eran sólo unos críos, apenas lo bastante mayores para que les creciera la barba. Ésa era la parte más inquietante, lo jóvenes que eran. Pero logré superarlo como lo he superado aquí, porque forma parte de mi trabajo. Me cuesta recordar la última vez que me mareé —hizo una pausa—. Sin embargo, hoy me asaltó la idea de no venir.

—¿Por qué?

Se volvió hacia ella y la miró.

—¿Sabe lo que significa, después de dieciocho años de trabajar aquí, que de pronto te consideren un sospechoso?

—Si así es como ella le ha hecho sentir, lo lamento. Sé que Rizzoli puede ser algo brusca...

—No, en realidad no lo fue. Se portó de manera muy educada, muy amistosa. Fue la naturaleza de sus preguntas lo que me dio a entender qué ocurría. «¿Qué se siente al trabajar con la doctora Isles? ¿Se llevan bien los dos?» —Yoshima soltó una risa—. Bien, ¿por qué cree que me preguntó eso?

—Ella estaba haciendo su trabajo, eso es todo. No era una acusación.

—Pues yo tuve la sensación de que sí lo era —se dirigió al mostrador y empezó a alinear tarros de formol para muestras de tejidos. Llevamos más de dos años trabajando juntos, doctora Isles.

—Lo sé.

—No ha habido una sola vez, al menos que yo recuerde, en que no se haya sentido satisfecha con mi trabajo.

—Ni una sola. No hay nadie con quien me guste más trabajar.

Yoshima se volvió para encararse con ella. Bajo las implacables luces fluorescentes, Maura descubrió la gran cantidad de hebras grises que salpicaban su negro cabello. En una ocasión había pensado que él debía de estar en la treintena. Con aquel rostro plácidamente desprovisto de irregularidades y la esbeltez de su cuerpo, parecía que, en cierto modo, careciera de edad. Sin embargo, en aquel preciso instante, al ver las arrugas en torno a sus ojos, reconoció en él lo que de verdad era: un hombre que poco a poco se deslizaba a la mediana edad. «Como yo misma.»

—Ni por un momento —dijo ella—, ni un solo instante, se me ha ocurrido pensar que podía usted...

—Pero ahora está obligada a pensarlo, ¿verdad? Desde que la detective Rizzoli ha sacado el tema, tiene que considerar la posibilidad de que yo le haya dañado el coche. De que la esté acechando.

—No, Yoshima. No es cierto. Me niego a pensarlo.

Él le sostuvo la mirada.

—Entonces no es honesta consigo misma, ni conmigo. Porque el pensamiento tiene que seguir ahí. Y, mientras subsista el menor atisbo de desconfianza, tiene que sentirse incómoda conmigo. Me siento incómodo y también usted tiene que sentirse incómoda.

Yoshima se quitó los guantes, dio media vuelta y empezó a escribir el nombre de la difunta en las etiquetas. Maura observó la tensión en sus hombros, en la rigidez de los músculos de la nuca.

—Lo superaremos.

—Tal vez.

—No, tal vez, no. Lo conseguiremos. Tenemos que trabajar juntos.

—Bien, supongo que eso depende de usted.

Maura le observó un momento, preguntándose cómo

recuperar la relación cordial de la que antes disfrutaban. «Quizá no fuera tan cordial, a fin de cuentas», pensó. «Yo daba por sentado que lo era, mientras todo este tiempo él me ha ocultado sus emociones, del mismo modo que yo le he ocultado las mías. Menudo par estamos hechos, el dúo con cara de póquer. Por nuestra mesa de autopsias pasan todas las tragedias de la semana, pero nunca le he visto llorar, ni él me ha visto llorar a mí. Nos limitamos a tratar el tema de la muerte como dos obreros en una fábrica.»

Yoshima terminó de etiquetar los tarros con las muestras y, al volverse, descubrió que ella aún seguía allí.

—¿Necesita usted algo, doctora Isles? —preguntó, y en su voz, igual que en su expresión, no reveló el menor atisbo de lo que acababa de pasar entre los dos.

Aquél era el Yoshima que ella siempre había conocido, eficiente y tranquilo, listo para ofrecer su ayuda.

Le contestó del mismo modo. Del sobre que había traído consigo sacó las radiografías de Nikki Wells y las colocó en el expositor.

—Supongo que se acordará del caso —dijo, y encendió la luz—. Es de hace cinco años. Un caso ocurrido en Fitchburg.

—¿Cuál era el nombre?

—Nikki Wells.

Yoshima frunció las cejas ante las radiografías y, de inmediato, se concentró en la colección de huesos fetales que solapaban la pelvis de la madre.

—¿Son de aquella mujer embarazada? ¿La que mataron junto con su hermana?

—¿Las recuerda entonces?

—Quemaron los cadáveres, ¿verdad?

—En efecto.

—Recuerdo que fue un caso del doctor Hobart.

—Nunca he conocido a ese doctor Hobart.

—No, no pudo. Nos dejó dos años antes de que usted se incorporara al centro.

—¿Y dónde trabaja ahora? Me gustaría hablar con él.

—Bien, eso va a ser difícil. Ha muerto.

Maura le miró frunciendo las cejas.

—¿Y eso?

Yoshima sacudió la cabeza con tristeza.

—Fue muy duro para el doctor Tierney. Se sintió responsable, a pesar de que no le quedara otra posibilidad.

—¿Qué ocurrió?

—Hubo algunos… problemas con el doctor Hobart. Primero le perdió la pista a unos portaobjetos. Luego extravió algunos órganos, la familia se enteró y demandaron al centro. Fue un gran escándalo, muy mala publicidad. Aun así, el doctor Tierney le siguió apoyando. Luego faltaron algunas drogas de una bolsa de efectos personales y al doctor ya no le quedó otra elección. Le pidió a Hobart que dimitiera.

—¿Y qué sucedió después?

—Pues que el doctor Hobart se marchó a casa y se tragó un puñado de Oxycontin. No le encontraron hasta tres días después —Yoshima hizo una pausa—. Es el tipo de autopsia que nadie de aquí habría querido hacer.

—¿Se cuestionó su competencia?

—Es posible que cometiera algunos errores.

—¿Graves?

—No estoy seguro de a qué se refiere.

—Me pregunto si se le pasaría por alto esto —señaló la radiografía, la astilla brillante incrustada en el hueso púbico. Su informe sobre Nikki Wells no explica la densidad metálica que se ve aquí.

—Hay otras sombras metálicas en esa película —señaló Yoshima—. Aquí veo el corchete de un sujetador. Y esto parece un broche.

—Sí, pero mire la toma lateral. Esta astilla metálica está dentro del hueso. No encima. ¿Le comentó algo el doctor Hobart al respecto?

—No, que yo recuerde. ¿No figura en el informe?

—No.

—Entonces debió de pensar que carecía de importancia.

«Lo cual significa que probablemente no surgió en el juicio contra Amalthea», pensó. Yoshima regresó a su tarea de colocar cubos y palanganas, de ordenar documentos en el portapapeles. Aunque una joven yaciera muerta a sólo unos pasos de Maura, la atención de ésta no se sentía atraída por el cadáver reciente, sino por las radiografías de Nikki Wells y de su feto, de los huesos de ambos unidos por el fuego en una única masa calcinada.

«¿Por qué los quemaste? ¿Qué sentido tenía?» ¿Habría experimentado Amalthea un intenso placer al observar cómo las llamas los consumían? ¿O esperaba que aquellas llamas consumieran algo más, alguna huella de sí misma que no quería que encontrasen?

Trasladó su atención del arco del cráneo fetal a la brillante astilla incrustada en el pubis de Nikki. Una astilla tan delgada como…

La punta de una navaja. O el fragmento roto de un cuchillo.

Pero a Nikki la habían matado de un golpe en la cabeza. ¿Para qué utilizar un cuchillo en una víctima cuyo rostro acababan de aplastar con una barra de hierro? Se quedó mirando aquella astilla metálica y, de repente, cayó en la cuenta de cuál era su significado. Significado que le produjo un escalofrío a lo largo de la espina dorsal.

Se dirigió al teléfono y pulsó el botón del interfono.

—¿Louise?

—¿Sí, doctora Isles?

—¿Podrías ponerme con el doctor Daljeet Singh? Está en el centro de medicina forense de Augusta, en Maine.

—Espere —y luego, al cabo de un momento—: Tengo en línea al doctor Singh.

—¿Daljeet? —preguntó Maura.

—No, no me he olvidado de la cena que te debo —contestó él.

—A lo mejor te la debo yo a ti, si eres capaz de contestarme a esta pregunta.

—¿A cuál?

—Aquellos esqueletos que desenterramos en Fox Harbor... ¿Los habéis identificado ya?

—No. Es posible que tardemos algún tiempo. Ni en Waldo ni en Hancock County hay informes de personas desaparecidas que coincidan con estos restos. O los huesos son muy viejos, o las personas no eran de la zona.

—¿Has pedido una búsqueda al CNIC? —dijo Maura.

El Centro Nacional de Información sobre el Crimen, administrado por el FBI, mantenía una base de datos acerca de los desaparecidos en todo el país.

—Sí, pero al no poder circunscribir la búsqueda a una década en particular, me han enviado montones de páginas con nombres. Todos los que figuran registrados en Nueva Inglaterra.

—Tal vez yo pueda ayudarte a limitar los parámetros de la búsqueda.

—¿Cómo?

—Especifica sólo los casos de personas que desaparecieron entre 1955 y 1965.

—¿Puedo preguntarte cómo has dado con esta década en particular?

«Porque es cuando mi madre vivió en Fox Harbor», pensó. «Mi madre, que ha asesinado a otras.»

Pero su respuesta fue:

—Por una suposición fundamentada.

—Estás siendo muy misteriosa.

—Ya te lo explicaré cuando te vea.

Rizzoli dejó que esta vez condujera ella, pero sólo porque iban en el Lexus de Maura, en dirección al norte, hacia la autopista de Maine. Durante la noche, un frente tormentoso había soplado del oeste y Maura se despertó al oír el tamborileo de la lluvia sobre el tejado. Hizo café y leyó el periódico, las cosas habituales que haría en una mañana cualquiera. Con qué celeridad volvían a reafirmarse las rutinas, a pesar del miedo. La noche anterior no se había quedado en el hotel; había regresado a casa. Después de cerrar todas las puertas con llave y dejar encendida la luz del porche, pobre defensa contra las amenazas de la noche, se había vuelto a dormir a pesar del estruendo de la tormenta. Al despertar le invadió la sensación de que volvía a controlar su propia existencia.

«Ya basta de tener miedo», pensó. «No permitiré que me obligue otra vez a abandonar mi casa.»

Y en aquellos momentos, mientras Rizzoli y ella se dirigían hacia Maine, donde planeaban nubes de lluvia todavía más oscuras, estaba dispuesta a contraatacar, preparada para cambiar la suerte. «Seas quien seas, voy a seguir tus huellas hasta dar contigo. También yo puedo convertirme en cazadora.»

Eran las dos de la tarde cuando llegaron al edificio del centro de medicina forense de Maine, en Augusta. El doctor Daljeet Singh salió a su encuentro en recepción, y juntos bajaron hasta el laboratorio de autopsias, donde las dos cajas de huesos aguardaban encima de un mostrador.

—Esto no ha sido mi mayor prioridad —reconoció Daljeet mientras desplegaba un plástico, que se posó con suave zumbido, como un paracaídas de seda, sobre la encimera de acero—. Lo más probable es que llevaran varias décadas enterrados; así que unos pocos días más no iban a suponer mucha diferencia.

—¿Has recibido los resultados de la nueva búsqueda por parte del CNIC? —preguntó Maura.

—Esta mañana. Imprimí la lista de nombres. Está ahí, en ese escritorio.

—¿Y las radiografías dentales?

—He bajado los archivos que han enviado por e-mail. Aún no he tenido ocasión de echarles una ojeada. He preferido esperar a que llegaras tú.

Daljeet abrió la primera caja de cartón y empezó a sacar huesos, que colocó con cautela encima del plástico. Primero salió una calavera, con el cráneo hundido. Luego una pelvis, unos huesos largos y una rechoncha columna vertebral manchados de tierra. Un puñado de costillas que al chocar entre sí sonaron como un móvil de cañas de bambú. Aparte de eso, reinaba el silencio en el laboratorio, tan austero y reluciente como la sala de autopsias de Maura en Boston. Los buenos patólogos eran perfeccionistas por naturaleza y, en aquellos momentos, Daljeet revelaba ese aspecto de su personalidad. Parecía danzar en torno a la mesa, moviéndose con gracia casi femenina mientras ordenaba los huesos según su posición anatómica.

—¿De quién son éstos? —preguntó Rizzoli.

—Del varón —dijo él—. La longitud del femoral indica que su estatura oscilaría entre el metro setenta y cinco y el metro ochenta y cinco. Es obvio el aplastamiento del hueso temporal derecho. Existe además una vieja fractura de Colles. Bien soldada —se volvió a Rizzoli, que le miraba perpleja. Se trata de una muñeca rota.

—¿Por qué hablan los médicos de esta manera?

274

—¿De qué manera?

—Utilizando nombres extravagantes. ¿Por qué no limitarse a decir que tenía la muñeca rota?

Daljeet sonrió.

—Hay algunas preguntas que no tienen respuesta, detective Rizzoli.

Ésta devolvió su atención a los huesos.

—¿Qué más sabemos de él?

—En apariencia, no hay osteoporosis ni cambios artríticos en la columna vertebral. Era un varón joven, de raza blanca. Aquí hay algunos arreglos dentales. Empastes de amalgama plateada en los números dieciocho y diecinueve.

Rizzoli señaló el hueso temporal agujereado.

—¿Es ésa la causa de su muerte?

—Esto sin duda podría calificarse de golpe letal —Daljeet se volvió y miró la segunda caja. Vayamos ahora con la mujer, que encontramos a unos veinte metros de él.

Encima de la segunda mesa de autopsias, desplegó un nuevo plástico. Juntos, Maura y él fueron sacando la segunda serie de huesos y los ordenaron según su posición anatómica, como dos camareros meticulosos que prepararan la mesa para cenar. Los huesos volvieron a traquetear sobre la mesa. La pelvis sucia de tierra. Otra calavera, ésta más pequeña, con las ondulaciones supraorbitales más delicadas que en el hombre. Luego salieron huesos de la pierna, huesos del brazo, el esternón. Un puñado de costillas, y dos bolsas de papel que contenían huesos carpianos y del tarso.

—Ahí tiene a su mujer X —dijo Daljeet, supervisando la ordenación final—. En este caso no puedo decirle la causa de su muerte, porque no hay nada en qué apoyarnos. Parece joven, también de raza blanca. Entre veinte y treinta y cinco años. Estatura en torno al metro sesenta, sin antiguas fracturas. La dentadura está en muy buen estado. Hay una pequeña desportilladura aquí, en el colmillo, y una funda de oro en la número cuatro.

Maura miró la radiografía en el expositor, donde habían colgado un par.

—¿Son las radiografías dentales de los dos?

—Las del varón a la izquierda, las de la mujer a la derecha —Daljeet se dirigió al fregadero para limpiarse la tierra de las manos, luego arrancó una tira de papel secante. Así que aquí los tenemos, el hombre y la mujer X.

Rizzoli cogió los nombres impresos que el CNIC había enviado aquella mañana a Daljeet.

—Jesús, aquí hay docenas de nombres. Es mucha gente la que ha desaparecido.

—Esto sólo en la región de Nueva Inglaterra. Y sólo gente de raza blanca, con edades comprendidas entre veinte y cuarenta y cinco años.

—Veo que todos los informes son de los años cincuenta y sesenta.

—Es el margen de tiempo que Maura especificó —Daljeet se acercó hasta su ordenador portátil—. Bien, echemos una ojeada a algunas de las radiografías que he recibido.

Abrió un archivo de los que el CNIC le había enviado y en la pantalla salió una serie de iconos, cada uno etiquetado con el número de un caso. Hizo clic en el primer icono y una radiografía llenó la pantalla. Una hilera de dientes torcidos, como blancas fichas de dominó a medio caer.

—Seguro que éste no es uno de los nuestros —comentó—. Miren qué dientes. Para un ortodoncista serían una pesadilla.

—O una mina de oro —replicó Rizzoli.

Daljeet cerró la imagen y abrió el icono contiguo. Otra radiografía, ésta con un espacio vacío entre los colmillos.

—Creo que éste tampoco.

La atención de Maura se sintió atraída de nuevo hacia

la mesa. Hacia los huesos de la mujer desconocida. Deslizó la mirada por la calavera, con la grácil línea de las cejas y el delicado arco cigomático. Un rostro de proporciones armoniosas.

—¡Vaya! —oyó que exclamaba Daljeet—. Creo que reconozco estos dientes.

Maura volvió a mirar la pantalla del ordenador y vio una radiografía de los molares inferiores, con el brillante resplandor de los empastes dentales.

Daljeet se levantó de la silla y cruzó hasta la mesa donde yacía el esqueleto del varón. Cogió la mandíbula y la acercó al ordenador para comparar.

—Empaste en los números dieciocho y diecinueve —señaló—. Sí, sí. Éste coincide…

—¿A qué nombre pertenece la radiografía? —preguntó Rizzoli.

—A Robert Sadler.

—Sadler… Sadler… —Rizzoli pasó las páginas impresas del archivo del ordenador—. Bien, ya he encontrado la ficha. Sadler, Robert. Varón de raza blanca, edad veintinueve años. Metro ochenta, cabello castaño, ojos castaños.

Se volvió a mirar a Daljeet.

—Sí, esto concuerda con nuestros restos.

Rizzoli siguió leyendo:

—Era contratista de obras. La última vez que le vieron fue en Kennebunkport, su ciudad natal, en el estado de Maine. Se informó de su desaparición el 3 de julio del sesenta, junto con… —se interrumpió, luego se volvió hacia la mesa donde habían desplegado los huesos de la mujer—. Junto con su esposa.

—¿Cómo se llamaba ella? —preguntó Maura.

—Karen. Karen Sadler. Tengo el número del caso, si lo quieres.

—Démelo a mí —intervino Daljeet, regresando al ordenador—. A ver si tenemos aquí su radiografía.

Maura se situó junto a él, a sus espaldas. Por encima del hombro del colega vio que hacía clic sobre el icono correcto y que en la pantalla surgía una imagen. Era una radiografía tomada a Karen cuando estaba viva, sentada en el sillón de su dentista. Ansiosa quizás ante la perspectiva de una caries y de la inevitable perforación que seguiría. Nunca pudo imaginar, mientras apretaba la pestaña de cartón para sujetar en su sitio la película virgen, que la imagen que el dentista le sacaba en ese momento brillaría muchos años después en la pantalla del ordenador de un patólogo.

Maura vio una hilera de molares y el brillante resplandor metálico de una funda. Se acercó al expositor luminoso, donde Daljeet había colocado la radiografía de los dientes de la mujer sin identificar.

—Es ella —dijo con voz queda—. Estos huesos son de Karen Sandler.

—Entonces tenemos una doble coincidencia —dijo Daljeet—. Ambos son marido y esposa.

Tras ellos, Rizzoli hojeó las listas impresas de las personas desaparecidas, en busca del informe de Karen Sadler.

—Bien, aquí está ella. Mujer de raza blanca, edad veinticinco años. Cabello rubio, ojos azules… —de repente se calló—. Aquí hay algo raro. Será mejor que comprobéis de nuevo esa radiografía.

—¿Por qué? —inquirió Maura.

—Vuelve a comprobarla, por favor.

Maura estudió la radiografía, luego volvió a mirar la pantalla del ordenador.

—Ambas coinciden, Jane. ¿Cuál es el problema?

—Que se os pasaron por alto otra serie de huesos.

—¿Cuáles?

—Los de un feto —Rizzoli se volvió a mirarla, con expresión de desconcierto en el rostro. Karen Sadler estaba embarazada de ocho meses.

Se produjo un prolongado silencio.

—No se encontraron más restos —explicó Daljeet.

—Quizá les pasaran inadvertidos —replicó Rizzoli.

—Cribamos la tierra. Excavamos por completo aquel cementerio.

—Es posible que las excavadoras los arrastraran lejos de allí.

—Sí, siempre cabe esa posibilidad. Pero ésta es Karen Sadler.

Maura se acercó a la mesa y examinó la pelvis de la mujer, al tiempo que pensaba en los huesos de otra mujer, reluciendo sobre un expositor de radiografías. «También Nikki Wells estaba embarazada.»

Hizo girar la lupa sobre la mesa, encendió la luz y centró la lente sobre la ramificación púbica. En la sínfisis del pubis, donde se juntaban las dos ramificaciones unidas por un cartílago coriáceo, se había incrustado tierra rojiza.

—Daljeet, ¿podrías prestarme un bastoncillo de algodón o una gasa húmedos? Algo para limpiar esta tierra.

Su colega llenó una palangana con agua, abrió un paquete de bastoncillos de algodón y lo colocó todo en la bandeja junto a Maura.

—¿Qué estás buscando?

Maura no le contestó. Su atención se centraba en limpiar la capa de polvo, en descubrir lo que había debajo. A medida que la costra se deshacía, el pulso se le iba acelerando. De pronto, el último resto de tierra cayó y ella observó lo que acababa de aparecer debajo de la lupa. Se enderezó y miró a Daljeet.

—¿Qué has descubierto? —preguntó él.

—Echa un vistazo. Está justo en el borde, donde los huesos se articulan.

Daljeet se inclinó para mirar por la lente.

—¿Te refieres a esta pequeña muesca? ¿Es eso de lo que hablas?

—Sí.

—Es bastante sutil.

—Pero está ahí —Maura respiró hondo—. He traído una radiografía. La tengo en el coche. Creo que deberías echarle una ojeada.

La lluvia golpeó con fuerza sobre el paraguas cuando salió al aparcamiento. Mientras pulsaba el mecanismo de apertura del llavero, no pudo evitar mirar los arañazos en la puerta del acompañante. La marca de una garra cuya intención era asustarla. «Lo único que ha conseguido es ponerme furiosa. Dispuesta a contraatacar.» Sacó el sobre del asiento trasero y lo protegió debajo de la chaqueta mientras lo llevaba al interior del edificio.

Daljeet observó intrigado mientras ella colgaba las radiografías de Nikki Wells en el expositor luminoso.

—¿Qué caso es el que me enseñas?

—Un homicidio cometido hace cinco años en Fitchburg, Massachusetts. A la víctima le aplastaron el cráneo y después quemaron su cadáver.

Daljeet frunció los ojos ante la radiografía.

—Una mujer embarazada. El feto parece próximo a nacer.

—Pero lo que me llamó la atención es esto. —Maura señaló la reluciente astilla incrustada en la sínfisis del pubis de Nikki Wells. Creo que es el filo roto de la hoja de una navaja.

—Pero a Nikki Wells la mataron con una palanca de hierro —intervino Rizzoli—. Tiene el cráneo aplastado.

—En eso tienes razón —dijo Maura.

—¿Entonces para qué utilizar un cuchillo también?

Maura señaló la radiografía, los huesos del feto curvados sobre la pelvis de la madre.

—Para esto. Esto es lo que quería realmente el asesino.

Durante unos segundos, Daljeet no dijo nada. Pero Maura sabía, sin necesidad de que dijera una sola palabra, que había adivinado lo que ella estaba pensando. De nuevo él se volvió a los restos de Karen Sadner. Cogió la pelvis entre sus manos.

—Una incisión en el centro, directa bajo el abdomen —comentó—. La hoja golpearía contra el hueso, justo donde está esta muesca...

Maura pensó en el cuchillo de Amalthea, rebanando el abdomen de una joven con un golpe tan potente que la hoja sólo se detendría al chocar contra el hueso. Pensó en su propio oficio, donde los cuchillos desempeñaban un papel tan destacado, y en los días que había pasado en el laboratorio de autopsias, cortando piel y órganos. «Las dos, mi madre y yo, somos trinchadoras. Sólo que yo corto carne muerta, mientras ella corta carne viva.»

—Por eso no se encontraron huesos de un feto en la tumba de Karen Sadler —dijo Maura.

—Sin embargo, en tu otro caso... —Daljeet señaló la radiografía de Nikki Wells—, no le quitaron el feto. Lo quemaron junto con la madre. ¿Para qué hacerle una incisión para sacarlo y, a pesar de todo, quemarlo más tarde?

—Porque el hijo de Nikki Wells tenía un defecto congénito. Un cordón amniótico.

—¿Y eso qué es? —preguntó Rizzoli.

—Una franja membranosa que a veces se tensa en torno al saco amniótico —explicó Maura—. Si se tensa alrededor de una extremidad del feto, puede constreñir el flujo de sangre, e incluso amputarle la extremidad. El defecto se diagnosticó durante el segundo trimestre del embarazo de Nikki —señaló la radiografía—. Podéis ver que al feto le falta la pierna derecha por debajo de la rodilla.

—¿Y ése es un defecto mortal?

—No, habría sobrevivido. Pero la asesina debió de ver el defecto al instante. Descubrió que no era un bebé perfecto. Pienso que ésa es la razón de que no lo sacara —Maura se volvió y miró a Rizzoli. No pudo evitar enfrentarse al hecho del embarazo de la detective: el vientre hinchado, el rubor del estrógeno en las mejillas. Ella quería un bebé perfecto.

—Pero el de Karen Sadler tampoco podía ser perfecto —observó Rizzoli—. Se hallaba tan sólo en el octavo mes de embarazo. Los pulmones no estarían desarrollados, ¿verdad? Habría necesitado una incubadora para sobrevivir.

Maura observó los huesos de Karen Sadler y pensó en el sitio donde los habían recuperado. Pensó también en los de su marido, enterrados a unos veinte metros de ella. Pero no en la misma tumba, sino en un sitio separado. ¿Para qué cavar dos hoyos distintos? ¿Por qué no habían enterrado juntos al marido y a la esposa?

De repente la boca se le secó. La respuesta la había dejado perpleja.

«Porque no los habían enterrado al mismo tiempo.»

21

La casa de campo se acurrucaba bajo las ramas de los árboles cargadas de lluvia, como si se encogiera ante su roce.

Cuando Maura la viera por primera vez la semana anterior, sólo pensó que la casa resultaba deprimente, una pequeña caja oscura asfixiada poco a poco por los árboles invasores.

En ese instante, al verla desde el coche, tuvo la impresión de que las ventanas la miraban como ojos malévolos.

—Ésta es la casa donde Amalthea creció —dijo Maura—. A Anna no debió de resultarle difícil seguir esta información. Lo único que tuvo que hacer fue comprobar los archivos de Amalthea en el instituto. O buscar el nombre de Lank en un antiguo listín de teléfonos —se volvió a mirar a Rizzoli. La señorita Clausen, la casera, me contó que Anna había pedido expresamente alquilar esta casa.

—Entonces Anna tenía que saber que Amalthea había vivido aquí en el pasado.

«Y, al igual que yo, estaba ansiosa por conocer cosas de nuestra madre», pensó Maura. «Entender a la mujer que nos había dado la vida y luego nos había abandonado.»

La lluvia resonaba sobre el techo del coche y se deslizaba en rachas plateadas por encima del parabrisas.

Rizzoli se subió la cremallera del impermeable y se puso la capucha sobre la cabeza.

—Bien, entremos a echar un vistazo, pues.

Avanzaron presurosas bajo la lluvia y subieron los peldaños del porche, donde se sacudieron el agua de los chubasqueros. Maura sacó la llave que acababa de recoger en la oficina inmobiliaria de la señorita Clausen y la introdujo en la cerradura. En el primer momento no giró, como si la casa se resistiera, decidida a no dejarla entrar. Cuando por fin logró abrir la puerta, ésta dejó escapar un chirrido de advertencia, intentando cerrarle el paso hasta el final.

Por dentro era incluso más lúgubre y claustrofóbica de lo que recordaba. El ambiente olía a rancio por el moho, como si la humedad de fuera se filtrara a través de las paredes e impregnara las cortinas y el mobiliario. La luz que penetraba por la ventana proyectaba sombras grises por toda la sala de estar. «Esta casa no nos quiere aquí», pensó Maura. «No quiere que descubramos sus secretos.»

Tocó a Rizzoli en el brazo.

—Mira —dijo, señalando los dos pestillos y las cadenas de bronce.

—Son nuevos.

—Anna los hizo instalar. Esto hace que te formules algunas preguntas, ¿verdad? ¿A quién intentaba impedir la entrada?

—Si no era a Charles Cassell —Rizzoli cruzó la sala de estar hasta la ventana y se quedó contemplando la cortina de hojas que goteaban con la lluvia—. Bueno, este sitio está espantosamente aislado. No hay vecinos. Sólo árboles. También yo querría poner candados extra —soltó una risita de inquietud—. ¿Sabes una cosa? Nunca me han gustado los bosques. Muchas de nosotras íbamos de camping cuando estábamos en el instituto. Subíamos en coche hasta New Hampshire y colocábamos nuestros sacos de dormir en torno a una fogata de campamento. No lograba dormir en toda la noche. ¿Cómo podía saber qué cosa estaría allí fuera espiándome? Entre los árboles, escondido tras los arbustos.

—Ven —le dijo Maura—. Quiero enseñarte el resto de la casa.

La guió hasta la cocina y pulsó el interruptor de la pared. Los fluorescentes parpadearon con un zumbido agorero. El brutal resplandor expuso todas las grietas, todas las irregularidades del viejo linóleo. Bajó la mirada al suelo con diseño de tablero de ajedrez, de cuadrados blancos y negros, cubiertos por la capa amarillenta del uso, y pensó en que toda la leche derramada y el barro allí arrastrado con el paso de los años sin duda habrían dejado sus huellas microscópicas en ese suelo. ¿Qué otras cosas se habrían infiltrado en aquellas grietas y en aquellas juntas? ¿Qué terribles acontecimientos habrían dejado allí sus residuos?

—También estos cerrojos son nuevos —comentó Rizzoli, de pie ante la puerta trasera.

Maura se acercó a la entrada del sótano.

—Esto es lo que quería que vieras.

—¿Otro pestillo?

—Pero observa que no brilla. No es nuevo. Eso indica que lleva aquí mucho tiempo. La señorita Clausen asegura que ya estaba en la puerta cuando compró la propiedad en una subasta, veinte años atrás. Y aquí viene lo más extraño.

—¿Qué?

—Que al único sitio que conduce esta puerta es al sótano —miró a Rizzoli. A un callejón sin salida.

—¿Para qué iba nadie a necesitar cerrar con pestillo una puerta así?

—Eso mismo me pregunté yo.

Rizzoli abrió la puerta y el olor a tierra húmeda brotó de la oscuridad.

—¡Diablos! —murmuró—. Odio bajar a los sótanos.

—Justo encima de tu cabeza hay una cadena para encender la luz.

Rizzoli levantó la mano y dio un tirón a la cadena. La bombilla se encendió y derramó un anémico resplandor por la estrecha escalera. Abajo sólo había sombras.

—¿Estás segura de que no tiene otra salida este sótano? —preguntó, atisbando entre las sombras—. ¿Una trampilla para el carbón o algo por el estilo?

—Inspeccioné por fuera todo el perímetro de la casa y no vi ninguna puerta que conduzca al interior del sótano.

—¿Bajaste ahí dentro?

—No vi razón para hacerlo.

«Hasta hoy.»

—Está bien —Rizzoli sacó una pequeña linterna de bolsillo y respiró hondo—. Supongo que tendremos que echar un vistazo.

La bombilla del techo osciló sobre sus cabezas, haciendo balancear las sombras atrás y adelante mientras bajaban por la chirriante escalera. Rizzoli avanzaba con lentitud, como si tanteara cada peldaño antes de confiarle todo su peso. Nunca antes había visto Maura que la detective se portara con tanta cautela, ni tanta aprensión, que incentivaba la suya. Cuando llegaron al pie de la escalera, la puerta de la cocina se veía muy lejana por encima de ellas, como en otra dimensión.

La bombilla que había al pie de la escalera estaba fundida. Rizzoli deslizó el rayo de su linterna a través del suelo de tierra prensada, húmeda por las filtraciones de la lluvia. El haz de luz reveló una pila de botes de pintura y una alfombra enrollada, que se descomponía contra una de las paredes. En un rincón había un cajón repleto de manojos de leña para la chimenea de la sala de estar. Allí abajo nada se apartaba de lo común, nada justificaba la sensación de amenaza que Maura experimentara en lo alto de la escalera.

—Bien, tenías razón —admitió Rizzoli—. No parece haber otra salida aquí.

—Sólo la puerta de arriba, la que da a la cocina.

—Lo cual indica que carecía de sentido ponerle cerrojo. A no ser que...

De pronto, Rizzoli detuvo el rayo de la linterna en la pared del fondo.

—¿Qué ocurre?

La detective cruzó el sótano y se quedó mirando la pared.

—¿Por qué está aquí esto? ¿Para que lo iba a querer nadie?

Maura se acercó y sintió que un escalofrío le recorría la espalda cuando vio lo que la linterna de Rizzoli iluminaba. Era una argolla de hierro, clavada a una de las enormes piedras del sótano. «¿Para qué lo iba a querer nadie?», había preguntado Rizzoli. La respuesta hizo retroceder a Maura, ahuyentada por las visiones que le evocaba.

«Esto no es un sótano. Es una mazmorra.»

Rizzoli dirigió con brusquedad el rayo de la linterna hacia lo alto.

—Hay alguien arriba —susurró.

A través de los latidos de su corazón, Maura oyó que el suelo rechinaba por encima de sus cabezas. Fuertes pisadas que se movían por la casa. Se aproximaban a la cocina... De repente, una silueta se recortó en el umbral, y el rayo de luz que bajó desde lo alto fue tan potente que Maura tuvo que volver la cabeza, medio cegada.

—¿Doctora Isles? —preguntó un hombre.

Maura entrecerró los ojos frente a la luz.

—No puedo verle.

—Soy el detective Yates. Los de la policía científica acaban de llegar. ¿Quiere enseñarnos la casa antes de empezar?

Maura dejó escapar un suspiro agudo.

—Ahora subimos.

Cuando Maura y Rizzoli salieron del sótano, cuatro hombres aguardaban en la cocina. Maura había conocido a los detectives Corso y Yates de la policía estatal la semana anterior, durante el registro del bosque. Se les habían unido dos técnicos de la policía científica, que se presentaron únicamente como Pete y Gary. Todos aguardaron hasta que finalizó la ronda de apretones de manos.

—¿Así que hay una especie de tesoro escondido? —preguntó Yates.

—No garantizo que encontremos nada —dijo Maura.

Los dos técnicos de la científica estaban ya examinando la cocina, escudriñando el suelo.

—El linóleo parece estar bastante gastado —le comentó Pete—. ¿Qué período estamos buscando?

—Los Sandler desaparecieron hace cuarenta y cinco años. El sospechoso aún estaba viviendo aquí, con su prima. Luego se marcharon y la casa quedó deshabitada durante años. Hasta que la vendieron en una subasta.

—¿Cuarenta y cinco años? Sí, es muy posible que el linóleo sea de esa época.

—Sé que la alfombra de la sala de estar es más reciente, de hace sólo unos veinte años —aclaró Maura—. Habrá que levantarla para examinar el suelo.

—Aún no hemos probado el sistema en nada que tenga más de quince años. Esto va a ser un récord para nosotros —Pete echó un vistazo por la ventana de la cocina. No oscurecerá al menos hasta dentro de dos horas.

—Entonces empecemos por el sótano —dijo Maura—. Ahí abajo está bastante oscuro.

Todos colaboraron para trasladar diversos materiales del equipo desde la furgoneta: cámaras de vídeo, de fotos y trípodes; cajas con material de protección; rociadores de aerosol y agua destilada; una nevera portátil con botellas de productos químicos; cables eléctricos y focos portátiles. Todo lo bajaron por la estrecha escalera que conducía al sótano, que de repente pareció más reducido con las seis personas y las cámaras que lo atestaban. Sólo media hora antes, Maura había contemplado con inquietud aquel lúgubre espacio. Ahora, mientras observaba a los hombres montar con pericia los trípodes y desenrollar los cables eléctricos, la estancia perdió la facultad de asustarla. «Esto es sólo piedra húmeda y tierra prensada», pensó. «No hay fantasmas aquí abajo.»

—No sé qué saldrá de todo esto —comentó Pete, al tiempo que se colocaba hacia atrás la visera de la gorra de béisbol de los Sea Dogs—. Aquí tenemos suelo de tierra; quiere decir que habrá alto contenido en hierro y podría iluminarse todo. Será difícil interpretar los datos.

—Lo que más me interesa son las paredes —le comentó Maura—. Manchas, grupos de salpicaduras —señaló el bloque de granito con la argolla de hierro. Empecemos por esa pared.

—Necesitaremos una foto de referencia primero. Coloquemos el trípode. Detective Corso, ¿puede montar la regla en esa pared? Es luminiscente. Eso nos facilitará un marco de referencia.

Maura se volvió a Rizzoli.

—Deberías irte arriba, Jane. Van a empezar la mezcla de Luminol. No creo que debas exponerte a sus efectos.

—No creía que fuera tan tóxico.

—Aun así, no debes correr riesgos. Por la criatura.

Rizzoli soltó un suspiro.

—Está bien —con paso lento, empezó a subir los escalones—. Pero no me gusta nada perderme un espectáculo de luz y color.

La puerta del sótano se cerró tras ella.

—Tío, ¿no debería estar ya en la maternidad? —preguntó Yates.

—Todavía le quedan otras seis semanas —le especificó Maura.

Uno de los técnicos se rió.

—Igual que aquella poli de *Fargo*, ¿eh? ¿Cómo te las arreglas para dar caza a un delincuente cuando estás preñada?

Desde el otro lado de la puerta del sótano, les llegó la voz de Rizzoli:

—¡Es posible que esté preñada, pero no estoy sorda!

—Y además va armada —concluyó Maura.

—¿Podemos empezar ya aquí? —preguntó el detective Corso.

—En esta caja hay mascarillas y gafas de protección —les indicó Pete—. Pueden distribuirlas a todos.

Corso entregó una mascarilla y unas gafas de soldador a Maura. Ésta se las colocó y vió cómo Gary empezaba a medir los productos químicos.

—Empezaremos con un preparado Weber —explicó Gary—. Es un poco más sensible y más seguro de utilizar, pero el material es bastante irritante para la piel y los ojos.

—¿Son soluciones concentradas lo que está mezclando? —inquirió Maura, con la voz amortiguada por la mascarilla.

—Sí. Las conservamos en la cámara frigorífica del laboratorio y luego las mezclamos en el sitio que vamos a analizar, diluyéndolas con agua destilada —tapó la botella con el preparado y le dio una vigorosa sacudida—. ¿Hay alguien por aquí que lleve lentes de contacto?

—Yo —dijo Yates.

—Entonces será mejor que suba, detective. Está usted más expuesto a los daños, aunque lleve esas gafas.

—No, quiero verlo.

—Entonces quédese atrás cuando empecemos a rociar —dio a la botella otra sacudida y a continuación vertió el contenido dentro de un frasco rociador—. Bien, a punto para regar. Dejen que primero saque una foto. Detective, ¿podría apartarse de esa pared?

Corso se colocó a un lado y Pete apretó el cable del disparador. Salió el potente destello mientras la cámara captaba una foto de referencia de la pared que se disponían a rociar con Luminol.

—¿Quiere que apague las luces ya? —preguntó Maura.

—Deje primero que Gary se ponga en su sitio. Una vez que estemos a oscuras, podemos tropezar por aquí. Así que todo el mundo debe buscar un sitio y quedarse en él, ¿entendido? Sólo Gary se moverá.

Gary se acercó a la pared y sostuvo en alto la botella que contenía el Luminol. Con las gafas de soldador y la máscara semejaba un exterminador de plagas a punto de rociar alguna repugnante cucaracha.

—Déle a las luces, doctora Isles.

Maura tendió la mano hacia el foco portátil que tenía al lado y lo apagó, sumergiendo el sótano en la más profunda oscuridad.

—Adelante, Gary.

Entonces oyeron el siseo del pulverizador. Motas de color azul verdoso brillaron de pronto en la oscuridad, como estrellas en un cielo nocturno. Acto seguido surgió un círculo fantasmagórico que parecía flotar en las tinieblas, sin nada que lo sostuviera. Se trataba de la argolla de hierro.

—Es posible que no sea sangre —indicó Pete—. El Luminol reacciona con muchas sustancias. Óxido, metales. Soluciones blanqueadoras... Es muy probable que la argolla de hierro brillara de todos modos, tanto si hay sangre en ella como si no. Gary, ¿puedes moverte a un lado mientras tomo esta foto? Será una exposición de cuarenta segundos, así que no te muevas —cuando finalmente sonó el disparador, Pete indicó—: Encienda las luces, doctora Isles.

Maura tanteó en la oscuridad, en busca del interruptor de la lámpara. Cuando se hizo la luz, ella estaba mirando la pared de piedra.

—¿Qué opina? —preguntó Corso.

Pete se encogió de hombros.

—No resulta demasiado espectacular. Debe de haber un montón de pruebas positivas aquí abajo. Tenemos tierra impregnando todas estas piedras. Lo intentaremos en las otras paredes, pero, a menos que demos con la huella de una mano, o manchas mayores, no será fácil distinguir sangre sobre este fondo.

Maura vio que Corso miraba su reloj. Había sido un largo viaje para los dos detectives estatales de Maine; comprendió que empezaban a preguntarse si aquello no sería una pérdida de tiempo.

—Sigamos —dijo ella.

Pete cambió de sitio el trípode y movió la lente de la cámara para enfocar la siguiente pared. Hizo la foto y luego ordenó:

—Luces.

Una vez más, la estancia quedó a oscuras.

El pulverizador siseó. Por arte de magia, otras motas azul verdoso aparecieron como luciérnagas que centellearan en la oscuridad, a medida que el Luminol reaccionaba con los metales oxidados de la piedra y producía diminutos puntos luminiscentes. Gary roció un nuevo arco sobre la pared y surgió otro círculo de estrellas, eclipsado por su contorno en sombras a medida que Gary avanzaba. Se oyó un fuerte golpe y, de repente, la silueta se tambaleó hacia delante.

—¡Mierda!

—¿Estás bien, Gary? —preguntó Yates.

—Me he golpeado la barbilla contra algo. Supongo que con la escalera. No puedo ver nada en este... —se interrumpió, y luego murmuró—: Eh, chicos. Mirad esto.

Cuando se desplazó a un lado, ante los ojos de todos surgió flotando una mancha azul verdosa, como un charco fantasmagórico de ectoplasma.

—¿Qué coño es esto? —preguntó Corso.

—¡Luces! —pidió Pete.

Maura encendió el foco. El charco azul verdoso se esfumó, y en su lugar sólo vio la escalera de madera que llevaba a la cocina.

—Es en este peldaño de aquí —dijo Gary—. Cuando he tropezado, ha recibido parte del spray.

—Deja que coloque la cámara. Luego quiero que subas a lo alto de la escalera. ¿Crees que podrás bajar a tientas si apagamos las luces?

—No lo sé. Si bajo despacio...

—Rocía los peldaños mientras vas bajando.

—No, no. Creo que empezaré desde abajo e iré subiendo. No me gusta la idea de bajar la escalera a oscuras.

—Como te sientas más cómodo —apretó el disparador y la cámara soltó un destello. Bien, Gary. Ya tengo mi foto de referencia. Cuando quieras.

—Ya. Puede apagar la luz, doctora.

Maura apagó el foco.

Una vez más oyeron el siseo del spray al dispersar la fina neblina de Luminol. Cerca del suelo surgió una salpicadura azul verdosa. Luego, más arriba, otra mancha, como fantasmagóricos charcos de agua. A continuación escucharon la pesada respiración de Gary a través de la máscara y el crujir de los peldaños a medida que subía de espaldas la escalera, sin dejar de rociar el spray en todo momento. Peldaño tras peldaño, éstos se iluminaban, formando una cascada de intensa luminosidad.

«Una cascada de sangre.»

No podía ser otra cosa, pensó Maura. Cada peldaño estaba manchado de punta a punta, con pequeños regueros a ambos lados de la escalera.

—Jesús —murmuró Gary—. Aquí arriba, en el último peldaño, es todavía más intenso. Parece que viniera de la cocina. Como si se hubiera escurrido por debajo de la puerta y goteado por la escalera.

—Todo el mundo quieto donde está. Voy a hacer una foto. Cuarenta y cinco segundos.

—A estas horas ya debe de estar bastante oscuro fuera —dijo Corso—. Podemos seguir con el resto de la casa.

Cuando subieron, llevando consigo todo el equipo, Rizzoli les estaba esperando en la cocina.

—Por lo que he oído, ha sido todo un espectáculo de luminotecnia —comentó.

—Y pienso que vamos a ver todavía más —dijo Maura.

—¿Dónde quiere empezar a rociar ahora? —preguntó Pete a Corso.

—Aquí mismo. En el suelo más cercano a la puerta del sótano.

Esta vez Rizzoli no abandonó la estancia cuando se apagaron las luces. Retrocedió al fondo y observó de lejos cómo la niebla de Luminol se esparcía por el suelo. Un dibujo geométrico brilló de repente a sus pies, un tablero de ajedrez azul verdoso con sangre antigua atrapada en el dibujo repetitivo del linóleo. El tablero iba creciendo como la llama azul que se extiende por un paisaje y, de repente, chocó contra una superficie vertical, formando anchos brochazos y manchas, arcos de brillantes gotitas.

Maura se quedó mirando la pared. La imagen que había visto allí todavía ardía en su recuerdo.

—Esto es el chorro de una arteria —dijo en voz baja—. Ocurrió en esta habitación. Aquí es donde los mataron.

—Pero en el sótano también habéis visto sangre —replicó Rizzoli.

—En los peldaños.

—Está bien. Por ahora tenemos como mínimo a una víctima muerta en esta habitación, puesto que hay sangre arterial por toda la pared —Rizzoli recorrió la cocina, los rizos indómitos le ocultaban los ojos mientras escudriñaba el suelo; al final se detuvo—. ¿Cómo sabemos que no hay más víctimas? ¿Cómo sabemos que esta sangre es de los Sandler?

—No lo sabemos.

Rizzoli se acercó al sótano y abrió la puerta. Se quedó allí un momento, observando por la escalera la oscuridad de abajo. Luego se volvió y miró a Maura.

—Este sótano tiene suelo de tierra.

Transcurrió un momento de silencio.

—En la furgoneta tenemos un GPR. Lo utilizamos hace dos días en una granja de Machias.

—Tráiganlo aquí —ordenó Rizzoli—. Vamos a echar un vistazo a lo que hay debajo de esa tierra.

22

El GPR es un radar capaz de penetrar bajo tierra y utiliza ondas electromagnéticas para explorar bajo la superficie del suelo. La máquina SIR System 2 que los técnicos descargaron de la furgoneta tenía dos antenas: una para enviar un latido de energía electromagnética de alta frecuencia bajo tierra; la otra para medir las ondas sonoras que rebotaban sobre los elementos subterráneos. En la pantalla de un ordenador se veían los datos en forma de varios estratos, como una serie de capas horizontales. Mientras los técnicos bajaban el equipo por la escalera, Yates y Corso marcaban intervalos de un metro en el suelo del sótano, para formar una cuadrícula de búsqueda.

—Con toda esa lluvia —comentó Pete, mientras desenrollaba el cable—, la tierra estará muy húmeda.

—¿Influye eso en algo? —quiso saber Maura.

—La respuesta del GPR varía según el contenido en agua de la superficie. Habrá que ajustar la frecuencia electromotriz para que sea fiable.

—¿Doscientos megahercios? —preguntó Gary.

—Yo empezaría con eso. No es conveniente aumentar la intensidad; de lo contrario aparecerían demasiados detalles —Pete enchufó los cables a la consola de la mochila y conectó el ordenador portátil—. Habrá algunas dificultades aquí, sobre todo con tantos árboles a nuestro alrededor.

—¿Qué tienen que ver los árboles con esto? —preguntó Rizzoli.

—La casa está construida en un terreno boscoso. Lo más probable es que haya muchas cavidades aquí, restos de antiguas raíces podridas. Eso hará que la imagen sea un poco confusa.

—Ayúdame a colocar la mochila.

—¿Cómo? ¿Necesitas ajustar las correas?

—No, están bien así —Gary inspiró y echó una ojeada al sótano—. Empezaré por aquel extremo.

A medida que Gary pasaba el GPR por el suelo de tierra, el perfil subterráneo aparecía en la pantalla del ordenador portátil en forma de bandas onduladas. La formación médica de Maura la había familiarizado con los ultrasonidos y las tomografías computerizadas del cuerpo humano, pero no tenía idea de cómo interpretar aquellas ondulaciones de la pantalla.

—¿Qué es lo que ven? —preguntó a Gary.

—Esas zonas oscuras son ecos positivos del radar. Los ecos negativos figuran en blanco. Estamos buscando algo anómalo. Un reflejo hiperbólico, por ejemplo.

—¿Y eso qué es? —inquirió Rizzoli.

—Una especie de protuberancia que empuja estos diversos estratos. Provocada por algo enterrado aquí debajo que esparce las ondas del radar en todas direcciones —se interrumpió para analizar la pantalla—. Bien, aquí. ¿Ve esto? A unos tres metros de profundidad hemos encontrado algo que envía reflejos hiperbólicos.

—¿Qué cree que puede ser? —preguntó Yates.

—Podría tratarse sólo de la raíz de un árbol. Marquémoslo y sigamos.

Pete clavó una estaca en el suelo para marcar el sitio.

Gary continuó, siguiendo las líneas de la cuadrícula atrás y adelante, mientras los ecos del radar ondeaban en la pantalla del ordenador. De vez en cuando se detenía y pedía que clavaran una estaca, a fin de marcar otro sitio que comprobarían en un segundo repaso. Había dado la vuelta y regresaba hacia la mitad de la cuadrícula cuando de repente se paró.

—Vaya... —dijo—. Esto es interesante.

—¿Qué ha visto? —preguntó Yates.

—Aguarde. Deje que vuelva a repasar esta sección —Gary retrocedió, pasando el GPR por la sección que acababa de sondear: avanzó de nuevo paso a paso, con la mirada fija en el ordenador y volvió a pararse—. Aquí tenemos una anomalía importante.

Yates se le acercó.

—Deje que la vea.

—Está a menos de un metro de profundidad. Una gran bolsa aquí. ¿La ve? —Gary señaló la pantalla, donde un abultamiento distorsionaba los ecos del radar; luego estudió el suelo—. Justo aquí hay algo. No se encuentra a mucha profundidad —se volvió a Yates—. ¿Qué quiere que hagamos?

—¿Tienen ustedes palas en la furgoneta?

—Sí, tenemos una. Y también un par de paletas.

Yates asintió.

—Está bien. Tráiganlas aquí abajo. También necesitaremos algunas luces más.

—Hay otro foco portátil en la furgoneta. Y más cable de extensión.

Corso empezó a subir la escalera.

—Voy a buscarlos.

—Yo le ayudo —dijo Maura, siguiéndole ya hacia la cocina.

Fuera, la intensa lluvia se había reducido a ligera llovizna. Buscaron dentro de la furgoneta de la policía científica, encontraron la pala y el equipo de luz extra. Corso lo acarreó en dirección a la casa.

Maura cerró la puerta de la furgoneta y se disponía a seguirle con la caja que contenía las paletas cuando vio unos faros que brillaban entre los árboles. Se quedó en el camino de la entrada, observando cómo una camioneta familiar se acercaba por el camino y se detenía al lado de la furgoneta.

La señorita Clausen bajó del coche arrastrando tras de sí, como si de una capa se tratara, un impermeable de varias tallas más que la suya.

—Pensé que a estas horas ya habrían terminado. Me preguntaba por qué no me había devuelto la llave.

—Todavía nos quedaremos aquí un rato.

La señorita Clausen descubrió los otros vehículos en la entrada.

—Creía que sólo quería dar otro vistazo a la casa. ¿Qué hacen por aquí los del laboratorio de investigación criminal?

—Nos llevará algo más de tiempo del que pensábamos. Es posible que nos quedemos toda la noche.

—¿Para qué? La ropa de su hermana ya no está en la casa. La metí en cajas para que usted se las llevara.

—Esto no tiene nada que ver con mi hermana, señorita Clausen. La policía está aquí por otro asunto. Algo que ocurrió hace bastante tiempo.

—¿Cuánto?

—Hará unos cuarenta y cinco años. Antes de que adquiriese usted la casa.

—¿Cuarenta y cinco años? Esto debió de ser cuando... —la mujer se interrumpió.

—¿Cuando qué?

La señorita Clausen fijó de repente la mirada en la caja de material de excavación que Maura sostenía.

—¿Para qué son estas paletas? ¿Qué hacen ustedes en mi casa?

—La policía está buscando en el sótano.

—¿Buscando? ¿Quiere decir que están cavando allí?

—Tienen que hacerlo.

—¡Yo no le he dado permiso para eso! —se volvió y, con paso decidido, se dirigió al porche, arrastrando tras de sí el impermeable mientras subía los escalones.

Maura la siguió al interior de la casa y entró tras ella en la cocina. Depositó en la encimera la caja con las paletas.

—Espere. Usted no entiende lo…

—¡No quiero que nadie me destroce el sótano!

La señorita Clausen abrió de un tirón la puerta y descubrió abajo al detective Yates, con una pala entre las manos. Había empezado ya a excavar en el suelo, y a sus pies se apilaba un pequeño montículo de tierra.

—¡Señorita Clausen, deje que hagan su trabajo! —exclamó Maura.

—¡La dueña de esta casa soy yo! —gritó la mujer hacia abajo—. ¡Y ustedes no pueden cavar aquí a menos que les dé permiso!

—Señora, le prometo que en cuanto terminemos volveremos a llenar el agujero —replicó Corso—. Sólo queremos echar un vistazo.

—¿Para qué?

—Nuestro radar refleja un bulto importante.

—¿Qué quiere decir con que refleja un bulto importante? ¿Qué hay ahí abajo?

—Eso es lo que pretendemos averiguar. Si es que nos autoriza a seguir.

Maura tironeó de la mujer para apartarla del sótano y cerró la puerta.

—Por favor, déjeles que sigan. Si se niega, les obligará a solicitar una orden judicial.

—En primer lugar, ¿qué diablos les ha llevado a excavar ahí abajo?

—Sangre.

—¿Cómo que sangre?

—Hay sangre por toda la cocina.

La mujer bajó la mirada al suelo, escudriñando el linóleo.

—Yo no veo ninguna sangre.

—No puede verla. Hace falta un aerosol químico para hacerla visible. Pero créame, está aquí. Hay rastros microscópicos por todo el suelo, y en esa pared. Luego el rastro pasa por debajo de la puerta del sótano y baja la escalera. Alguien intentó limpiarla fregando el suelo y las paredes. Probablemente pensaron que así la eliminaban del todo, dado que no se veía. Pero la sangre continúa aquí. Se introdujo en las rendijas, en las grietas de la madera. Y ahí se ha quedado durante años y años, sin que nada la pudiera eliminar. Se quedó atrapada en esta casa. En las paredes mismas.

La señorita Clausen se volvió y la miró.

—¿La sangre de quién? —preguntó, bajando la voz.

—Es lo que a la policía le gustaría saber.

—Usted no creerá que yo tenga nada que ver con...

—No. Sospechamos que la sangre es muy antigua. Probablemente estaba ya aquí cuando compró usted la casa.

La mujer parecía aturdida en el momento de dejarse caer en una silla ante la mesa de la cocina. La capucha del impermeable se le había caído de la cabeza, descubriendo una mata de cabello gris que recordaba la cresta de un puercoespín. Hundida dentro del holgado impermeable parecía incluso más pequeña, más vieja. Una mujer que se encogía ya dentro de su tumba.

—A partir de ahora, ya nadie querrá comprar esta casa —murmuró—. Cuando se enteren de esto no la comprarán. Ya no podré deshacerme de esta maldita cosa.

Maura se sentó frente a ella.

—¿Por qué pidió mi hermana alquilar esta casa? ¿Se lo comentó a usted?

La señorita Clausen no contestó. Seguía meneando la cabeza, todavía aturdida.

—Dijo usted que ella vio el cartel de SE VENDE en la carretera y telefoneó a la inmobiliaria.

Al final asintió.

—Así, de improviso.

—¿Y qué le dijo?

—Que quería conocer más cosas de la propiedad. Quién había vivido aquí, quién era el dueño anterior a mí. Dijo que buscaba comprar algo por la región.

—¿Le habló usted de los Lank?

La señorita Clausen se puso rígida.

—¿Sabe lo de ellos?

—Sé que fueron dueños de esta casa. Que había un padre y un hijo. Y la sobrina del hombre, una chica llamada Amalthea. ¿También mi hermana le preguntó por ellos?

La mujer respiró hondo.

—Ella quería saber, y yo la entendí. Si piensas en comprar una casa, quieres saber quién la construyó, quién vivió en ella... —miró a Maura a los ojos—. Esto es por ellos, ¿verdad? Por los Lank.

—¿Se crió usted en este pueblo?

—Sí.

—Entonces debió de conocer a la familia Lank.

La señorita Clausen no contestó de inmediato. Se levantó

y se quitó el impermeable. Tardó bastante en colgarlo de uno de los ganchos que había junto a la puerta de la cocina.

—Él estaba en mi clase —dijo, todavía de espaldas a Maura.

—¿Quién?

—Elijah Lank. Yo no llegué a conocer muy bien a su prima Amalthea, porque iba cinco cursos detrás de nosotros en la escuela. Era sólo una cría. Pero a Elijah lo conocíamos todos —su voz bajó hasta convertirse casi en murmullo, como si le costara pronunciar el nombre en voz alta.

—¿Le conoció usted a fondo?

—Más de lo que hubiera querido.

—No parece que le cayera muy bien.

La señorita Clausen se volvió a mirarla.

—Es difícil que te caiga bien una persona que te asusta hasta ponerte los pelos de punta.

A través de la puerta del sótano oían los golpes de la pala al golpear contra el suelo. Excavaban cada vez a más profundidad en los secretos de la casa. Una casa que, incluso muchos años después, era todavía testigo silencioso de algo horrible.

—Esto era un pueblo pequeño, doctora Isles. No como ahora, con toda esa gente nueva que viene de fuera, que compra casas de veraneo. En aquel entonces sólo había gente de aquí, y conocías a todo el mundo. Qué familias eran buena gente, de cuáles te tenías que apartar. Que tenía que apartarme de Elijah Lank es algo que comprendí a los catorce años. Él era de esos chicos de los que es preferible mantenerte alejada.

La señorita Clausen regresó a la mesa y se dejó caer en la silla como si estuviese agotada. Se quedó mirando la superficie de formica, lo mismo que si contemplara su propio reflejo en el interior de un charco. El reflejo de una muchacha de catorce años, temerosa del chico que vivía en aquella colina.

Maura aguardó, con los ojos fijos en la tiesa maraña de cabello gris que cubría aquella cabeza gacha.

—¿Por qué le tenía miedo?

—Yo no era la única. Elijah nos daba miedo a todas después de que...

—¿De qué?

La señorita Clausen alzó los ojos.

—Después de que enterrara viva a aquella chica.

En el silencio que siguió, Maura percibió el murmullo de las voces de los hombres mientras seguían excavando el suelo del sótano. Sintió los latidos de su corazón contra las costillas. «Dios mío, ¿qué van a encontrar ahí abajo?», pensó.

—Era una chica nueva en el pueblo... —continuó la señorita Clausen—. Alice Rose. Las otras se sentaban tras ella y hacían comentarios. Se inventaban chistes sobre su aspecto. Podías decir cualquier cosa de Alice y quedarte tan tranquila, porque ella no podía oírte. Nunca supo que nos burlábamos de ella. Sé que éramos crueles, pero es de esas cosas que se hacen cuando tienes catorce años. Antes de que aprendamos a ponernos en el pellejo del otro. Antes de probarlo en nuestra propia carne.

Dejó escapar un suspiro, un sonido para lamentar todas las transgresiones de la infancia, todas las lecciones que había aprendido demasiado tarde.

—¿Y qué le ocurrió a Alice?

—Elijah dijo que se trataba sólo de una broma. Que en todo momento había planeado sacarla del pozo al cabo de unas horas. ¿Pero puede imaginar usted por un momento, lo que significa verse atrapada dentro de un agujero? ¿Tan aterrorizada que te meas encima, sin que nadie pueda oírte gritar? ¿Sin que nadie sepa dónde estás, excepto el chico que te ha encerrado allí?

Maura aguardó sin decir nada. Temerosa de oír el final de la historia.

La señorita Clausen vio la aprensión en sus ojos y negó con un movimiento de cabeza.

—Oh, no. Alice no murió. La salvó su perro. Averiguó dónde estaba y no paró de ladrar hasta desgañitarse, pero al final consiguió atraer a la gente hasta el lugar.

—¿De modo que ella sobrevivió?

La mujer asintió.

—La encontraron ya avanzada la noche. Para entonces llevaba horas dentro del agujero. Cuando la sacaron, apenas podía hablar. Parecía una zombi. Semanas después, su familia se marchó del pueblo. Ignoro adónde se fueron.

—¿Y qué le ocurrió a Elijah?

La señorita Clausen se encogió de hombros.

—¿Qué supone que le pasó? Siguió insistiendo en que era sólo una broma, el tipo de cosas que los demás le hacíamos a Alice todos los días en la escuela. Y es cierto, todos la atormentábamos. Todos contribuíamos a que se sintiera despreciable. Sólo que Elijah decidió llevar la broma a un extremo impensable.

—¿Y no le castigaron?

—Cuando sólo tienes catorce años, siempre se te concede una segunda oportunidad. Sobre todo si te necesitan en casa. Si tu padre se pasa borracho la mitad del día y hay una prima de nueve años viviendo en la misma casa.

—Amalthea... —musitó Maura.

La señorita Clausen asintió.

—Imagine, ser una niña en esa casa. Creciendo con una familia de bestias.

«Bestias.»

De pronto sintió que el ambiente estaba muy cargado y notó que tenía las manos frías. Entonces se acordó de los desvaríos de Amalthea. «Márchate antes de que él te vea.»

Y pensó en la marca de una garra en la puerta del coche. «El signo de la Bestia.»

La puerta del sótano chirrió al abrirse y asustó a Maura. Se volvió y descubrió a Rizzoli de pie en el umbral.

—Han encontrado algo —anunció la detective.

—¿Qué es?

—Madera. Una especie de tabla, a poco más de medio metro de profundidad. Ahora intentan despegar la tierra que la cubre —señaló la caja con las paletas que había en la encimera. Necesitaremos esto.

La misma Maura bajó la caja por la escalera del sótano. Vio que las pilas de tierra excavada rodeaban el perímetro de la zanja, que tendría dos metros de largo.

El tamaño de un ataúd.

El detective Corso, que en aquellos momentos empuñaba la pala, se volvió a Maura.

—La tabla parece bastante gruesa, pero escuche —golpeó la pala contra la madera—. No es sólida. Debajo hay un espacio vacío.

—¿Quieres que me encargue yo ahora? —preguntó Yates.

—Sí, tengo la espalda a punto de partirse —dijo Corso, entregándole la pala.

Yates saltó al interior de la zanja y sus zapatos golpearon la madera. Un sonido hueco. Atacó la tierra con hosca determinación, lanzándola hasta formar un montículo, que creció con celeridad. Nadie dijo nada a medida que la parte del tablero emergente era cada vez mayor. Los dos focos portátiles proyectaban su intensa luz sobre la zanja. La sombra de Yates rebotaba igual que una marioneta contra las paredes del sótano. Los demás observaban en silencio, como ladrones de tumbas que aguardaran con avidez el primer atisbo del interior de un sepulcro.

—He despejado un trozo aquí —anunció Yates, respirando con dificultad, mientras la pala rascaba sobre la madera—. Diría que es una especie de caja de embalaje. La he golpeado con la pala, pero no querría estropear la madera.

—He traído las paletas y brochas —dijo Maura.

Yates se enderezó, jadeando, y salió del hoyo.

—Está bien. Tal vez quieran limpiar la tierra de la superficie. Sacaremos fotos antes de abrirla con una palanca.

Maura y Gary saltaron dentro de la zanja y ella sintió que la tapa se estremecía bajo su peso. Se preguntó qué horrores aguardaban bajo aquellas sucias tablas, y tuvo la horrible visión de que repentinamente la madera cedía y ella se hundía sobre carne putrefacta. Intentó no hacer caso de los latidos de su corazón. Se arrodilló y empezó a limpiar la tierra que cubría la tapa.

—Deme una de esas brochas también —dijo Rizzoli, a punto de saltar a la zanja.

—No, usted no —la interrumpió Yates—. ¿Por qué no se lo toma con calma?

—No soy una minusválida. No me gusta estar aquí sin hacer nada.

Yates le lanzó una mirada de preocupación.

—Bueno, pues a ninguno nos gustaría verla a usted trabajando ahí abajo. Y tampoco querría tener que darle explicaciones a su marido.

—Aquí no hay mucho espacio para maniobrar, Jane —le dijo Maura.

—Bien, dejad al menos que coloque estos focos para que podáis ver mejor.

Rizzoli movió uno de los focos y de pronto la luz cayó

sobre el rincón donde Maura estaba trabajando. En cuclillas, mientras utilizaba la brocha para limpiar la tierra de las tablas, descubrió unos puntos oxidados.

—Aquí veo cabezas de clavos viejos —anunció.

—Tengo una palanca en el coche —dijo Corso—. Voy a buscarla.

Maura siguió cepillando tierra y descubriendo cabezas oxidadas de más clavos. El espacio era muy reducido para moverse; la nuca y los hombros empezaban a dolerle. Enderezó la espalda y, en ese momento, oyó un ruido estridente a sus espaldas.

—¡Eh! —gritó Gary—. Mirad esto.

Maura se volvió y vio que la pala de Gary había golpeado contra un trozo de cañería rota.

—Parece salir del borde de la tabla —comentó Gary, mientras con los dedos probaba cauteloso la oxidada protuberancia que emergía de un terrón de tierra convertido en costra sobre la tapa—. ¿Por qué se le habrá ocurrido a alguien meter una cañería dentro de…? —se interrumpió y se volvió hacia Maura.

—Es un agujero de ventilación —concluyó ella.

Gary estudió las tablas de madera que había debajo de sus rodillas.

—¿Qué diablos puede haber ahí dentro? —murmuró.

—Salid de este agujero —ordenó Pete—. Los dos. Vamos a sacar fotos.

Yates tendió la mano a Maura y ésta saltó fuera de la zanja, sintiéndose de pronto mareada al incorporarse con excesiva rapidez. Parpadeó, cegada por el flash de la cámara, por el resplandor de los focos y las sombras que danzaban sobre las paredes. Se acercó a la escalera del sótano y se sentó. Sólo entonces recordó que el escalón donde se sentaba estaba impregnado con los fantasmagóricos restos de sangre.

—Está bien —dijo Pete—. Vamos a abrirla.

Corso se arrodilló junto a la zanja y metió la punta de la palanca bajo una de las esquinas de la madera. Tiró para levantar el panel, que soltó un chirrido de clavos oxidados.

—No se ha movido —comentó Rizzoli.

Corso se interrumpió y se pasó la manga de la camisa por la cara, dejando una franja de suciedad en la frente.

—Muchachos, mañana la espalda me pasará factura por esto.

Volvió a introducir la punta de la palanca bajo la tapa. Esta vez consiguió introducirla más. Respiró hondo y apoyó todo su peso sobre el eje de presión.

Los clavos chirriaron al ceder.

Corso dejó a un lado la palanca. Yates y él se inclinaron dentro de la zanja, agarraron el borde de la tapa y la levantaron. Por un momento, nadie dijo nada. Todos se quedaron mirando el agujero, ahora totalmente iluminado por los focos.

—No lo entiendo —dijo Yates.

La caja estaba vacía.

Aquella misma noche regresaron a casa por una autopista que relucía a causa de la lluvia. Los limpiaparabrisas del coche de Maura trazaban un lento e hipnótico compás sobre el empañado cristal.

—Toda esa sangre en la cocina… —comentó Rizzoli—. Ya sabes lo que significa eso. Que Amalthea había asesinado antes. Nikki y Theresa Wells no fueron sus primeras víctimas.

—Ella no vivía sola en esa casa, Jane. Su primo Elijah también vivía allí. Pudo haber sido él.

—Ella ya tenía diecinueve años cuando los Sadler desaparecieron. Tenía que saber lo que ocurría en su cocina.

—Pero no significa que lo hiciera ella.

Rizzoli se volvió a mirarla.

—¿Te has creído la teoría de O'Donnell? ¿La de la Bestia?

—Amalthea es una esquizofrénica. Dime si alguien con una mente tan caótica como la suya sería capaz de matar a dos mujeres y luego seguir una pauta tan lógica como la de quemar los cuerpos con el fin de destruir las pruebas.

—No hizo un excelente trabajo a la hora de destruir sus huellas. Recuerda que a ella la detuvieron.

—La policía de Virginia tuvo mucha suerte. Detenerla en un control rutinario de tráfico no es lo que se dice un brillante ejemplo de labor detectivesca —Maura miró al frente, a los jirones de niebla que se curvaban por la desierta autopista—. Amalthea no mató sola a aquellas mujeres. Tuvo que haber alguien más que le ayudara. Alguien que dejó sus huellas en el coche. Alguien que estuvo con ella desde el principio.

—¿Su primo?

—Elijah tenía sólo catorce años cuando enterró viva a aquella muchacha. ¿Qué clase de chico haría una cosa así? ¿Y en qué clase de hombre se habrá convertido?

—Me asusta imaginarlo.

—Pienso que ambas lo sabemos —dijo Maura—. Las dos hemos visto la sangre en esa cocina.

El Lexus pasó zumbando por la carretera. Había cesado de llover, pero el aire seguía cargado de vaho, nublando el parabrisas.

—Si fueron ellos quienes mataron a los Sandler —dijo Rizzoli—, es forzoso que te preguntes... —se volvió hacia Maura—. ¿Qué hicieron con el hijo de Karen Sandler?

Maura no contestó. Mantuvo fija la mirada en la autopista, conduciendo derecho por aquella carretera. Sin bifurcaciones, sin travesías. Sólo seguir conduciendo.

—¿Sabes a qué conclusión he llegado? —continuó Rizzoli—. Cuarenta y cinco años atrás, los primos Lank mataron a una mujer embarazada. Los restos de la criatura no se han encontrado. Cinco años después, Amalthea Lank se presenta en Boston, en el despacho de Van Gates, con dos hijas recién nacidas para vender.

A Maura se le entumecieron los dedos sobre el volante.

—¿Y si aquellas dos criaturas no fueran en realidad hijas suyas? —preguntó Rizzoli—. ¿Y si Amalthea no fuera de verdad tu madre?

23

Mattie Purvis aguardó en la oscuridad, preguntándose cuánto tardaría una persona en morir de hambre. Estaba consumiendo la comida con excesiva rapidez. En la bolsa de comestibles sólo quedaban seis barritas Hershey, medio paquete de pastas saladas y una pocas tiras de cecina. «Tengo que racionarla», pensó. «Tengo que hacer que dure lo bastante para...»

«¿Para qué? ¿Para morir de sed?»

Dio un mordisco a un precioso trozo de chocolate y estuvo dolorosamente tentada de dar un segundo mordisco, pero logró evitarlo a fuerza de voluntad. Con cuidado envolvió otra vez la barrita para más tarde. «Si estoy tan desesperada, siempre me queda el papel para comer», pensó. «El papel es comestible, ¿no? Lo hacen de madera, y los ciervos hambrientos se comen la corteza de los árboles, así que debe de haber algún valor nutritivo en él. Sí, hay que guardar el papel. Mantenerlo limpio.» A regañadientes, volvió a depositar en la bolsa el chocolate a medio consumir.

Cerró los ojos y pensó en hamburguesas, en pollo frito, en todos los alimentos prohibidos que se había negado desde que Dwayne dijera que las mujeres embarazadas le recordaban a las vacas. Eso quería decir que ella le recordaba a una vaca. A partir de ese momento, durante dos semanas no había comido más que ensaladas. Hasta el día en que se sintió mareada y tuvo que sentarse en el suelo en medio de los grandes almacenes Macy's. Dwayne se puso colorado cuando las señoras se apiñaron preocupadas en torno a ellos, preguntando una y otra vez si su esposa se encontraba bien. Él no paraba de ahuyentarlas con la mano, mientras le siseaba a Mattie que se levantase. «Lo más importante es la imagen», le gustaba decir en cualquier ocasión. Y allí estaba el señor BMW con la vaca de su esposa, embutida en sus pantalones elásticos de embarazada, revolcándose por el suelo. «Sí, soy una vaca, Dwayne. Una vaca gorda y hermosa, que lleva dentro tu bebé. Así que ven a salvarnos, maldita sea. Sálvanos. Sálvanos.»

Rechinaron pasos sobre su cabeza.

Miró hacia arriba mientras su secuestrador se iba acercando. Había llegado a reconocer sus pasos: ligeros y cautos como los de un gato al acecho. Cada vez que la visitaba, ella le suplicaba que la soltara. Y él se limitaba siempre a marcharse, dejándola dentro de aquella caja. La comida ya empezaba a escasear y el agua también.

—Señora.

No contestó. «Voy a dejarle intrigado», pensó. Le preocupará si me encuentro bien y tendrá que abrir la caja. Debe mantenerme con vida o de lo contrario no obtendrá su precioso rescate.

—Dígame algo, señora.

Permaneció en silencio. «Ninguna otra cosa puede funcionar», pensó Mattie. «Tal vez esto le asuste. Quizá ahora me deje salir.»

Un golpe sordo sobre la tierra.

—¿Está usted ahí?

«¿En qué otra parte voy a estar, gilipollas?»

Una larga pausa.

—Bien. Si ya está muerta, entonces no tiene sentido sacarla, ¿verdad?

Los pasos empezaron a alejarse.

—¡Aguarde! ¡Espere! —encendió la linterna y empezó a golpear el techo—. ¡Regrese aquí, maldita sea! ¡Vuelva!

Mattie escuchó con atención, el corazón le latía con fuerza. Casi rió de alivio cuando oyó acercarse el crujido de los pasos. ¡Qué lastimoso era aquello! Se veía reducida a suplicar su atención, igual que una amante ignorada.

—Veo que está despierta... —murmuró él.

—¿Ha hablado con mi marido? ¿Cuándo va a pagarle?

—¿Qué tal se encuentra?

—¿Por qué nunca contesta a mis preguntas?

—Conteste primero a las mías.

—¡Oh, me encuentro estupendamente!

—¿Y el bebé?

—Me estoy quedando sin comida. Necesito más comida.

—Tiene suficiente.

—Usted perdone, pero soy yo quien está aquí metida, ¡no usted! Me muero de hambre. ¿Cómo va a conseguir su dinero si me muero?

—Tranquilícese, señora. Descanse. Todo irá bien.

—¡No hay nada que vaya bien!

No obtuvo respuesta.

—¿Oiga? ¿Oiga? —gritó.

Los pasos se alejaron esta vez.

—¡Espere! —golpeó el techo. ¡Vuelva! —golpeó la caja con los puños. De pronto, la rabia se apoderó de ella, una rabia como ninguna de las que había experimentado antes, y empezó a gritar—: ¡No puede hacerme esto a mí! ¡No soy un animal! —se desplomó contra la pared, tenía las manos heridas y palpitantes, el cuerpo arqueado por los sollozos. Sollozos de furia, no de derrota—. ¡Jódete! —exclamó—.

¡Jódete y que se joda Dwayne! ¡Que se jodan todos los gilipollas del mundo!

Agotada, se desplomó sobre la espalda. Se pasó los brazos por los ojos, secándose las lágrimas. «¿Qué quiere éste de nosotros? A estas alturas Dwayne ya debe de haberle pagado. ¿Entonces por qué sigo aquí abajo? ¿Qué está esperando?»

La criatura le dio una patada. Apretó la mano sobre su vientre, una caricia tranquilizadora trasmitida a través de la piel que las separaba. Sintió que el vientre se le tensaba, el primer síntoma de una contracción. Pobrecita. Pobre…

Criatura.

Se quedó muy quieta, pensando. Recordando todas las conversaciones que había mantenido a través de la rejilla de ventilación. Nunca habían hablado de Dwayne. Y tampoco de dinero. Aquello carecía de sentido. Si aquel estúpido quería dinero, Dwayne era la persona a quien debía acudir. Pero no le había preguntado nunca por su marido. No le había hablado de Dwayne. ¿Y si ni siquiera le había telefoneado? ¿Si no había pedido ningún rescate?

«¿Entonces qué quiere?»

La linterna falló. El segundo grupo de pilas se acababa. Otros dos recambios y se le terminarían. Se quedaría en una oscuridad permanente. Esta vez no se dejó dominar por el pánico mientras buscaba en la bolsa y abría un nuevo paquete. «Ya he hecho esto otra vez, puedo hacerlo de nuevo.» Desenroscó la tapa del fondo tranquilamente, sacó las pilas gastadas e introdujo otras nuevas. Brotó un potente rayo de luz, un indulto temporal a la larga noche que temía que se acercara.

«Todo el mundo se muere. Pero yo no quiero morir enterrada en esta caja, donde nadie encontrará mis huesos.»

«Ahorra la luz mientras puedas.» Tiró del interruptor y se quedó acostada en la oscuridad, mientras el miedo se cerraba en torno a ella y la apretaba con sus tentáculos. «Nadie lo sabe», pensó. «Nadie sabe que estoy aquí.»

«Para ya, Mattie. Mantente firme. Eres la única que te puede salvar.»

Se dio la vuelta y se abrazó. Entonces oyó algo que rodaba por el suelo. Una de las pilas usadas, inservible ya.

«¿Y si nadie sabe que me han secuestrado? ¿Qué ocurrirá si nadie sabe que sigo con vida?»

Se rodeó el vientre con los brazos y pensó en cada una de las conversaciones que había mantenido con su secuestrador. «¿Qué tal se encuentra?» Era lo que preguntaba siempre: «¿Qué tal se encuentra?» Como si le importara. Como si a alguien que mantenía a una mujer embarazada dentro de una caja le importara un pimiento lo que pudiera sentir. Pero él formulaba siempre aquella pregunta, y ella siempre le suplicaba que la dejara salir.

«Él espera una respuesta diferente.»

Dobló las rodillas y el pie golpeó algo que se alejó rodando. Entonces se sentó y encendió la linterna. Empezó a gatear para recoger las pilas desperdigadas. Tenía cuatro gastadas, más dos nuevas todavía en el paquete. Aparte de las dos en la linterna. Volvió a apagarla. «Ahorra la luz, ahorra la luz.»

En medio de la oscuridad, empezó a desatarse el zapato.

24

La doctora Joyce P. O'Donnell entró en la sala de conferencias de la unidad de homicidios como si fuera la dueña del lugar. El impecable traje de St. John probablemente costaba más que el presupuesto en ropa de Rizzoli para todo un año. Los tacones de un palmo de alto subrayaban su estatura ya escultural. Aunque tres policías la estaban observando mientras se sentaba ante la mesa, no demostró el menor atisbo de incomodidad. Sabía cómo controlar una audiencia, una habilidad que Rizzoli no pudo sino envidiar, a pesar del desprecio que sentía por aquella mujer.

No cabía la menor duda de que la antipatía era mutua. O'Donnell lanzó una mirada helada a Rizzoli, luego la deslizó por encima de Barry Frost y, por último, centró toda su atención en el teniente Marquette, el oficial de mayor rango en la unidad. Por supuesto iba a centrarse en Marquette: O'Donnell no perdía su tiempo con subalternos.

—Ha sido una invitación inesperada, teniente —dijo ella—. No ocurre con frecuencia que me pidan que acuda a Schroeder Plaza.

—Fue la detective Rizzoli quien lo sugirió.

—Más inesperado entonces, teniendo en cuenta las circunstancias.

«Teniendo en cuenta que jugamos en equipos contrarios», pensó Rizzoli. «Yo detengo a los monstruos; tú los defiendes.»

—Sin embargo —prosiguió O'Donnell—, como ya le dije a la detective Rizzoli por teléfono, no puedo ayudarles a menos que ustedes me ayuden a mí. Si quieren que les ayude a encontrar a la Bestia, tienen que compartir conmigo la información de que disponen.

En respuesta, Rizzoli entregó una carpeta a O'Donnell.

—Esto es lo que sabemos sobre Elijah Lank hasta el momento.

Vio el brillo de avidez en los ojos de la psiquiatra cuando cogió el expediente. Para aquello vivía O'Donnell, para echar una ojeada a un monstruo. Para tener la posibilidad de acercarse a los latidos cardíacos del mal.

O'Donnell abrió la carpeta.

—Es el expediente de su instituto.

—De Fox Harbor.

—Un cociente intelectual de 136. Pero sólo calificaciones mediocres.

—El clásico alumno de bajo rendimiento.

«Capaz de grandes cosas sólo con que se aplicara», había escrito un profesor, ignorante de adonde llevarían los logros a Elijah Lank.

—Después de la muerte de la madre, fue criado por Hugo, su padre. Un padre que nunca aguantó demasiado tiempo en un empleo. Por lo visto pasaba gran parte de los días pegado a una botella. Falleció de pancreatitis cuando Elijah tenía dieciocho años.

—Y ése es el hogar donde Amalthea creció.

—Sí. Fue a vivir con su tío cuando tenía nueve años, después de que muriera su madre. Nadie sabe quién fue el padre. Así que ahí tiene a la familia Lank en Fox Harbor. Un tío borracho, un primo psicópata antisocial y una chica que se vuelve esquizofrénica. Justo la preciosa y sana familia americana.

—Ha calificado a Elijah de psicópata antisocial.

—¿De qué otra manera calificaría a un muchacho que entierra viva a una compañera de clase sólo por divertirse?

O'Donnell pasó a la siguiente página. Todos los que habían leído aquel informe habían mostrado expresión de horror, pero la que apareció en el rostro de la psiquiatra era de fascinación.

—La muchacha que él enterró tenía sólo catorce años —explicó Rizzoli—. Alice Rose era nueva en la escuela. Y además tenía discapacidad auditiva, motivo por el que los demás alumnos la atormentaban. Y con toda probabilidad la razón de que Elijah la eligiera. Resultaba vulnerable, una presa fácil. La invitó a ir a su casa, luego la condujo por el bosque hasta el pozo que él mismo había cavado, la tiró dentro, cubrió el hoyo con tablas y amontonó piedras encima. Cuando más tarde le preguntaron por qué lo había hecho, contestó que todo era una broma. Pero, si he de serle sincera, pienso que pretendía matarla.

—Según este informe, la chica salió sana y salva.

—¿Sana y salva? No exactamente.

O'Donnell alzó la mirada.

—Pero sobrevivió.

—Alice Rose pasó los cinco años siguientes de su vida en tratamiento por grave depresión y ataques de ansiedad. Cuando tenía diecinueve, se metió en una bañera y se cortó las venas. En mi opinión, Elijah Lank es el responsable de su muerte. Ella fue su primera víctima.

—¿Puede usted probar que hubo otras?

—Hace cuarenta y cinco años, un matrimonio, Karen y Robert Sadler, desaparecieron de Kennebunkport. Karen Sadler estaba embarazada de ocho meses. Se encontraron los restos de ambos hace una semana, en el mismo terreno donde Elijah enterró viva a Alice Rose. Pienso que los Sadler fueron asesinados por Elijah. Por Elijah y por Amalthea.

O'Donnell se había quedado inmóvil, como si contuviera la respiración.

—Usted fue la primera en sugerirlo, doctora O'Donnell —intervino el teniente Marquette—. Aseguró que Amalthea tenía un socio, alguien a quien llamaba la Bestia. Alguien que le ayudó a matar a Nikki y a Theresa Wells. Es lo que le dijo a la doctora Isles, ¿no?

—Nadie más creyó en mi teoría.

—Bien, ahora la creemos —dijo Rizzoli—. Pensamos que la Bestia es su primo Elijah.

O'Donnell levantó una ceja con expresión divertida.

—¿El caso de «Los primos asesinos»?

—No sería la primera vez que unos primos matan juntos —señaló Marquette.

—Es cierto —dijo O'Donnell—. Kenneth Bianchi y Angelo Buono, los estranguladores de Hillside, eran primos.

—Entonces existe un precedente —dijo Marquette—. Primos como cómplices de asesinato.

—Usted no necesitaba que yo se lo dijera.

—Y usted supo de la existencia de la Bestia antes que nadie —replicó Rizzoli—. Y ha tratado de encontrarlo, de llegar a él a través de Amalthea.

—Pero sin éxito. De modo que no sé cómo puedo ayudarles a encontrarlo. Ni siquiera entiendo por qué me ha pedido que viniera, detective, puesto que tiene en tan poca consideración mis investigaciones.

—Sé que Amalthea habla con usted. Ella no quiso contarme nada cuando la vi ayer. Pero las celadoras me dijeron que habla con usted.

—Nuestras sesiones son confidenciales. Es mi paciente.

—Pero su primo no. Es a él a quien queremos encontrar.

—Bien. ¿Cuál fue su último domicilio conocido? Ustedes deben de tener alguna información por donde empezar.

—Casi nada. No conocemos su paradero desde hace décadas.

—¿Saben al menos si sigue vivo?

Rizzoli dejó escapar un suspiro.

—No —admitió.

—Ahora tendría unos setenta años, ¿verdad? Sería demasiado viejo para ser un asesino en serie.

—Amalthea tiene sesenta y cinco —replicó Rizzoli—. Sin embargo, nadie dudó de que hubiese matado a Theresa y a Nikki Wells. Que les hundiera el cráneo, empapara sus cuerpos con gasolina y luego les prendiera fuego.

O'Donnell se recostó en la silla y miró por un momento a Rizzoli.

—Díganme por qué la policía de Boston sigue persiguiendo a Elijah Lank. Éstos son asesinatos antiguos, y ni siquiera pertenecen a su jurisdicción. ¿Qué interés tienen en ellos?

—Están ligados con el asesinato de Anna Leoni.

—¿Cómo?

—Justo antes de que la asesinaran, Anna hizo muchas preguntas sobre Amalthea. Quizás averiguase demasiado.

Rizzoli entregó otro expediente a O'Donnell.

—¿Y esto qué es?

—¿Conoce el Centro Nacional de Información del Crimen del FBI? Mantiene una base de datos sobre personas desaparecidas en todo el país.

—Sí, conozco el CNIC.

—Solicitamos una búsqueda utilizando las palabras clave «mujer» y «embarazada». Esto es lo que conseguimos del FBI. Todos los casos a partir de los años sesenta que figuran en su base de datos. Cada mujer embarazada que se desvaneció en el territorio de Estados Unidos.

—¿Por qué especificaron mujeres embarazadas?

—Porque Nikki Wells estaba embarazada de nueve meses, y Karen Sadler lo estaba de ocho. ¿No le parece una horrenda coincidencia?

O'Donnell abrió el expediente y examinó las páginas impresas. Alzó los ojos, sorprendida.

—Aquí hay docenas de nombres.

—Tenga en cuenta que cada año desaparecen miles de personas en el país. Si de vez en cuando se trata de una embarazada, es sólo una pequeña muestra frente al total; no levanta ninguna señal de alerta. Pero cuando todos los meses desaparece una mujer, durante un lapso de cuarenta años, el total empieza a incrementarse.

—¿Pueden relacionar alguno de estos casos con Amalthea Lank o con su primo?

—Por eso la hemos hecho venir. Usted ha tenido decenas de sesiones con ella. ¿Le ha contado algo sobre sus viajes? ¿Dónde vivía, dónde trabajaba?

O'Donnell cerró la carpeta.

—Me piden que vulnere la confidencialidad entre médico y paciente. ¿Por qué iba a hacerlo?

—Porque los asesinatos no se han acabado. No se han interrumpido.

—Mi paciente no puede matar a nadie. Está en la cárcel.

—Pero su socio no —Rizzoli se inclinó hacia delante, acercándose a la mujer que tanto despreciaba. Pero en aquellos momentos necesitaba a O'Donnell, y logró reprimir su repulsión—. A usted le fascina la Bestia, ¿verdad? Quiere saber más cosas acerca de él. Desea penetrar en el interior de su mente, descubrir lo que le pone en el disparadero. Le encantaría conocer los detalles. Por eso tiene que ayudarnos. Para poder añadir un monstruo más a su colección.

—¿Y si ambas nos equivocamos? A lo mejor la Bestia es sólo un invento de nuestra imaginación.

Rizzoli se volvió hacia Frost.

—¿Por qué no conectas ese proyector de diapositivas?

Frost deslizó el proyector para enfocarlo y pulsó el interruptor. En aquella época de ordenadores y de presentaciones con PowerPoint, un proyector de diapositivas daba la impresión de que se encontraban en la edad de piedra de la tecnología. Pero Frost y ella optaron por el sistema más rápido, por la forma más directa de presentar el caso. Frost abrió una carpeta y sacó múltiples diapositivas, en las que habían marcado algunos datos con rotuladores de varios colores.

Introdujo una lámina en el proyector y en la pantalla surgió el mapa de Estados Unidos. A continuación proyectó sobre el mapa la primera diapositiva y seis puntos negros se incorporaron a la imagen.

—¿Qué significan los puntos? —preguntó O'Donnell.

—Son los informes de casos del CNIC pertenecientes a los seis primeros meses de 1984 —explicó Frost—. Elegimos esa fecha porque es el primer año completo en que operó la base de datos informatizada del FBI. De modo que los datos deberían ser bastante completos. Cada uno de estos puntos representa el informe de una embarazada desaparecida —con un puntero de láser señaló la pantalla—. Aquí hay alguna dispersión geográfica, un caso en Oregón, otro en Atlanta. Pero fíjese en este pequeño grupo de aquí, en el suroeste —con el puntero, Frost tazó un círculo sobre el mapa—. Una mujer desaparecida en Arizona, otra en Nuevo México, dos en el sur de California.

—¿Y qué conclusión se supone que debo sacar de todo esto?

—Bueno, echemos un vistazo al siguiente período de seis meses. De julio a diciembre de 1984. Tal vez esto le aclare más las cosas.

Frost colocó la siguiente diapositiva encima del mapa, y se incorporó una nueva serie de puntos marcados en rojo.

—Una vez más, verá algunos puntos desperdigados por el país. Pero fíjese en que ahí tenemos otro grupo —trazó un círculo en torno a una concentración de tres puntos—. San José, Sacramento y Eugene, en Oregón.

—Esto se pone interesante —musitó O'Donnell.

—Espere a ver los seis meses siguientes —dijo Rizzoli.

Con la tercera diapositiva, se añadió otra serie de puntos, esa vez en verde. Sin embargo, ahora el patrón era inconfundible. Un patrón que O'Donnell observó con incredulidad.

—Dios mío —exclamó—. La concentración no deja de moverse.

Rizzoli asintió, mirando con expresión seria la pantalla.

—Desde Oregón, se dirigen hacia el norte. Durante los seis meses siguientes, dos mujeres embarazadas se desvanecen en el estado de Washington, más tarde una tercera en Montana —se volvió y miró a O'Donnell—. Y no se interrumpe ahí.

La psiquiatra se meció hacia delante en su silla, con el rostro alerta, como un gato a punto de saltar.

—¿Adónde se dirige el siguiente traslado?

Rizzoli volvió su atención al mapa.

—Durante el verano y el otoño se mueve en línea recta hacia el este, a Illinois y Michigan, Nueva York y Massachusetts. Luego efectúa un giro brusco hacia el sur.

—¿En qué mes?

Rizzoli miró a Frost, que empezó a buscar en las hojas impresas.

—El caso siguiente se produce en Virginia, el 14 de diciembre.

—Avanzan con el tiempo —comentó O'Donnell.

Rizzoli se volvió a mirarla.

—¿Cómo?

—Con el tiempo. ¿No ve cómo se mueven por la parte superior del Medio Oeste durante los meses de verano? En otoño están por Nueva Inglaterra. Y luego, en diciembre, de pronto se dirigen hacia el sur. Justo allí donde el tiempo es más cálido.

Rizzoli escudriñó el mapa. «Jesús», pensó, «esta mujer tiene razón. ¿Por qué no se nos ocurrió a nosotros?»

—¿Qué sigue después? —preguntó O'Donnell.

—Que trazan un círculo completo —contestó Frost—. Avanzan por el sur, de Florida a Texas. Y al final regresan a Arizona.

O'Donnell se levantó de la silla y cruzó hasta la pantalla. Allí se quedó unos instantes, estudiando el mapa.

—¿Cuándo se cierra el ciclo? ¿Cuánto tardan en completar el circuito?

—En esa ocasión les llevó tres años y medio dar la vuelta completa al país —explicó Rizzoli.

—Un ritmo pausado.

—Sí. Pero fíjese que nunca se quedan mucho tiempo en un mismo estado; nunca atrapan demasiadas víctimas en una sola área. No paran de moverse, de modo que las autoridades no ven el esquema, no se dan cuenta de lo que viene sucediendo desde hace años y años.

—¿Cómo? —exclamó O'Donnell—. ¿El ciclo se repite?

Rizzoli asintió.

—Empiezan de nuevo repitiendo la misma ruta. Tal como solían hacer las tribus nómadas que seguían a las manadas de búfalos.

—¿Y las autoridades nunca han logrado descubrir su método?

—Porque estos cazadores no dejaban de moverse. Diferentes estados, diferentes jurisdicciones. Unos pocos meses en un área y luego se marchaban al siguiente terreno de caza. Lugares a los que regresan una y otra vez.

—Un territorio familiar.

—«Vamos adonde estamos seguros. Y estamos seguros en sitios conocidos» —dijo Rizzoli, citando uno de los principios del perfil criminal geográfico.

—¿Ha aparecido algún cadáver?

—De éstos no se ha encontrado ninguno.

—Entonces deben de tener escondrijos donde enterrarlos. Sitios donde ocultar a las víctimas y deshacerse de los cadáveres.

—Hemos llegado a la conclusión de que tienen que ser lugares apartados —intervino Frost—. Zonas rurales o sitios con agua, puesto que no se ha encontrado a ninguna de estas mujeres.

—Pero a Nikki y a Theresa Wells las encontraron —le replicó O'Donnell—. No enterraron sus cadáveres; los quemaron.

—A las hermanas las encontraron el 25 de noviembre. Hemos comprobado los archivos del tiempo que hizo esos días. Aquella semana se produjo una nevada inesperada. Cayó medio metro de nieve en un solo día y cogió a todo Massachusetts por sorpresa, obligando a cerrar numerosas carreteras. Tal vez no pudieron acceder al sitio habitual donde enterraban a sus víctimas.

—¿Y por eso quemaron los cadáveres?

—Como usted ha señalado, las desapariciones se trasladan según el tiempo que haga —dijo Rizzoli—. Cuando llega el frío, se dirigen al sur. Sin embargo, aquel noviembre cogió por sorpresa a Nueva Inglaterra. Nadie esperaba tan pronto una nevada —se volvió hacia O'Donnell—. Ahí tiene a su Bestia. Éstas son sus huellas sobre el mapa. Y estoy convencida de que en cada etapa del camino Amalthea estaba a su lado.

—¿Y qué pretenden que haga yo? ¿Un perfil psicológico? ¿Explicar por qué mataban?

—Eso ya lo sabemos. No mataban por placer ni por experimentar emociones fuertes. No pertenecen a los habituales asesinos en serie.

—¿Entonces cuál era el motivo?

—Totalmente prosaico, doctora O'Donnell... De hecho, es muy probable que sus motivos le parezcan insustanciales a una cazadora de monstruos como usted.

—De ninguna manera considero que la muerte sea insustancial. ¿Por qué creen que mataban?

—¿Sabe que no hay constancia de que ni Amalthea ni Elijah hayan trabajado en su vida? No hemos hallado ninguna prueba de que cualquiera de los dos haya tenido un empleo, haya cotizado en la Seguridad Social, ni llenado un impreso del impuesto sobre la renta. No han tenido tarjetas de crédito ni cuentas bancarias. Durante décadas han sido personas invisibles que han vivido en la periferia más alejada de la sociedad. Entonces..., ¿de qué vivían? ¿Cómo pagaban la comida, el gas, el alojamiento?

—En efectivo, imagino.

—¿Pero de dónde procedía el dinero? —Rizzoli se volvió hacia el mapa—. Así es como se ganaban el sustento.

—No la entiendo.

—Hay gente que se dedica a la pesca, otra gente a recoger manzanas. Amalthea y su socio también se dedicaban a cosechar —observó a O'Donnell—. Hace cuarenta años, Amalthea vendió dos hijas recién nacidas a dos parejas de padres adoptivos. Por esas dos criaturas cobró cuarenta mil dólares. No creo que fueran suyas, dado que consintió en desprenderse de ellas.

O'Donnell frunció las cejas.

—¿Se refiere a la doctora Isles y a su hermana?

—En efecto.

Rizzoli sintió un escalofrío de satisfacción cuando vio la expresión de desconcierto en O'Donnell. «Esta mujer no tiene idea de lo que tiene entre manos», pensó. «La psiquiatra que habitualmente se relaciona con monstruos se ha visto cogida por sorpresa.»

—Yo examiné a Amalthea —dijo O'Donnell—. Y coincidí con los demás psiquiatras en que…

—¿En que era una psicótica?

—Sí. —O'Donnell soltó un espiración entrecortada—. Lo que ustedes me enseñan aquí es… una criatura distinta por completo.

—Pero no una loca.

—No sé. No sé lo que es.

—Su primo y ella mataban por dinero. Sólo por dinero. Eso a mí no me suena a locura.

—Es posible…

—Usted trata con asesinos, doctora O'Donnell. Habla con ellos, pasa horas con gente como Warren Hoyt —Rizzoli hizo una pausa—. Usted los entiende.

—Lo intento.

—¿Entonces qué clase de asesina es Amalthea? ¿Es un monstruo? ¿O sólo una mujer de negocios?

—Es mi paciente. Eso es todo lo que tengo que decir.

—Pero ahora pone en duda su diagnóstico, ¿no? —Rizzoli señaló la pantalla—. Es un comportamiento lógico; lo ve aquí. Cazadores nómadas que siguen su presa. ¿Todavía piensa que está loca?

—Le repito, es mi paciente. Tengo que proteger sus intereses.

—Nosotros no estamos interesados en Amalthea. Es al

otro al que queremos. A Elijah —Rizzoli se acercó a O'Donnell hasta que ambas estuvieron casi cara a cara—. ¿Sabe que él no ha dejado de cazar?

—¿Qué?

—Amalthea lleva casi cinco años encerrada —Rizzoli se volvió a Frost. Enséñale los datos de que disponemos desde que detuvieron a Amalthea.

Frost retiró las primeras diapositivas y colocó una nueva en el mapa.

—El mes de enero —explicó—. Una mujer embarazada desaparece en Carolina del Sur. En febrero, otra mujer en Georgia. En marzo es en Daytona Beach —colocó una nueva lámina—. Seis meses después ocurría en Texas.

—Todos esos meses, Amalthea estuvo en la cárcel —continuó Rizzoli—. Pero los secuestros continuaron. La Bestia no dejó de actuar.

O'Donnell examinó el avance implacable de los puntos. Un punto, una mujer. Una vida.

—¿Dónde nos encontramos ahora en el ciclo? —preguntó con voz sobrecogida.

—Hace un año llegó a California —apuntó Frost—, y de nuevo se dirigió al norte.

—¿Y ahora? ¿Dónde se encuentra ahora?

—El último secuestro del que se tiene constancia ocurrió hace un mes. En Albany, Nueva York.

—¿En Albany? —O'Donnell miró a Rizzoli—. Eso significa...

—Que ahora está en Massachusetts —comentó Rizzoli—. La Bestia se acerca a la ciudad.

Frost apagó el proyector y la parada repentina del ventilador dejó la sala espectralmente silenciosa. Aunque la pantalla estaba en blanco, la imagen del mapa parecía perdurar en ella, grabada a fuego en la memoria de cada uno. El zumbido del móvil de Frost sonó todavía más alarmante en aquella silenciosa habitación.

—Disculpen —dijo Frost, y salió de la estancia.

—Háblenos de la Bestia —dijo Rizzoli a O'Donnell—. ¿Cómo podemos encontrarle?

—De la misma manera que encuentran a otros hombres de carne y hueso. ¿No es eso lo que hace la policía? Ustedes ya tienen un nombre. Sigan a partir de ahí.

—No tiene tarjetas de crédito ni cuentas bancarias. Será difícil seguirle la pista.

—Yo no soy un sabueso.

—Pero ha estado hablando con la persona más cercana a él. La única que puede saber cómo encontrarle.

—Nuestras sesiones son confidenciales.

—¿Alguna vez se ha referido a él por su nombre? ¿No le ha dado alguna pista de que se trata de su primo Elijah?

—No estoy autorizada a compartir ninguna conversación privada que mantenga con mi paciente.

—Elijah Lank no es su paciente.

—Pero Amalthea sí, y ustedes pretenden abrir un proceso contra ella también. Con múltiples cargos de homicidio.

—No nos interesa Amalthea. Es a él a quien queremos.

—Mi trabajo no consiste en ayudarles a atrapar a su hombre.

—¿Y qué me dice de su maldita responsabilidad cívica?

—Detective Rizzoli —le llamó la atención Marquette.

Rizzoli mantuvo la mirada de O'Donnell.

—Piense en ese mapa. En todos esos puntos, en todas esas mujeres. Él está aquí ahora. Dando caza a la próxima.

La mirada de O'Donnell bajó al abultado vientre de Rizzoli.

—Entonces supongo que debería andar usted con cuidado, detective. ¿No cree?

Rizzoli observó con rígido silencio como O'Donnell recogía su maletín.

—De todos modos, dudo de que yo pudiera añadir mucho más —concluyó O'Donnell—. Tal como ha dicho usted, este asesino se siente empujado por la lógica y el sentido práctico, no por el deseo. Y tampoco por el placer. Necesita ganarse la vida, así de sencillo. Lo que ocurre es que el sistema que ha elegido es poco corriente. El trazado de un perfil criminal no les ayudará a detenerle, porque no es un monstruo.

—Y estoy segura de que usted lo reconocería si lo fuese.

—He aprendido a hacerlo. Claro que usted también puede —O'Donnell se volvió hacia la puerta, luego se detuvo y miró atrás con una suave sonrisa—. Hablando de monstruos, detective. Su viejo amigo siempre pregunta por usted, ¿sabe? Cada vez que le visito.

No fue preciso que O'Donnell dijera su nombre. Ambas sabían que se refería a Warren Hoyt, el hombre cuyo escalpelo había marcado dos años atrás las cicatrices que Rizzoli tenía en la palma de las manos y seguía presente en sus pesadillas.

—Todavía piensa en usted —añadió O'Donnell, con otra sonrisa apacible y maliciosa—. Se me acaba de ocurrir que tal vez le gustaría saber que alguien la recuerda —dijo, y se marchó.

Rizzoli sintió la mirada de Marquette estudiando su reacción. A la espera de ver si ella perdía la calma, allí y en aquel instante. Se sintió aliviada al ver que también él abandonaba la sala, dejándola a solas para guardar el proyector. Recogió las diapositivas, desenchufó el aparato y enrolló el cable formando un ovillo tensado alrededor de la mano. Luego arrastró el carrito del proyector fuera de la sala y, en el pasillo, casi choca con Frost, que acababa de cerrar el móvil.

—Vamos —dijo Frost.

—¿Adónde?

—A Natick. Ha desaparecido una mujer.

Rizzoli le miró frunciendo los ojos.

—¿Está...?

Él asintió.

—Embarazada de nueve meses.

25

—Si me lo pregunta —dijo Sarmiento, el detective de Natick—, le diré que no es más que otro caso a lo Laci Peterson. Un matrimonio equivocado, un marido que de tapadillo tiene una amante.

—¿Ha admitido que tiene una amiguita? —preguntó Rizzoli.

—Todavía no, pero puedo olerlo, ¿sabe? —Sarmiento se dio unos golpecitos en la nariz y sonrió—. El olor de la otra mujer.

«Sí, probablemente podía olerlo», pensó Rizzoli, mientras Sarmiento les precedía a Frost y a ella frente a los escritorios con las relucientes pantallas de los ordenadores. Se diría que era un hombre familiarizado con el olor de las mujeres. Tenía aquella manera especial de andar, el pavoneo confiado del tipo tranquilo, el brazo derecho que se balanceaba apartado del cuerpo debido a los muchos años de llevar un arma en la cadera, aquel arco acusador que vociferaba: policía. Barry Frost no había adquirido nunca ese contoneo. Al lado del robusto y moreno Sarmiento, Frost semejaba un pálido oficinista con su inseparable pluma y su bloc de notas.

—El nombre de la desaparecida es Mathilda Purvis —dijo Sarmiento al detenerse ante su escritorio para recoger un expediente, que entregó a Rizzoli—. Treinta y un años, de raza blanca, casada desde hace siete meses con Dwayne Purvis. Es el concesionario de BMW en la ciudad. La última vez que vio a su esposa fue el pasado viernes, cuando ella fue a visitarle al trabajo. Por lo visto tuvieron una discusión, porque los testigos aseguran que ella se marchó llorando.

—¿Entonces, cuándo informó él de su desaparición? —le preguntó Frost.

—El domingo.

—¿Y necesitó dos días para darse cuenta?

—Dice que después de la discusión quiso dejar que las cosas se calmaran entre los dos, así que se alojó en un hotel. No regresó a casa hasta el domingo. Encontró el coche de la esposa en el garaje, el correo del sábado todavía en el buzón y supuso que algo iba mal. Le tomamos declaración el domingo por la noche. Esta mañana vimos el alerta que ustedes mandaron sobre esas mujeres embarazadas que desaparecen. No estoy muy seguro de que ésta coincida con su patrón. A mí me suena más bien a la clásica pelea familiar.

—¿Ha comprobado el hotel donde dice que se alojó? —preguntó Rizzoli.

Sarmiento respondió con una risita.

—La última vez que hablé con él tuvo dificultades en recordar cuál era.

Rizzoli abrió el expediente y vio una fotografía de Mathilda Purvis y del marido, tomada el día de su boda. Si llevaban casados sólo siete meses, ella ya estaba embarazada de dos cuando les hicieron aquella foto.

La novia tenía un rostro atractivo, cabello castaño, ojos castaños, mejillas redondas y aniñadas. Su sonrisa reflejaba absoluta felicidad. Tenía el aspecto de una mujer que acaba de satisfacer el sueño de toda su vida. De pie, a su lado, Dwayne Purvis parecía desganado, casi aburrido. Debajo de la foto podría figurar el siguiente epígrafe: «Problemas a la vista».

Sarmiento les guió por el pasillo y luego entró en una habitación a oscuras. A través de un cristal disimulado podía verse la sala contigua, destinada a interrogatorios y vacía en aquel momento.

Las paredes eran de un blanco extremado, había una mesa, tres sillas y una cámara de vídeo montada en lo alto de una esquina. La sala destinada a extraer la verdad con sudores.

Vieron cómo al otro lado del cristal abrían la puerta y entraban dos hombres. Uno era un policía, fornido y calvo, rostro sin expresión, sólo un espacio en blanco. La clase de rostro que hacía ansiar un destello de emoción.

—Esta vez se encargará el detective Ligett —murmuró Sarmiento—. A ver si consigue sacarle algo nuevo.

—Tome asiento —oyeron que decía Ligett.

Dwayne se sentó de cara al cristal disimulado. Desde su punto de vista era sólo un espejo. ¿Intuiría que al otro lado había unos ojos que le estudiaban? Por un momento fue como si fijara la vista en Rizzoli, y ésta reprimió el impulso de retroceder en la oscuridad. No por el hecho de que Dwayne Purvis resultara particularmente amenazador. Se hallaba en el comienzo de la treintena y vestía de manera informal: camisa blanca con el botón desabrochado, sin corbata, pantalones de sarga de algodón. En la muñeca lucía un reloj Breitling: un paso en falso acudir a un interrogatorio de la policía luciendo una joya que los agentes no se podían permitir. Dwayne tenía la insípida apostura y la arrogante seguridad en sí mismo que algunas mujeres podrían encontrar atractivas, siempre que les gustaran los hombres que hacían ostentación de relojes caros.

—Debe de vender muchos BMW —comentó Rizzoli.

—Hipotecado hasta las orejas —contestó Sarmiento—. El dueño de su casa es el banco.

—¿Alguna póliza de seguro sobre la esposa?

—Doscientos cincuenta mil.

—No lo bastante abultada para que valga la pena matarla.

—Aun así, son doscientos cincuenta de los grandes. No obstante, sin un cadáver le costaría tiempo y sudor cobrarla. Y hasta el momento no tenemos ninguno.

En la habitación contigua, el detective Ligett empezó el interrogatorio:

—Bien, Dwayne, sólo quiero que repasemos algunos detalles —la voz del detective era tan lacónica como su expresión.

—Ya se lo he contado todo a ese otro policía —comentó Dwayne—. He olvidado su nombre. El tipo que se parece a ese actor. Ya sabe, a Benjamin Bratt.

—¿El detective Sarmiento?

—Ése.

Rizzoli oyó que Sarmiento, de pie a su lado, soltaba un leve gruñido de satisfacción. Siempre era agradable oír que tenías cierto parecido con Benjamin Bratt.

—No sé por qué pierden el tiempo aquí —protestó Dwayne—. Deberían estar ahí fuera, buscando a mi esposa.

—Ya lo hacemos, Dwayne.

—¿En qué ayudará esto?

—Nunca se sabe. A veces un pequeño detalle que pudiera usted recordar podría ser importante para la búsqueda —Ligett hizo una pausa. Por ejemplo…

—¿Qué?

—Ese hotel donde se alojó. ¿Aún no recuerda el nombre?

—Era un hotel cualquiera.

—¿Cómo lo pagó?

—¡Eso carece de importancia!

—¿Utilizó tarjeta de crédito?

—Supongo.

—¿Lo supone?

Dwayne soltó un soplido de exasperación.

—De acuerdo, sí. Pagué con mi tarjeta de crédito.

—Entonces el nombre del hotel debe figurar en el resguardo. Lo único que tenemos que hacer es comprobarlo.

Un silencio.

—Está bien, ahora lo recuerdo. Fue en el Crowne Plaza.

—¿El de Natick?

—No, en Wellesley.

Sarmiento, que estaba junto a Rizzoli, cogió apresurado el teléfono que colgaba de la pared.

—Aquí el detective Sarmiento —murmuró al aparato—. Necesito hablar con el hotel Crowne Plaza de Wellesley...

En la sala de interrogatorios, Ligett comentó:

—Wellesley está algo apartado de casa, ¿no cree?

Dwayne soltó un resoplido.

—Necesitaba algún espacio para respirar. Un poco de tiempo para mí. Ya sabe, Mattie se ha vuelto demasiado pegajosa últimamente. Luego tengo que ir al trabajo y allí todo el mundo quiere que le dedique parte de mí también.

—Una vida dura, ¿eh? —dijo Ligett sin ambages, y sin pizca del sarcasmo que sin duda debía de sentir.

—Todos quieren que les haga un trato especial. Me veo obligado a sonreír enseñando los dientes a cada cliente que me pide la luna. Pero no puedo darles la luna. Tienen que saber que si quieren una maquinaria perfecta como es un BMW hay que pagar por ella. Y todos tienen el dinero. Eso es lo que me saca de mis casillas. Tienen el dinero y aun así quieren chupar la última gota de mi pellejo.

«Su esposa ha desaparecido, tal vez incluso esté muerta»,

pensó Rizzoli, «¿y ese individuo se cabrea por el regateo de los compradores de un BMW?»

—Por eso perdí los estribos. Éste es el motivo de que discutiéramos.

—¿Con su esposa?

—Sí. No fue por nosotros, sino por el negocio. El dinero escasea, ¿sabe? Eso fue todo. Estamos muy apretados.

—Los empleados que presenciaron la discusión...

—¿Qué empleados? ¿Con quién ha hablado?

—Había un vendedor y un mecánico. Ambos dijeron que su esposa estaba bastante alterada cuando se marchó.

—Bueno, está embarazada. Se altera por las cosas más absurdas. Todas esas hormonas hacen que pierdan el control. Mujeres embarazadas... No hay quien razone con ellas.

Rizzoli notó que las mejillas se le ruborizaban. Se preguntó si Frost pensaría lo mismo de ella.

—Además, mi mujer está cansada todo el rato —prosiguió Dwayne—. Llora por cualquier motivo. Le duele la espalda, le duelen los pies. Tiene que correr al baño cada diez minutos —se encogió de hombros—. Pienso que lo llevo bastante bien, teniendo en cuenta la situación.

—Un tipo simpático —comentó Frost.

De pronto, Sarmiento colgó el teléfono y abandonó la habitación. Luego, a través del cristal, vieron que asomaba la cabeza a la sala de interrogatorios y hacía una seña a Ligett. Los dos detectives salieron y Dwayne se quedó solo ante la mesa. Consultó su reloj, se retorció en el asiento, miró hacia el espejo y aguzó la vista. Sacó un peine del bolsillo y se retocó el cabello hasta que todas las hebras estuvieron en su sitio. El marido acongojado, atildándose para la cámara de las noticias de las cinco.

Sarmiento volvió a entrar en el cuarto donde aguardaban Rizzoli y Frost, y les hizo un guiño de complicidad.

—Ya lo tenemos —anunció.

—¿Qué?

—Observen.

A través del cristal vieron que Ligett volvía a entrar en la sala. Cerró la puerta y se quedó mirando a Dwayne. Éste permaneció impasible, pero los latidos del pulso en la garganta abultaban visiblemente por encima del cuello de la camisa.

—¿Y bien? —preguntó Ligett—. ¿Quiere decirme la verdad ahora?

—¿Sobre qué?

—Acerca de esas dos noches en el hotel Crowne Plaza.

Dwayne soltó una risita. Una respuesta inapropiada, teniendo en cuenta las circunstancias.

—No sé a qué se refiere.

—El detective Sarmiento acaba de hablar con el Crowne Plaza. Le han confirmado que se alojó allí esas dos noches.

—¿Lo ve? Ya le dije…

—¿Quién era la mujer que se alojó con usted, Dwayne? Rubia, bonita. La que desayunaba con usted en el comedor todas las mañanas.

Dwayne guardó silencio. Tragó saliva.

—¿Conoce su esposa la existencia de esa rubia? ¿Fue ése el motivo de que discutieran su esposa y usted?

—No…

—¿Entonces ella ignora la existencia de esa mujer?

—¡No! Quiero decir que la discusión no fue por eso.

—Seguro que sí.

—¡Intenta darle a todo esto el peor sentido!

—¿Cómo? ¿Es que no existe la amiguita? —Ligett se acercó todavía más, colocándose casi frente a la cara de Dwayne. No será difícil dar con su paradero. Lo más probable es que sea ella quien nos llame. Le verá a usted en las noticias y comprenderá que es mejor adelantarse a los acontecimientos y contar la verdad.

—Esto no tiene nada que ver con... Quiero decir que ya sé que parece algo incorrecto, pero...

—Y que lo diga...

—Está bien —se rindió Dwayne, con un suspiro—. Está bien, me he descarriado un poco, ¿de acuerdo? En mi posición muchos tíos lo harían. Es difícil cuando tu mujer se vuelve tan pesada que ya no puedes hacerlo con ella. Está ese vientre enorme que sobresale. Y, además, a ella ya no le interesa.

Rizzoli miraba rígida al frente, preguntándose si Frost y Sarmiento la observarían también a ella. «Sí, aquí estoy. Otra con el vientre enorme y con un marido que está fuera de la ciudad.» Miró a Dwayne y se imaginó a Gabriel sentado en aquella silla, pronunciando aquellas mismas palabras. «Jesús, no te hagas esto a ti misma», pensó, «no lo vayas fastidiando todo con tus propios pensamientos. No es a Gabriel a quien han descubierto con una amiguita y es incapaz de enfrentarse a las consecuencias, sino a un desgraciado llamado Dwayne Purvis. Tu esposa descubre que tienes otra chica y piensas: Adiós a mis relojes Breitling y a la mitad de la casa, y además con el agravante de dieciocho años de manutención. No hay duda de que este gilipollas es culpable.»

Rizzoli miró a Frost y éste meneó la cabeza. Los dos podían ver en aquello la repetición de una antigua tragedia que con anterioridad habían presenciado docenas de veces.

—¿Así que su mujer le amenaza con el divorcio? —preguntó Ligett.

—No, Mattie no sabe nada de ella.

—¿Quiere decir que se presenta de repente en el trabajo y arma una trifulca?

—Fue una estupidez. Ya se lo conté a Sarmiento.

—¿Entones por qué se cabreó con ella, Dwayne?

—¡Porque condujo por ahí con un maldito neumático desinflado y ni siquiera se dio cuenta! Quiero decir que hace falta ser muy obtusa para no darte cuenta de que estás fastidiando la llanta. El otro vendedor lo descubrió. Un neumático totalmente nuevo y lo hace jirones, lo destroza por completo. Cuando lo vi, supongo que le grité. Entonces los ojos se le pusieron rojos y lacrimosos, y eso me irritó todavía más, porque hizo que me sintiera como un gilipollas.

«Eres un gilipollas», pensó Rizzoli, y se volvió a Sarmiento.

—Creo que ya hemos oído suficiente.

—¿Qué les dije yo?

—Si ocurre algo nuevo, háganoslo saber.

—Claro, claro —Sarmiento volvió a mirar a Dwayne—. Resulta fácil cuando son tan estúpidos como éste.

Rizzoli y Frost se levantaron para marcharse.

—Vaya usted a saber cuántos kilómetros condujo de aquella manera —estaba diciendo Dwayne—. Diablos, es muy posible que ya lo llevara pinchado cuando llegó al consultorio de la doctora.

Rizzoli se detuvo con brusquedad. Se volvió hacia el cristal y centró la atención en Dwayne. De pronto sintió que el pulso se le aceleraba en las sienes. «Jesús, por poco se me pasa por alto.»

—¿De qué doctora está hablando? —le preguntó a Sarmiento.

—De la doctora Fishman. Ayer hablé con ella.

—¿Para qué fue a verla la señora Purvis?

—Para una cita de control rutinario del embarazo. Nada fuera de lo habitual.

Rizzoli miró a Sarmiento.

—¿Es tocóloga la doctora Fishman?

El detective asintió.

—Tiene consulta en la Clínica de Mujeres de Bacon Street.

La doctora Susan Fishman había estado en vela casi toda la noche en el hospital y su cara era el mapa del agotamiento. Llevaba el cabello castaño sin lavar, recogido hacia atrás en una cola de caballo. Y la bata blanca que llevaba sobre el traje arrugado y gastado tenía los bolsillos tan repletos con distintas herramientas de exploración que la tela parecía tirarle de los hombros hacia el suelo.

—Larry, de seguridad, ha traído las cintas de vigilancia —les informó mientras guiaba a Rizzoli y a Frost desde la recepción de la clínica por un corredor que daba a la parte trasera del edificio. Sus zapatillas de tenis chirriaban sobre el suelo de linóleo—. Ha instalado el equipo de vídeo en una sala del fondo. Gracias a Dios, nadie espera que lo haga yo. En casa no tengo siquiera grabadora.

—¿La clínica guarda todavía las grabaciones de hace una semana? —preguntó Frost.

—Tenemos un contrato con Minute Man Security. Ellos conservan las cintas al menos una semana. Se lo pedimos a causa de todas las amenazas que recibimos.

—¿Qué clase de amenazas?

—Ésta es una clínica a favor de la libertad de elección. No realizamos abortos, pero el simple hecho de que nos llamemos «clínica para mujeres» enfurece a los de la extrema derecha. Nos gusta tener vigilados a quienes entran en el edificio.

—¿Entonces han tenido problemas con anterioridad?

—Los que cabría esperar. Cartas amenazadoras. Sobres con ántrax falso. Estúpidos merodeando por ahí, sacando fotos a nuestras pacientes. Por eso tenemos esa cámara de vídeo en la zona de aparcamiento. Queremos controlar a todos aquellos que se acercan a la puerta principal.

Les guió por otro pasillo, decorado con los mismos carteles alegremente genéricos que parecían adornar las consultas de todos los tocólogos. Diagramas sobre el amamantamiento, sobre la lactancia materna, sobre los «cinco indicios peligrosos de que tienes una pareja violenta». Una ilustración anatómica de una mujer embarazada, el contenido del vientre expuesto mediante un corte transversal. Rizzoli se sintió incómoda mientras andaba junto a Frost, con todos aquellos carteles que colgaban de la pared, como si su anatomía estuviera allí expuesta. Intestinos, vejiga, útero. El feto curvado en una maraña de extremidades. La semana anterior, Mathilda Purvis había pasado ante aquel mismo póster.

—Todos estamos muy afectados por lo de Mattie —dijo la doctora Fishman—. Es la persona más amable que he conocido. Y tan preocupada por su bebé...

—¿Fue todo bien en la última revisión? —preguntó Rizzoli.

—Oh, sí. Feto con potentes tonos cardíacos, buena posición. Todo iba de maravilla —Fishman se volvió a mirar a Rizzoli—. ¿Creen que ha sido su marido —preguntó con voz grave.

—¿Por qué lo pregunta?

—Bueno, ¿no suele ser siempre el marido? Él sólo la ha acompañado una vez, y eso fue al principio. Durante toda la visita se portó como si aquello le aburriera. Después, Mattie ha acudido siempre sola a las revisiones. Para mí es un síntoma muy claro... Si juntos formáis un hijo, deberíais acudir juntos a las citas. Claro que es sólo mi opinión —abrió una puerta—. Aquí está la sala de conferencias.

Larry, de Minute Man Security, ya les aguardaba allí dentro.

—Tengo el vídeo listo para pasárselo —anunció—. Lo he reducido a la franja horaria que les interesa. Doctora Fishman, tendrá que quedarse a inspeccionar la grabación, para avisarnos cuando descubra a su paciente en el vídeo.

Fishman suspiró y se sentó en una silla frente al monitor.

—Nunca he mirado ninguna de esas grabaciones.

—Pues es una suerte para usted —dijo Larry—. La mayor parte del tiempo son bastante aburridas.

Rizzoli y Frost se sentaron uno a cada lado de Fishman.

—Bien, veamos lo que ha conseguido —dijo la detective.

Larry pulsó la tecla PLAY.

En el monitor apareció una amplia vista de la entrada principal a la clínica. Un día luminoso, el sol rebotaba sobre la hilera de coches aparcados delante del edificio.

—Está cámara está montada en lo alto de una farola en el aparcamiento —explicó Larry—. Aquí, al pie, pueden ver la hora. Las dos y cinco de la tarde.

Un Saab entró en el campo visual y se detuvo en una plaza del aparcamiento. Se abrió la puerta del conductor y salió una morena alta. Se dirigió a la entrada y desapareció dentro.

—Mattie tenía cita a la una y media —le dijo la doctora Fishman—. Tal vez debiera retroceder un poco la grabación.

—Siga mirando —dijo Larry—. Ahí. Las dos y media. ¿Es ésa?

Una mujer acaba de salir del edificio. Se detuvo un momento bajo el sol y se pasó la mano por los ojos, como si la luz la deslumbrara.

—Es ella —reconoció Fishman—. Ésa es Mattie.

Mattie empezó a alejarse del edificio, moviéndose con el paso oscilante tan característico de las mujeres en estado de gestación ya muy avanzado. Se tomaba su tiempo, hurgaba dentro del bolso en busca de las llaves del coche mientras caminaba distraída, sin prestar atención. De repente se detuvo y miró desconcertada a su alrededor, como si hubiese olvidado dónde había aparcado el coche. «Sí, ésta es una mujer que muy bien podía no darse cuenta de que tenía un neumático pinchado», pensó Rizzoli. Entonces Mattie se volvió y caminó en dirección contraria, saliendo del encuadre de la cámara.

—¿Eso es todo lo que tienen? —preguntó Rizzoli.

—Eso era lo que querían, ¿no? —contestó Larry—. Confirmación de la hora en que salió del edificio.

—¿Pero dónde está su coche? No vemos que entre en el coche.

—¿Hay alguna sospecha de que no lo hiciera?

—Sólo quiero ver que abandona el aparcamiento.

Larry se levantó y se acercó al sistema del vídeo.

—Puedo enseñárselo desde otro ángulo, de una cámara que apunta hacia aquí desde el otro lado del aparcamiento —dijo mientras procedía a cambiar la cinta—. Pero no creo que les sea de gran ayuda, porque está situada muy lejos.

Cogió el control remoto y volvió a pulsar PLAY.

Apareció otra vista. En esta ocasión sólo era visible una esquina del edificio de la clínica. La mayor parte de la pantalla estaba ocupada por coches aparcados.

—Este aparcamiento es compartido con la clínica de cirugía médica del otro lado de la calle —explicó Larry—. Por eso hay tantos coches aquí. Bien, miren. ¿Ésa no es ella?

A lo lejos se veía la cabeza de Mattie, avanzando a lo largo de una hilera de coches. De pronto bajó la cabeza y ya no se la vio. Momentos después, un coche azul retrocedió de su plaza y salió del encuadre.

—Eso es todo lo que tenemos —comentó Larry—. Ella sale del edificio, sube al coche y se va. Sea lo que sea que le ocurriera, no le pasó en nuestro aparcamiento.

Se dispuso a coger el control remoto.

—Espere —ordenó Rizzoli.

—¿Qué ocurre?

—Retroceda.

—¿Hasta dónde?

—Unos treinta segundos.

Larry pulsó REBOBINAR y unos píxeles digitales recorrieron brevemente el monitor, luego se reagruparon formando una imagen de coches aparcados. Allí estaba Mattie, en el momento de subir al coche. Rizzoli se levantó de la silla, se acercó al monitor y observó cómo la embarazada se alejaba con el coche... y cómo surgía un destello blanco que se deslizaba por una esquina del encuadre, en la misma dirección que el BMW de Mattie.

—¡Pare! —ordenó Rizzoli.

La imagen se detuvo y la detective tocó un punto de la pantalla.

—Ahí. Esta furgoneta blanca.

—Avanza paralela al coche de la víctima —dijo Frost.

La víctima... Ya asumían lo peor respecto al destino de Mattie.

—¿Y qué? —preguntó Larry.

Rizzoli se volvió a Fishman.

—¿Reconoce este vehículo?

La doctora se encogió de hombros.

—No presto mucha atención a los coches. No tengo la menor idea sobre modelos ni fabricantes.

—¿Pero ha visto antes esta furgoneta blanca?

—No lo sé. Para mí se parece a cualquier otra furgoneta blanca.

—¿Por qué están tan interesados en esa furgoneta? —inquirió Larry. Me refiero a que han visto cómo sube sana y salva a su coche y luego se aleja.

—Rebobine —pidió Rizzoli.

—¿Quiere que vuelva a pasar esta parte?

—No. Quiero que retroceda más —se volvió a Fishman—. ¿Ha dicho que tenía hora para la una y media?

—Sí.

—Retroceda hasta la una.

Larry pulsó el control remoto. En la pantalla del monitor, los píxeles se mezclaron y después se reordenaron. Al pie de la pantalla figuraba la hora: la 1:02.

—Ya es suficiente —indicó Rizzoli—. Ahora póngala en marcha.

A medida que avanzaban los segundos, vieron coches que pasaban y salían del encuadre. Vieron a una mujer que sacaba a dos pequeños de sus asientos en el coche y luego cruzaban el aparcamiento, con las manecitas firmemente agarradas de las de la mujer.

A la 1:25, el BMW azul de Mattie Purvis entró en el aparcamiento. Ella quedaba oculta en parte por la hilera de coches que había entre el suyo y la cámara. Vieron sólo la parte superior de la cabeza al salir del coche y dirigirse hacia el edificio por el pasillo entre las dos hileras.

—¿Es esto suficiente? —preguntó Larry.

—Siga pasando.

—¿Qué es lo que buscamos?

Rizzoli sintió que el pulso se le aceleraba.

—Eso —dijo a media voz.

La furgoneta blanca había surgido de nuevo en la pantalla y avanzaba con lentitud frente a la hilera de coches. Se detuvo entre la cámara y el BMW azul.

—¡Mierda! —exclamó Rizzoli—. ¡Nos está bloqueando la vista! No podemos ver lo que hace el conductor.

Segundos después, la furgoneta siguió su camino. No habían podido atisbar el rostro del conductor, ni siquiera habían visto la matrícula.

—¿A qué viene esto? —preguntó la doctora Fishman.

Rizzoli se volvió y miró a Frost. No hizo falta que dijera ni una palabra: ambos habían comprendido lo que había pasado en el aparcamiento. «La rueda pinchada. A Theresa y Nikki también se les había pinchado una rueda.»

Así es como él las encuentra, pensó Rizzoli. En el aparcamiento de una clínica. Mujeres embarazadas que acuden a visitar a sus médicos. Un pequeño corte en el neumático, y luego sólo queda el juego de la espera. Seguir a su presa cuando sale del aparcamiento. Y en el momento en que para por culpa del pinchazo, allí está él, justo detrás.

A punto para ofrecerle su ayuda.

Mientras Frost conducía, Rizzoli reflexionaba sobre la vida que cobijaba en su interior. En lo delgada que era la pared de piel y músculos que acunaba a su bebé. Una navaja no necesitaría penetrar muy hondo. Una incisión rápida, directa sobre el abdomen, desde el esternón hasta el pubis, sin preocuparse por las cicatrices porque no habría necesidad de curarlas, sin preocuparse en absoluto por la salud de la madre. Ella era sólo un envase desechable, abierto por el tesoro que cobijaba en su interior. Apretó ambas manos sobre el vientre, y de pronto se sintió mareada ante la idea de lo que Mattie Purvis podía estar sufriendo en aquellos instantes. Seguro que Mattie no había pensado en aquellas horribles imágenes cuando se contemplaba reflejada en un espejo. Tal vez contemplara las estrías que se diseminaban por el vientre y experimentara cierta aflicción por la pérdida de su atractivo. Tal vez tuviera sensación de tristeza por el hecho de que cuando su esposo la miraba ahora era con desinterés, sin deseo. Sin amor.

«¿Sabías que Dwayne tenía una aventura?», pensó.

Se volvió hacia Frost.

—Él necesita un intermediario.

—¿Cómo?

—Cuando consigue a un recién nacido, ¿qué hace con él? Tiene que entregarlo a un intermediario. A alguien que legalice la adopción, que redacte los documentos. Alguien que le pague en efectivo.

—Van Gates.

—Sabemos que lo hizo por ella al menos en otra ocasión.

—De eso han pasado cuarenta años.

—¿Y cuántas adopciones ha concertado desde entonces? ¿Cuántos bebés ha entregado a familias dispuestas a pagar? Tiene que haber dinero de por medio.

«Dinero suficiente para conservar a la mujer trofeo de mallas rosas.»

—Van Gates no va a cooperar.

—Con toda probabilidad. Pero ahora ya sabemos lo que hay que vigilar.

—La furgoneta blanca.

Frost siguió conduciendo en silencio unos instantes.

—¿Sabes una cosa? —inquirió—. Si esa furgoneta no aparece por casa de Van Gates, probablemente signifique... —su voz se apagó de manera progresiva.

«Que Mattie Purvis ya está muerta», pensó Rizzoli.

26

Mattie apretó la espalda contra la pared, colocó los pies en la otra pared y empujó. Contó los segundos hasta que las piernas le temblaron y unas gotas de sudor le cubrieron la cara. Vamos, cinco segundos más. Diez. Se quedó fláccida, jadeante, las pantorrillas y los muslos hormigueantes, con un ardor agradable. Apenas las había utilizado dentro de aquella caja. Había pasado demasiadas horas acurrucada y revolcándose en la autocompasión mientras los músculos degeneraban hasta convertirse en un amasijo. Se acordó de la ocasión en que había cogido la gripe, una gripe muy fuerte que la obligó a guardar cama, con fiebre alta y escalofríos. Días después, cuando se levantó de la cama, se sintió tan débil que tuvo que ir a rastras hasta el baño. Éstas son las consecuencias de estar tumbada demasiado tiempo; te quedas sin fuerzas. Pronto iba a necesitar aquellos músculos, tenía que estar a punto para cuando él volviera.

Porque él iba a volver.

«Ya basta de descansar. Apoya de nuevo los pies contra la pared. ¡Empuja!»

Dejó escapar un gruñido y el sudor le brotó de la frente. Pensó en la película *La teniente O'Neil*, y en lo lustrosa y tonificada que aparecía Demi Moore cuando levantaba pesas.

Mattie mantuvo esa imagen en la cabeza mientras empujaba contra las paredes de su prisión. Visualizar musculatura. Y contraatacar. Y vencer al cabrón.

Con un grito ahogado, volvió a relajarse contra la pared y descansó apoyada en ella, respirando hondo mientras el dolor de las piernas se apaciguaba. Estaba a punto de repetir el ejercicio cuando sintió que se le tensaba el vientre.

Otra contracción.

Aguardó, al tiempo que retenía la respiración, con la esperanza de que pasara rápidamente. Ya empezaba a disminuir. Era sólo el vientre que ponía a prueba la musculatura, del mismo modo que ella ponía a prueba la suya. No eran dolores de parto, sólo un indicio de que se acercaba la hora.

«Aguarda, cariño. Tienes que esperar un poco más.»

27

Una vez más, Maura se despojó de todas las pruebas de su identidad. Depositó el bolso en la taquilla, luego el reloj, el cinturón y las llaves del coche. «Sin embargo, incluso estando en posesión de mi tarjeta de crédito, de mi permiso de conducir y de mi número de la Seguridad Social», pensó, «sigo sin saber quién soy en realidad. La única persona que conoce la respuesta me está esperando al otro lado de las rejas».

Entró en el túnel para control de visitantes, se quitó los zapatos y los depositó en el mostrador de inspección, luego pasó por el detector de metales.

Una celadora la estaba esperando.

—¿Doctora Isles?

—Sí.

—¿Ha solicitado una habitación para entrevistas?

—Necesito hablar a solas con la interna.

—Aun así, la controlarán visualmente. ¿Entiende lo que esto significa?

—Mientras la conversación sea en privado...

—Es la misma habitación donde las internas se reúnen con sus abogados, así que tendrá intimidad.

La celadora condujo a Maura a través de la sala pública

de visitas y luego por un pasillo. Allí abrió con llave una puerta y le indicó que pasara.

—La traeremos aquí. Puede sentarse.

Maura entró en la sala de entrevistas y se encontró con una mesa y dos sillas. Se sentó en la que estaba de cara a la puerta. Una ventana de plexiglás daba al pasillo y dos cámaras de vigilancia colgaban de esquinas opuestas en la habitación. Esperó, con las manos sudorosas a pesar del aire acondicionado. Cuando levantó la vista se sobresaltó al ver los ojos negros e inexpresivos de Amalthea observándola desde el otro lado de la ventana.

La celadora acompañó a la prisionera al interior de la sala y la sentó en una silla.

—No está muy habladora hoy. No creo que vaya a decirle nada, pero ahí la tiene.

La celadora se inclinó, cerró unas esposas de acero en torno al tobillo de Amalthea y la sujetó a la pata de la mesa.

—¿Es esto necesario? —preguntó Maura.

—Son las normas. Para su seguridad —la celadora se enderezó. Cuando haya acabado, pulse el botón de ahí, en el interfono de la pared. Vendremos a buscarla —dio a Amalthea una palmadita en el hombro—. Bien, vas a hablar con la señora, ¿verdad, querida? Ha venido hasta aquí sólo para verte.

Envió a Maura una mirada silenciosa de «buena suerte» y se marchó, cerrando la puerta con llave al salir.

Pasó un momento de silencio.

—La semana pasada vine a hacerte una visita —dijo Maura—. ¿Te acuerdas?

Amalthea se encorvó en su silla, con los ojos fijos en la mesa.

—Cuando me disponía a irme, me dijiste algo. Murmuraste: «Ahora también tú vas a morir.» ¿Qué quisiste decir?

Silencio.

—Era una advertencia, ¿verdad? Me advertías de que te dejara en paz. ¿No quieres que profundice en tu pasado?

De nuevo el silencio.

—Nadie nos está escuchando, Amalthea. En esta habitación sólo estamos tú y yo —Maura apoyó las manos sobre la mesa, para demostrarle que no ocultaba ninguna grabadora ni un bloc de notas—. No soy policía. Y tampoco trabajo para el fiscal. Puedes decirme lo que quieras y seremos las únicas en oírlo —se inclinó hacia ella y musitó en voz baja—: Sé que puedes entender cada palabra de lo que yo digo. ¡Así que mírame, maldita sea! Ya estoy harta de este juego.

Aunque Amalthea no contestó, a Maura no le pasó inadvertida la repentina tensión de sus brazos, la contracción nerviosa de sus músculos. «Vale, me está escuchando. Espera para oír lo que vaya a decirle a continuación.»

—Aquello fue una amenaza, ¿verdad? Cuando me dijiste que iba a morir, me estabas diciendo que me mantuviera al margen o de lo contrario terminaría como Anna. Entonces pensé que eran sólo balbuceos de una psicótica, pero hablabas en serio. Le protegías a él, ¿verdad? Estabas protegiendo a la Bestia.

Poco a poco, Amalthea fue levantando la cabeza. Sus oscuros ojos se enfrentaron a los de ella. Su mirada era tan fría, tan hueca, que Maura retrocedió con un hormigueo en la piel.

—Ya sabemos quién es él —comentó Maura—. Lo sabemos todo de los dos.

—¿Qué es lo que sabéis?

Maura no esperaba que ella contestase. Y había susurrado la pregunta con tal suavidad, que se preguntó si la había escuchado o en realidad la había imaginado. Respiró hondo, trastornada por la negra oquedad de aquellos ojos. No había locura en ellos, sólo el vacío.

—Estás tan cuerda como yo —dijo Maura—. Pero no te atreves a dejar que nadie lo sepa. Es mucho más fácil esconderse tras una máscara de esquizofrenia. Mucho más fácil hacerse la psicótica, porque la gente siempre deja en paz a los locos. No se molesta en interrogarlos. No profundiza más porque cree que de todos modos lo suyo es puro delirio. Y ahora ni se atreven a medicarte, porque has sido tan buena que incluso has fingido los efectos secundarios —Maura se obligó a mirar más hondo en aquel vacío—. Ni siquiera saben que la Bestia existe en realidad. Pero tú sí. Y sabes dónde está.

Amalthea siguió totalmente inmóvil, pero la tensión había penetrado en su rostro. Los músculos se le habían tensado en torno a la boca y sobresalían como cordones a lo largo del cuello.

—Fue tu opción, ¿verdad? Me refiero a hacerte la loca. No podías rebatir las pruebas, la sangre en la palanca de hierro, las billeteras robadas. Pero si les convencías de que eras una psicótica, tal vez evitarías una investigación posterior. Quizás así no descubrirían lo de tus otras víctimas. Las mujeres que asesinasteis en Florida, en Virginia, en Texas, en Arkansas. Estados donde rige la pena de muerte —Maura se acercó todavía más—. ¿Por qué no te limitaste a entregarle, Amalthea? Después de todo, él ha dejado que cargues con la culpa. Y sigue por ahí, matando. Ha seguido sin ti, visitando los mismos lugares, los mismos terrenos de caza. Acaba de secuestrar a otra mujer en Natick. Tú puedes pararle los pies, Amalthea. Puedes poner fin a esto.

Dio la impresión de que Amalthea contenía la respiración, como si se mantuviese a la espera.

—Mírate, prisionera en la cárcel —Maura se rió—. Eres una perdedora. ¿Para qué seguir aquí, cuando Elijah continúa en libertad?

Amalthea parpadeó. En un instante, fue como si toda la rigidez se ablandara en sus músculos.

—Dime algo —la presionó Maura—. No hay nadie más en esta habitación. Sólo tú y yo.

La mujer alzó la mirada hacia una de las cámaras de vídeo montadas en las esquinas.

—Sí, nos pueden ver —dijo Maura—. Pero no pueden oírnos.

—Todo el mundo puede oírnos —murmuró Amalthea.

Fijó los ojos en Maura. La mirada insondable se había vuelto fría, tranquila. Y aterradoramente cuerda. Como si de repente hubiera emergido una nueva criatura, que miraba a través de aquellos ojos.

—¿Por qué has venido?

—Porque me interesa saber. ¿Fue Elijah quien mató a mi hermana?

Una larga pausa. Y, por extraño que pareciese, brotó un destello de regocijo en aquellos ojos.

—¿Por qué iba a matarla?

—Tú sabes por qué asesinaron a Anna, ¿verdad?

—¿Por qué no me haces una pregunta a la que sepa contestar? La pregunta que en realidad has venido a hacerme —la voz de Amalthea era grave, íntima—. La pregunta es acerca de ti, Maura, ¿verdad? ¿Qué es lo que te interesa saber?

Maura la miró a los ojos; el corazón le latía con fuerza. Una única pregunta, que surgió como un dolor en la garganta:

—Quiero que me digas...

—¿Sí?

Fue sólo un murmullo, tan amortiguado como una voz dentro de su cabeza.

—¿Quién fue realmente mi madre?

Una sonrisa curvó los labios de Amalthea.

—¿Insinúas que no ves la semejanza?

—Limítate a decirme la verdad.

—Mírame. Y luego mírate en el espejo. Ahí está tu verdad.

—En mí no reconozco ni una sola parte de ti.

—Pero yo sí me reconozco en ti.

Maura soltó una carcajada, sorprendiéndose de que incluso pudiera lograrlo.

—No sé por qué he venido. Esta visita es una pérdida de tiempo.

Empujó la silla hacia atrás y empezó a levantarse.

—¿Te gusta trabajar con los muertos, Maura?

Sorprendida por la pregunta, se interrumpió a medio levantarse de la silla.

—¿Eso es lo que haces, verdad? —preguntó Amalthea—. Los abres en canal. Les sacas las entrañas. Cortas en rodajas su corazón. ¿Por qué lo haces?

—Porque mi trabajo lo exige.

—¿Y por qué elegiste ese trabajo?

—No he venido para hablar de mí.

—No es cierto. Todo esto es hablar de ti. De quién eres en realidad.

Poco a poco, Maura volvió a sentarse.

—¿Y por qué no me lo dices tú?

—Tú les abres el vientre. Te ensucias las manos con su sangre. ¿Por qué crees que somos distintas? —la mujer se había adelantado de forma tan imperceptible, que Maura se asustó cuando de pronto se dio cuenta de lo cerca que Amalthea estaba de ella—. Mírate en el espejo y me verás a mí.

—Ni siquiera somos de la misma especie.

—Si es eso lo que quieres creer, ¿quién soy yo para hacerte cambiar de idea? —Amalthea miró a Maura sin pestañear—. Siempre queda el ADN.

Maura se quedó sin respiración. «Es un farol», pensó. «Amalthea espera a ver si se lo pido. Si en realidad me interesa conocer la verdad. El ADN no miente. Sólo con un algodón en su boca, yo podría obtener la respuesta. Podría hacer que se confirmaran mis peores temores.»

—Ya sabes dónde encontrarme —siguió Amalthea—. Regresa cuando estés preparada para la verdad.

La mujer se levantó y las esposas del tobillo resonaron contra la pata de la mesa. Amalthea alzó la mirada hacia la cámara de vigilancia. Una señal a la celadora de que quería marcharse.

—Si eres mi madre —dijo Maura—, dime entonces quién es mi padre.

Amalthea le devolvió la mirada, con otra sonrisa en los labios.

—¿Aún no lo has adivinado?

La puerta se abrió y la celadora asomó la cabeza.

—¿Todo bien por aquí?

La transformación fue asombrosa. Apenas un segundo antes, Amalthea había mirado a Maura con una mirada fría y calculadora. Pero ahora aquella criatura se había esfumado, sustituida por el cascarón vacío de la mujer que tironeaba de las esposas, incrédula ante la imposibilidad de liberarse.

—Irme —murmuró. Quiero… irme.

—Sí, querida, por supuesto que nos iremos. —La celadora se volvió hacia Maura—. Supongo que ya ha terminado con ella, ¿verdad?

—De momento —contestó Maura.

Rizzoli no esperaba la visita de Charles Cassell, de modo que se sorprendió cuando el sargento de recepción la llamó para informarle de que el doctor Cassell la esperaba en el vestíbulo. En cuanto salió del ascensor y le vio, se quedó asombrada ante el cambio que había experimentado en su aspecto. En una semana parecía haber envejecido diez años. No cabía la menor duda de que había perdido peso; tenía el rostro pálido y demacrado. La chaqueta del traje, sin duda confeccionada por manos expertas, le colgaba informe de los hombros caídos.

—Necesito hablar con usted —dijo—. Necesito saber qué ocurre.

Rizzoli hizo una señal al agente del mostrador.

—Me lo llevo arriba.

Cuando Cassell y ella entraban en el ascensor, él se quejó:

—Nadie me cuenta nada.

—Entenderá, como es lógico, que ésta es la norma durante el proceso de investigación.

—¿Piensan acusarme? El detective Ballard asegura que es sólo cuestión de tiempo.

Ella se volvió a mirarle.

—¿Cuándo diablos le dijo eso?

—Cada jodida vez que se pone en contacto conmigo. ¿Es ésa la estrategia, detective? ¿Asustarme? ¿Acosarme para que confiese?

Rizzoli no contestó. Ignoraba que Ballard telefoneara continuamente a Cassell.

Salieron del ascensor y ella le condujo hasta la sala de reuniones, donde se sentaron en una esquina de la mesa, uno frente al otro.

—¿Tiene usted algo nuevo que contarme? —preguntó Rizzoli—. Porque, si no es así, no hay razón alguna para este encuentro.

—Yo no la maté.

—Eso ya lo dijo antes.

—No creo que usted me oyera la primera vez.

—¿Hay algo más que quiera decirme?

—Ustedes consultaron a la compañía aérea con la que viajo, ¿verdad? Les facilité esa información.

—En Northwest Airlines confirmaron que estaba usted en el vuelo. Pero eso sigue sin proporcionarle una coartada para la noche del asesinato de Anna.

—¿Y aquel incidente con el pájaro muerto en su buzón? ¿En algún momento se han preocupado de confirmar dónde estaba yo cuando ocurrió? Sé que no estaba en la ciudad. Mi secretaria se lo puede decir.

—A pesar de todo, debe entender que esto no prueba su inocencia. Pudo contratar a cualquier persona para que le retorciera el cuello al pájaro y luego lo dejara en el buzón de Anna.

—Reconozco de buen grado las cosas que yo hice. Sí, la seguí. Pasé docenas de veces con mi coche ante su casa. Y sí, la golpeé aquella noche… No me siento orgulloso de haberlo hecho. Pero nunca le envié amenazas de muerte. Y nunca he matado ningún pájaro.

—¿Eso es todo lo que ha venido a contarme? Porque, en ese caso… —Rizzoli empezó a levantarse.

Ante su sorpresa, él la agarró del brazo, la apretó con tanta fuerza que, de forma instantánea, Rizzoli reaccionó en defensa propia. Le cogió la mano y se la torció hacia atrás.

Cassell soltó un gruñido de dolor y volvió a sentarse, con expresión de desconcierto.

—¿Quiere que le rompa el brazo? —preguntó ella—. Si es así, vuelva a intentar ese truco.

—Lo siento —murmuró, mirándola con ojos afligidos: cualquiera que fuese la rabia que había ido almacenando durante aquel intercambio de palabras, de repente le abandonó—. Dios, lo siento…

Rizzoli observó cómo se encogía en la silla y pensó: «Esta aflicción es real».

—Sólo necesito saber qué está pasando —dijo él—. Necesito saber que ustedes hacen algo.

—Yo hago mi trabajo, doctor Cassell.

—Lo único que hacen es investigarme.

—Eso no es cierto. Esta investigación tiene una base muy amplia.

—Ballard dice...

—No es el detective Ballard quien está al frente sino yo. Y créame, estoy buscando en todos los rincones posibles.

Cassell asintió, respiró hondo y se enderezó.

—Eso es lo que quería escuchar, que se hace todo lo necesario. Que no se les pasa nada por alto. Con independencia de lo que piensen de mí, la verdad más sincera es que yo la amaba —se pasó la mano por el cabello—. Es terrible cuando una persona a la que amas te abandona.

—Sí, lo es.

—Cuando quieres a alguien, es natural que desees conservarlo a tu lado. Haces locuras, actos desesperados...

—¿Incluso matar?

—Yo no la maté —sostuvo la mirada de Rizzoli. Pero, sí. Por ella habría matado.

Entonces sonó el móvil de Rizzoli, y ésta se levantó.

—Disculpe —dijo, y salió de la sala.

Era Frost quien llamaba.

—Los de vigilancia han divisado una furgoneta blanca ante la residencia de Van Gates —comentó—. Pasó frente a la casa hará un cuarto de hora, pero no se detuvo. Existe la posibilidad de que el conductor viera a los muchachos, de modo que se han trasladado más abajo de la calle.

—¿Por qué piensas que se trata de la furgoneta que buscamos?

—Porque las placas de la matrícula son robadas.

—¿Qué?

—Pudieron anotar el número. Las placas las robaron hace tres semanas en Pittsfield, a un Dodge Caravan.

«En Pittsfield», pensó Rizzoli, «justo al otro lado de la frontera con Albany.»

«Donde el mes pasado desapareció una mujer.»

Se quedó con el auricular apretado contra la oreja y el pulso le empezó a martillar.

—¿Dónde está ahora la furgoneta?

—Nuestro equipo se quedó en su sitio y no la siguió. Para cuando se enteraron de lo de la matrícula, ya se había esfumado. No ha vuelto a pasar.

—Cambiad de coche y trasladaros a una calle paralela. Poned un segundo equipo a vigilar la casa. Si volviera a pasar la furgoneta, podríamos seguirla a tramos. Dos coches haciendo turnos.

—Entendido. Ahora mismo me dirijo hacia allí.

Rizzoli colgó. Se volvió a mirar el interior de la sala de reuniones, donde Charles Cassell seguía sentado a la mesa, con la cabeza gacha. «¿Es amor u obsesión lo que estoy viendo?», se preguntó Rizzoli.

A veces era difícil notar la diferencia.

28

La luz del día estaba ya menguando cuando Rizzoli subió por Dedham Park. Descubrió el coche de Frost y aparcó justo detrás. Bajó y se deslizó en el asiento del acompañante del coche.

—¿Y bien? —preguntó—. ¿Qué hay de nuevo?

—Nada en absoluto.

—Mierda. Ha pasado ya más de una hora. ¿Le habremos espantado?

—Todavía queda la posibilidad de que no fuera Lank.

—¿Una furgoneta blanca con matrículas robadas en Pittsfield?

—Bueno, no se quedó rondando por aquí. Y tampoco ha vuelto.

—¿Cuándo fue la última vez que Van Gates salió de la casa?

—En torno a mediodía, su mujer y él salieron a la tienda de comestibles para hacer la compra. Desde entonces han permanecido en la casa.

—Demos una vuelta por allí. Quiero echar un vistazo.

Frost condujo por delante de la casa, circulando con la suficiente lentitud para que Rizzoli pudiera observar con detenimiento la Tara de Sprague Street. Pasaron ante el grupo de vigilancia, aparcado al otro extremo de la manzana, luego doblaron la esquina y se detuvieron.

—¿Estáis seguros de que continúan en la casa? —preguntó Rizzoli.

—El equipo no ha visto salir a ninguno de los dos desde el mediodía.

—A mí me parece que la casa está demasiado oscura.

Se quedaron allí sentados durante un rato, mientras el crepúsculo se convertía cada vez más en noche. Mientras tanto, el nerviosismo de Rizzoli iba en aumento. No se veía ninguna luz encendida. ¿Estarían durmiendo marido y mujer? ¿O se habrían escapado sin que el equipo de vigilancia se diera cuenta?

«¿Qué hacía esa furgoneta por el vecindario?»

Se volvió a Frost.

—Ya está bien. No voy a esperar más tiempo. Hagámosles una visita.

Frost volvió a dar un rodeo ante la casa y aparcó. Llamaron al timbre, llamaron a la puerta. Nadie contestó. Rizzoli bajó del porche, retrocedió por el sendero de la entrada y miró hacia lo alto de la fachada estilo plantación, con sus priápicas columnas blancas. Tampoco había luces encendidas en la planta superior. «La furgoneta», pensó. «Si estuvo por aquí, sería por algún motivo.»

—¿Tú qué opinas? —preguntó Frost.

Rizzoli percibió que el corazón empezaba a latirle con fuerza y sintió el escozor de la inquietud. Ladeó la cabeza y Frost captó de inmediato el mensaje: «Demos la vuelta por detrás.»

Rodearon la casa hasta llegar a un patio lateral, donde abrieron la verja. Lo único que vieron fue un estrecho pasadizo de ladrillo, delimitado por una valla. No había sitio para ningún jardín y apenas espacio para colocar dos cubos de basura. Rizzoli cruzó la verja. No tenían orden de registro, pero allí dentro había algo que no funcionaba, algo que le producía un hormigueo en las manos, las mismas manos que la navaja de Warren Hoyt había cortado. «Un monstruo deja su marca en tu carne, en tus instintos, de modo que luego siempre puedes sentir cuándo otro monstruo pasa por tu lado.»

Con Frost justo detrás de ella, avanzó por delante de las oscuras ventanas. La unidad central del aire acondicionado sopló aire caliente contra su carne helada. «Tranquila, tranquila.» Estaban cometiendo violación de domicilio en aquellos momentos, pero lo único que querían era echar una ojeada a través de las ventanas, un vistazo a la puerta de atrás.

Rizzoli dobló la esquina y se encontró con un patio pequeño, cercado por una valla. El portón de atrás estaba abierto. Cruzó el patio hasta la entrada y miró por el callejón que había al otro lado. No vio a nadie allí. Se dirigió hacia la casa, estaba a punto de llegar a la puerta trasera, cuando advirtió que se hallaba entreabierta.

Entre Frost y ella hubo un intercambio de miradas. Los dos sacaron el arma. Eso ocurrió con tal celeridad, de forma tan automática, que Rizzoli no recordaba siquiera haber sacado la suya. Frost dio un empujón a la puerta, que se abrió de par en par, descubriendo un arco de azulejos en la cocina.

Y sangre.

Frost fue el primero en entrar y accionó el interruptor de la pared. Las luces de la cocina se encendieron. Más sangre llamaba a gritos desde las paredes, desde las superficies de trabajo. La alarma fue tan tremenda que Rizzoli retrocedió como si la hubiesen empujado. En su vientre, el bebé le dio una patada de inquietud.

Frost salió de la cocina y se alejó por el pasillo. Pero ella se quedó paralizada mirando a Terence Van Gates, que yacía como un nadador de ojos de cristal flotando en una piscina roja. «La sangre ni siquiera se ha secado.»

—¡Rizzoli! —oyó que gritaba Frost—. ¡La mujer! ¡Todavía vive!

Por poco se resbala cuando, con su vientre enorme y su torpeza, salió corriendo de la cocina. El pasillo era un pergamino de horror continuo, un rastro de salpicaduras arteriales y gotas que el pulso había lanzado contra la pared. Siguió el rastro hasta la sala de estar, donde encontró a Frost de rodillas, vociferando órdenes por su radioemisor, pidiendo una ambulancia mientras presionaba una mano sobre el cuello de Bonnie Van Gates. La sangre se le escurría entre los dedos.

Rizzoli se arrodilló al lado de la mujer caída. Bonnie tenía los ojos abiertos de par en par, en blanco por el terror, como si pudiera ver a la propia muerte mirándola desde arriba, a la espera de darle la bienvenida.

—¡No puedo pararla! —exclamó Frost, mientras la sangre seguía goteándole entre los dedos.

Rizzoli cogió un protector del brazo del sofá y lo apelotonó en la mano. Se inclinó hacia delante para apretar la venda improvisada en el cuello de Bonnie. Frost retiró la mano, liberando un borbotón de sangre antes de que Rizzoli pudiera taponar la herida. La pelota de tela quedó empapada al instante.

—¡La mano también le sangra! —exclamó Frost.

Rizzoli miró hacia abajo y observó el imparable goteo del hilillo rojo que brotaba del corte en la palma de Bonnie. «No podemos contenerla toda...»

—¿La ambulancia? —preguntó.

—Ya viene.

La mano de Bonnie salió disparada y agarró a Rizzoli del brazo.

—¡Quédate quieta! ¡No te muevas!

Bonnie dio una sacudida, con ambas manos en el aire, como un animal dominado por el pánico que pretendiera clavar las garras en su atacante.

—¡Sujétala, Frost!

—¡Jesús, qué fuerza tiene!

—¡Bonnie, quédate quieta! ¡Intentamos ayudarte!

La joven dio otra sacudida con las piernas, y Rizzoli perdió la presión sobre el cuello. Algo cálido se le extendió por la cara y notó el sabor de la sangre. Envuelta en su calor cobrizo. Bonnie se retorció de lado, sacudiendo las piernas como pistones.

—¡Se está agarrotando! —advirtió Frost.

Rizzoli sujetó la mejilla de Bonnie contra la alfombra y volvió a introducir el tapón en la herida. Había sangre por todos lados, salpicando la camisa de Frost, empapando la chaqueta de Rizzoli mientras intentaba mantener la presión sobre la resbaladiza piel. Dios mío, ¿cuánta sangre podía perder una persona?

Oyeron resonar pasos en la casa. Eran del equipo de vigilancia aparcado en la calle. Rizzoli ni siquiera levantó la vista cuando dos hombres entraron como una tromba en la sala. Frost les gritó que sujetaran a Bonnie. Pero apenas hacía falta ya, porque los agarrotamientos se habían apagado hasta convertirse en estremecimientos agónicos.

—No respira —advirtió Rizzoli.

—¡Dale la vuelta y colócala de espaldas! Vamos, vamos.

Frost colocó su boca sobre la de Bonnie y sopló. Al apartarse, tenía los labios ribeteados en rojo.

—¡No hay pulso!

Uno de los agentes colocó ambas manos sobre el pecho y

empezó a bombear. Uno cien mil, dos cien mil... Las manos enterradas en el escote hollywoodense de Bonnie. Con cada empujón, sólo un hilillo brotaba de la herida. Quedaba muy poca sangre en sus venas para circular, para nutrir los órganos vitales. Estaban bombeando un pozo vacío.

El equipo de la ambulancia llegó con sus tubos, monitores y botellas de solución intravenosa. Rizzoli se apartó para dejarles sitio y de pronto se sintió tan mareada que tuvo que sentarse otra vez. Se desplomó en un sillón y agachó la cabeza. Se dio cuenta de que estaba sentada encima de una tela blanca y de que, probablemente, la mancharía con la sangre de sus ropas.

Cuando volvió a levantar la cabeza, vio que habían intubado a Bonnie. Le habían abierto la blusa y cortado el sujetador. Los cables de los cardiogramas le cruzaban el pecho. Hacía sólo una semana, Rizzoli había pensado que aquella mujer era como una muñeca Barbie, tonta y de plástico, con su entallada blusa rosa y sus sandalias de tacón alto. De plástico, era justo el aspecto que tenía en aquellos momentos; la piel lívida, los ojos sin el brillo del espíritu. Rizzoli divisó una de las sandalias de Bonnie, caída a unos metros de allí, y se preguntó si habría intentado escapar con aquellos increíbles zapatos. Imaginó su frenético taconeo por el pasillo mientras dejaba un rastro de salpicaduras rojas, mientras forcejeaba sobre aquellos tacones puntiagudos. Incluso después de que el equipo de urgencia se llevara a la joven, Rizzoli siguió contemplando la sandalia.

—No se va a salvar —comentó Frost.

—Lo sé —Rizzoli le miró—. Tienes sangre en la boca.

—Pues tú deberías mirarte en un espejo. Diría que ambos hemos quedado expuestos al contagio.

Rizzoli pensó en la sangre y en todas las horribles cosas que ésta podía acarrear. Sida. Hepatitis...

—Ella parecía bastante saludable —fue todo lo que se le ocurrió.

—Aun así —dijo Frost—. Sobre todo tú, estando embarazada y todo lo demás.

¿Qué diablos hacía allí, empapada en sangre de una muerta? «Tendría que estar en casa, delante del televisor», pensó. «Con mis pies hinchados en posición elevada. Esto no es vida para una madre. No es vida para nadie.»

Intentó levantarse del sillón. Frost le tendió la mano y, por vez primera, la aceptó. Permitió que tirara de ella para ponerse en pie. «A veces no queda más remedio que aceptar la ayuda de una mano», pensó. La blusa estaba rígida, las manos cubiertas de engrudo marrón. El personal que se ocupaba del escenario del crimen no tardaría en llegar, y luego lo haría la prensa. Siempre los malditos periodistas.

Era hora de lavarse y de empezar a trabajar.

Maura bajó del coche y no sólo se vio asaltada sino también desorientada por los destellos de cámaras y micrófonos que le ponían delante. Los intermitentes rayos azules y blancos de los coches patrulla iluminaban a los transeúntes concentrados en torno al perímetro marcado por la cinta policial. Pero ella no vaciló, no concedió a los medios de comunicación la menor oportunidad de que la rodearan. Avanzó con pasos precipitados hacia la casa y saludó con una inclinación de cabeza al agente que hacía guardia en la verja.

El policía respondió a su saludo con expresión desconcertada.

—Oh… El doctor Costas ya ha llegado.

—Y yo también —contestó, pasando por debajo de la cinta.

—Doctora Isles.

—¿Ya está dentro?

—Sí, pero…

Maura siguió avanzando, convencida de que el agente no osaría desafiarla. Su aire de autoridad le franqueaba la entrada a sitios que pocos policías se atrevían a cuestionar. Se detuvo ante la entrada principal para ponerse los guantes y la funda de protección en los zapatos, accesorios de moda que era necesario ponerse cuando había sangre de por medio. Luego entró en la casa, donde los del equipo de investigación apenas le dedicaron una mirada.

Todos ellos la conocían, no tenían motivos para cuestionar su presencia. Maura recorrió sin impedimentos desde el vestíbulo hasta la sala de estar, donde vio la alfombra manchada de sangre y restos de utensilios médicos desperdigados que el personal de la ambulancia había dejado. Jeringuillas, vendas rotas y fajos de gasa manchada cubrían el suelo. No había nadie allí.

Empezó a recorrer un pasillo donde la violencia había dejado su rastro por las paredes. En un lateral, estallido de salpicaduras arteriales. En el otro, más sutiles, las gotas lanzadas por la navaja del perseguidor.

—¿Doc?

Rizzoli estaba de pie en el otro extremo del pasillo.

—¿Por qué no me has llamado? —inquirió Maura.

—Costas se encarga del caso.

—Eso acaban de decirme.

—Tu presencia no es necesaria aquí.

—Podrías habérmelo dicho, Jane. Podrías haberme avisado.

—Este caso no te incumbe.

—Tiene que ver con mi hermana. Por tanto, me incumbe.

—Justo por eso no te han adjudicado el caso —Rizzoli se le acercó, con la mirada imperturbable—. No tendría que decírtelo, porque tú ya lo sabes.

—No pido ser el forense en este caso. Si estoy resentida es por el hecho de que no me avisaras.

—Aún no he tenido tiempo, ¿vale?

—¿Eso es una excusa?

—¡Pero es la verdad, maldita sea! —Rizzoli señaló la sangre de las paredes—. Hemos tenido dos víctimas aquí. Yo ni siquiera he cenado; ni me he lavado la sangre del cabello. Por el amor de Dios, si ni siquiera he tenido tiempo de ir a mear —le volvió la espalda—. ¡Tengo mejores cosas que hacer antes de darte explicaciones!

—Jane.

—Vete a casa, Doc, y deja que haga mi trabajo.

—¡Lo siento, Jane! No debería haber dicho todo eso.

Rizzoli se volvió de cara a ella y Maura descubrió algo que hasta ese momento no había advertido. Los ojos hundidos. Los hombros caídos. «Apenas se sostiene de pie.»

—También yo lo lamento —Rizzoli contempló las paredes salpicadas de sangre—. Se nos ha escapado por un tanto así —dijo, juntando el índice y el pulgar—. Teníamos un equipo en la calle, vigilando la casa. No sé cómo descubriría el coche, pero ha pasado de largo y ha entrado por la puerta de atrás —sacudió la cabeza—. Por algún motivo que desconocemos, nos ha descubierto. Sabe que le estábamos buscando. Por eso Van Gates se había convertido en un problema.

—Fue ella quien le avisó.

—¿Quién?

—Amalthea. Tuvo que ser ella. Una llamada telefónica, una carta. Algo que entregó a una de las celadoras. Ella está protegiendo a su socio.

—¿Crees que conserva la suficiente cordura para hacer una cosa así?

—Sí, lo creo —Maura vaciló—. Hoy he ido a visitarla.

—¿Y cuándo pensabas decírmelo?

—Ella conoce secretos acerca de mí. Tiene las respuestas.

—Y oye voces. ¡Por el amor de Dios!

—No es cierto. Estoy convencida de que no ha perdido la razón, de que sabe muy bien lo que hace. Protege a su socio, Jane. Nunca lo va a delatar.

Rizzoli la observó un momento en silencio.

—Quizá sea preferible que veas esto. Necesitas saber contra qué luchamos.

Maura la siguió hasta la cocina y se detuvo en el umbral, sobrecogida ante la carnicería que vio en aquella estancia. Su colega, el doctor Costas, estaba agachado encima del cadáver. Se volvió hacia Maura y puso expresión de desconcierto.

—No sabía que ibas a intervenir en esto —dijo.

—Y no voy a intervenir. Sólo quería ver… —Miró a Terence Van Gates y tragó saliva.

Costas se incorporó.

—Con éste ha sido terriblemente eficiente. No hay heridas de defensa, ni indicios de que la víctima haya tenido la menor oportunidad de ofrecer resistencia. Un único corte, de oreja a oreja. Se le acercó por detrás. La incisión empieza arriba a la izquierda, cruza la tráquea y sigue algo más abajo hasta el lado derecho.

—Un atacante diestro.

—Y fuerte también —Costas se inclinó y con suavidad inclinó la cabeza de Van Gates hacia atrás, exponiendo un aro abierto de reluciente cartílago—. Y así hasta la columna vertebral.

Soltó la cabeza y ésta se plegó hacia delante, con lo cual los bordes escindidos volvieron a juntarse.

—Una ejecución —murmuró ella.

—Más o menos.

—¿Y la segunda víctima…, la de la sala de estar?

—La esposa. Murió en urgencias hace una hora.

—Sin embargo, esa ejecución no ha sido tan eficiente —le comentó Rizzoli—. Creemos que el asesino cogió primero al hombre por sorpresa. Es posible que Van Gates esperase su visita. Quizá incluso le dejó entrar en la cocina, pensando que se trataba de un asunto profesional. Pero no esperaba el ataque. No hay heridas defensivas ni señales de lucha. Se volvió de espaldas al asesino y cayó como un cordero degollado.

—¿Y la esposa?

—Lo de Bonnie ha sido un asunto muy distinto —Rizzoli bajó la mirada hacia Van Gates y observó los teñidos mechones de cabello trasplantado, símbolos de la vanidad de un viejo—. Pienso que Bonnie llegó de improviso y lo vio. Entró en la cocina y vio la sangre. Descubrió a su marido ahí en el suelo, con el cuello casi cercenado. El asesino también estaba aquí, todavía con el cuchillo en la mano. El aire acondicionado en marcha y todas las ventanas cerradas. Doble cristal para el aislamiento. Por eso nuestro equipo, a pesar de estar aparcado en la calle, no ha oído los gritos... Si es que ella ha tenido ocasión de gritar.

Rizzoli se volvió hacia la puerta que conducía al pasillo y se interrumpió un momento, como si viera allí de pie a la mujer muerta.

—Vio que el asesino se le acercaba pero, a diferencia de su marido, Bonnie se defendió. Lo único que pudo hacer, cuando le atacó con el cuchillo, fue agarrar la hoja. El filo le produjo un corte en la palma de la mano, le atravesó la carne y los tendones hasta el hueso. La incisión fue tan profunda que le cortó la arteria.

Rizzoli señaló la puerta, el pasillo que había más allá.

—Bonnie corrió hacia allí, con la mano salpicando sangre. El asesino salió tras ella y la acorraló en la sala de estar. Incluso entonces ella opuso resistencia, intentó protegerse del cuchillo con los brazos. Pero él consiguió hacerle otro corte, esta vez en la garganta. No tan profundo como el del marido, pero sí lo suficiente —Rizzoli miró a Maura—. Bonnie seguía con vida cuando la encontramos. Todo había sucedido poco antes de que llegáramos.

Maura observó a Terence Van Gates, caído contra el armario, y pensó en la casa del bosque donde dos primos habían forjado su ponzoñoso vínculo. «Un vínculo que todavía hoy perdura.»

—¿Recuerdas lo que Amalthea te dijo la primera vez que la visitaste? —preguntó Rizzoli.

Maura asintió. «Ahora también tú vas a morir.»

—Las dos pensamos que era sólo palabrería de una psicótica —dijo Rizzoli, y luego contempló a Van Gates—. Ahora está bastante claro que era una advertencia. Mejor dicho una amenaza.

—¿Por qué? Yo no sé más de lo que sabes tú.

—Quizá se deba al hecho de ser quien eres, Doc. La hija de Amalthea.

Un viento helado subió por la espina dorsal de Maura.

—Mi padre... —murmuró en voz baja—. Si de veras soy hija de ella, ¿entonces quién es mi padre?

Rizzoli no pronunció el nombre de Elijah Lank; no hacía falta.

—Eres una prueba viviente de que ellos son tus padres —dijo Rizzoli—. La mitad de tu ADN le corresponde a él.

Maura cerró con llave la puerta principal y corrió el pestillo. Allí se detuvo y pensó en Anna, en todos los cerrojos y cadenas de latón con que había adornado la casita de Maine.

«Me estoy volviendo como mi hermana», pensó. «Pronto me protegeré tras barricadas o huiré de casa en busca de una nueva ciudad, de una nueva identidad.»

Los faros de un coche recorrieron de lado a lado las cortinas de la sala de estar. Miró hacia fuera y vio un coche patrulla de la policía. No era de Brookline en esta ocasión, sino un coche patrulla en cuyo lateral se leía DEPARTAMENTO DE POLICÍA DE BOSTON. Rizzoli debe de haberlo solicitado, pensó.

Entró en la cocina y se preparó una copa. Nada sofisticado esa noche, no el habitual Cosmopolitan, sólo zumo de naranja, vodka y hielo. Se sentó a la mesa de la cocina y tomó un sorbo. Los cubitos de hielo tintinearon dentro del vaso. Bebiendo sola. No era buena señal pero... ¡qué diablos! Necesitaba la anestesia, necesitaba dejar de pensar en lo que había visto esa noche. El acondicionador de aire siseaba su frío aliento desde el techo. No había ventanas abiertas esa noche: todo cerrado y seguro. El vaso frío le helaba los dedos. Lo dejó a un lado y se miró la palma de la mano, el rosa pálido de los capilares. «¿Corre la sangre de los dos por mis venas?»

En ese momento sonó el timbre de la puerta.

La cabeza le dio un respingo. Se volvió hacia la sala de estar, el corazón marcaba paso ligero, tenía rígidos todos los músculos del cuerpo. Se levantó poco a poco de la silla y avanzó por el pasillo sin hacer ruido, en dirección a la puerta principal. Allí se detuvo, pensando en la facilidad con que una bala atravesaría aquella madera. Se acercó a la mirilla y atisbó afuera. De pie en el porche estaba Ballard.

Dio un suspiro de alivio y abrió la puerta.

—Me he enterado de lo de Van Gates —comentó él—. ¿Te encuentras bien?

—Un poco alterada, pero bien.

«No, no estoy bien. Tengo los nervios a flor de piel y estoy bebiendo sola en la cocina.»

—¿Por qué no pasas?

Rick nunca había estado en casa de ella. Entró, cerró la puerta, vio el pestillo y lo corrió.

—Necesitas instalar un sistema de seguridad, Maura.

—Tenía intención de hacerlo.

—Pues hazlo pronto, ¿vale? —la miró a los ojos. Puedo ayudarte a elegir el mejor.

Ella asintió.

—Te agradezco el consejo. ¿Quieres una copa?

—Esta noche no. Gracias.

Entraron en la sala de estar y él se detuvo al ver el piano que había en el rincón.

—No sabía que lo tocaras.

—Desde pequeña. Pero apenas practico lo suficiente.

—¿Sabes una cosa? Anna también tocaba... —se interrumpió—. Supongo que no estás enterada.

—No, no lo sabía. Es curioso, Rick, pero cada vez que averiguo algo sobre ella, descubro que se parece más y más a mí.

—Ella tocaba maravillosamente...

Ballard se acercó al piano, levantó la tapa y pulsó algunas notas. Luego volvió a cerrar la tapa y se quedó mirando la reluciente superficie negra. Se volvió hacia Maura.

—Estoy preocupado por ti. Sobre todo esta noche, después de lo que le ha pasado a Van Gates.

Maura soltó un suspiro y se sentó en el sofá.

—He perdido el control de mi vida. Ya ni siquiera puedo dormir con las ventanas abiertas.

También él se sentó. Eligió la silla situada frente a ella, de modo que si levantaba la vista tendría que mirarle a los ojos.

—No creo que debas quedarte sola aquí esta noche.

—Ésta es mi casa. No pienso irme.

—Entonces no te vayas —hizo una breve pausa—. ¿Quieres que me quede contigo?

La mirada de ella coincidió con la de él.

—¿Por qué haces esto, Rick?

—Porque pienso que necesitas a alguien que te proteja.

—¿Y serás tú quien se encargue?

—¿Quién más iba a hacerlo? ¡Mírate! Vives una vida de solitaria, aislada en esta casa. Pienso en ti aquí sola y me aterroriza lo que te pueda pasar. Cuando Anna me necesitó, yo no estaba allí. Pero puedo estar aquí para ti —extendió las manos y cogió las de ella—. Puedo estar aquí siempre que me necesites.

Maura bajó la mirada hacia las manos de él, que cubrían las suyas.

—Tú la querías, ¿verdad? —al ver que no contestaba, alzó los ojos y coincidió con los de él. ¿Verdad, Rick?

—Ella me necesitaba.

—No es eso lo que te he preguntado.

—No podía mantenerme a un lado y dejar que le hicieran daño. Que le hiciera daño ese hombre.

«Debería haberlo adivinado desde el principio», pensó. «Ha estado siempre ahí, en la forma en que me miraba, en cómo me tocaba.»

—Si la hubieses visto aquella noche, en urgencias —dijo él—. El ojo morado, los cardenales. Me bastó echar una ojeada a su rostro para querer sacarle las entrañas a quien lo había hecho. No hay muchas cosas que me hagan perder la razón, Maura, pero un hombre que hace daño a una mujer… —respiró con brusquedad—. No iba a permitir que le ocurriera otra vez. Pero Cassell no estaba dispuesto a abandonar. La siguió telefoneando, acosándola, de modo que tuve que intervenir... Le ayudé a instalar algunos candados. Empecé a visitarla todos los días, para comprobar si estaba bien. Luego, una noche, me pidió que me quedase a cenar, y... —se encogió de hombros, con gesto de derrota—. Así empezó todo. Ella estaba asustada y me necesitaba. Fue el instinto, ¿sabes? Tal vez el instinto del policía. Mi deseo es proteger.

«Sobre todo cuando se trata de una mujer atractiva.»

—Intentaba defenderla, eso es todo —entonces la miró—. Y sí, al final acabé enamorándome de ella.

—¿Y esto de ahora qué es, Rick? —Maura miró las manos de él, que aún sujetaban las suyas—. ¿Qué está ocurriendo aquí? ¿Esto es por mí o es por ella? Porque yo no soy Anna. No soy su sustituta.

—Estoy aquí porque me necesitas.

—Eso suena a repetición. Te has adjudicado el mismo papel, el de protector. Y yo sólo soy la actriz sustituta que por casualidad tiene que interpretar el papel de Anna.

—No es así.

—¿Qué pasaría si nunca hubieses conocido a mi hermana? ¿Si fuéramos sólo dos personas que se hubiesen conocido en una fiesta? ¿Estarías aquí ahora?

—Por supuesto —se inclinó hacia Maura, con las manos apretadas en torno a las de ella—. Sé que estaría aquí contigo.

Por un instante, ambos guardaron silencio. «Quiero creerle», pensó ella. «Sería tan fácil creerle...»

Pero lo que dijo fue:

—Creo que no debes quedarte aquí esta noche.

Poco a poco, Ballard se enderezó. Aún mantenía los ojos fijos en los de ella, pero ahora se había producido un gran abismo entre ambos. Y decepción.

Maura se levantó y Rick hizo lo mismo.

En silencio, ambos se dirigieron a la puerta de entrada.

Allí él se detuvo y se volvió hacia Maura. Levantó la mano y, con suavidad, le cogió la cara. Una caricia que ella no rechazó.

—Cuídate —dijo él, y se marchó.

Tras él, Maura cerró la puerta con llave.

29

Mattie se comió la última tira de cecina. La masticó como un animal salvaje que se alimentara de carroña disecada, al tiempo que pensaba: «Proteínas para mis fuerzas. ¡Para la victoria!». Y pensó en los atletas que se preparaban para la maratón, tonificando el cuerpo antes de lo que sería la actuación de su vida. También eso sería una maratón. La oportunidad de ganar.

«Si pierdes, morirás.»

La cecina era como cuero y casi se atraganta al engullirla, pero consiguió hacerla bajar con la ayuda de un trago de agua. La segunda jarra estaba casi vacía. «Me acerco a un amargo final», pensó, «no aguantaré mucho más». Y ahora tenía que enfrentarse a una nueva preocupación.

Las contracciones empezaban a resultar incómodas, como un puño que le apretara hacia abajo. No podía calificarlas de dolorosas todavía, pero eran un presagio de lo que iba a llegar.

¿Dónde estaba él, maldita sea? ¿Por qué la había dejado sola tanto rato? Sin reloj para seguir el paso del tiempo, no sabía si habían transcurrido horas o días desde que la visitó por última vez. Se preguntó si no le habría hecho enfadar cuando le gritó. ¿Era así como la castigaba? ¿Intentaba asustarla un poco, hacerle entender que tenía que ser educada y mostrarle cierto respeto?

Toda su vida se había portado con educación, y mira adónde la había llevado eso.

A las chicas educadas las trataban mal. Se quedaban al final de la cola, donde nadie les prestaba atención. Se casaban con hombres que pronto se olvidaban incluso de que existían. «Bien, pues ya estoy harta de ser educada», pensó. «Si alguna vez logro salir de aquí, voy a convertirme en una mala pécora.»

«Pero primero tengo que salir de aquí. Y eso significa que tengo que fingir ser educada.»

Tomó otro sorbo de agua y se sintió curiosamente saciada, como si hubiera celebrado un festín y bebido vino. «Ten paciencia», se dijo. «Él va a volver.»

Se cubrió los hombros con la manta y cerró los ojos.

Y se despertó entre las garras de una contracción. «¡Oh, no!», pensó. «No cabe la menor duda de que ésta duele.» Se tumbó sudorosa en la oscuridad, intentando recordar las clases sobre la técnica Lamaze, pero parecía como si de eso hubiese pasado toda una vida. La vida de otra persona.

«Inspira. Espira. Purifica…»

—¿Señora?

Mattie se puso rígida. Alzó los ojos hacia la rejilla, donde había susurrado la voz. El pulso se le aceleró. «Ha llegado la hora de actuar, teniente O'Neil.» Pero tendida en la oscuridad, respirando su propio olor a terror, pensó: «No estoy preparada. Nunca lo estaré. ¿Por qué en algún momento se me ha ocurrido que podría hacerlo?».

—Señora. Dígame algo.

«Ésta es tu única oportunidad. Hazlo.»

Respiró hondo.

—Necesito ayuda —gimoteó.

—¿Por qué?

—El bebé...

—Dígame.

—Ya viene. Tengo dolores. ¡Oh, por favor, déjeme salir! No sé cuánto más podré... —soltó un sollozo—. Déjeme salir. Necesito salir. El bebé está a punto de llegar.

La voz guardó silencio.

Mattie se agarró a la manta, temerosa de respirar, temerosa de perderse el más leve susurro que él pudiera emitir. ¿Por qué no contestaba? ¿Se había vuelto a marchar? Entonces oyó el golpe seco, y una raspadura.

Una pala. Él empezaba a cavar.

«Una oportunidad», pensó ella. «Sólo dispongo de una oportunidad.»

Más golpes. La pala daba golpes largos al retirar la tierra, las raspaduras eran tan irritantes como el chirriar de una tiza sobre la pizarra. Ahora respiraba con rapidez, el corazón le golpeaba dentro del pecho. «Vivir o morir», pensó. «Todo se decide ahora.»

Los ruidos se interrumpieron.

Tenía las manos entumecidas, los dedos helados mientras sujetaban la manta sobre los hombros. Oyó que la madera crujía, luego los goznes chirriaron. Y se deslizó tierra en su cárcel, dentro de sus ojos. «¡Oh, Dios! ¡Oh, Dios! No podré ver. ¡Necesito ver!» Volvió la cabeza para protegerse la cara contra la tierra que se le escurría entre el cabello. Parpadeó una y otra vez para eliminar la arenilla de los ojos. Con la cabeza baja, no pudo verle de pie por encima de ella. ¿Y qué vería él, de pie en lo alto del hoyo? A su cautiva acurrucada bajo la manta, sucia, derrotada. Consumida por los dolores del parto.

—Ha llegado el momento de salir —dijo él, esta vez no a través de la rejilla.

Tenía voz sosegada, del todo corriente. ¿Cómo podía un diablo hablar con tono tan normal?

—Ayúdeme —Mattie dejó escapar un sollozo. No puedo brincar hasta ahí arriba.

Oyó ruido de madera al rozar contra madera y sintió que algo golpeaba a su lado. Una escalera de mano. Abrió los ojos, miró hacia arriba y sólo vio una silueta recortándose contra las estrellas. Después de la más absoluta oscuridad en su prisión, el cielo nocturno parecía inundado de luz.

Él encendió una linterna y apuntó el foco a los travesaños.

—Son sólo unos cuantos peldaños —indicó él.

—Me duele mucho.

—La cogeré de la mano, pero tiene que subir por la escalera.

Mientras sorbía por la nariz, Mattie se levantó poco a poco hasta ponerse en pie. Se tambaleó y volvió a caer de rodillas. Llevaba días sin incorporarse, y se sorprendió al comprobar lo débil que estaba a pesar de sus intentos de hacer ejercicio, a pesar de la adrenalina que bombeaba en la sangre.

—Si quiere salir —dijo él—, tendrá que levantarse.

Mattie gruñó y se tambaleó de nuevo sobre sus pies, tan inestable como un ternero recién nacido. Aún mantenía la mano derecha debajo de la manta, apretada contra el pecho. Con la mano izquierda se agarró a la escalera.

—Eso es. Ahora suba.

Mattie subió el primer peldaño y se detuvo para estabilizarse antes de levantar la mano libre hacia el siguiente travesaño. Subió el segundo peldaño. El hoyo no era demasiado profundo; sólo unos peldaños más y ya estaría fuera. De hecho, la cabeza y los hombros estaban ya a la altura de la cintura de él.

—Ayúdeme —suplicó—. Tire de mí.

—Suelte la manta.

—Hace demasiado frío. Por favor, tire de mí.

Él dejó la linterna en el suelo.

—Déme la mano —dijo, y se inclinó hacia ella: una sombra sin rostro, un tentáculo que se le acercaba.

«Ahora. Está lo bastante cerca.»

La cabeza de él estaba justo por encima de la de Mattie en aquel momento, a una distancia donde podría alcanzarle. Por un segundo vaciló, repelida por la idea de lo que se disponía a hacer.

—Deje de perder el tiempo —le gritó él—. ¡Suba ya!

De repente fue el rostro de Dwayne el que imaginó que la estaba mirando. La voz de Dwayne la que la recriminaba, desprecio tras desprecio. «La imagen es lo que cuenta, Mattie, ¡y mira tu aspecto!» Mattie la vaca agarrada a la escalera, temerosa de no salvarse. Temerosa de no salvar a su bebé. «Es que ya no me sirves de nada.»

«¡Sí sirvo! ¡Ya lo creo que sirvo!»

Entonces soltó la manta. Ésta se deslizó de sus hombros, descubriendo lo que había estado sujetando debajo: el calcetín, abultado por las ocho pilas de la linterna. Levantó el brazo e hizo girar el calcetín como si fuera una maza, un arco impulsado por la rabia en estado puro. La puntería careció de control, fue torpe, pero aun así sintió la satisfacción de oír un golpe sordo cuando las pilas impactaron sobre el cráneo.

La sombra giró de lado y cayó.

En unos segundos, ella había subido ya la escalera y salía a gatas del hoyo. El terror no la entorpecía más; le agudizaba los sentidos, la hacía más veloz que una gacela. En el preciso instante en que sus pies tocaron tierra firme, registró una docena de detalles a la vez. Una luna en cuarto menguante asomaba entre las ramas que se arqueaban contra el cielo. El olor a tierra y hojas mojadas. Y los árboles, árboles por todas partes, un círculo de altos centinelas que lo bloqueaban todo salvo la estrecha cúpula de estrellas sobre su cabeza. «Estoy en un bosque.» Captó todo eso mediante una visión panorámica, tomó la decisión en la fracción de un segundo y salió a la carrera hacia lo que parecía una brecha entre los árboles. De pronto descubrió que bajaba a toda velocidad por un empinado barranco, chocando contra zarzas y delgadas ramitas que, en vez de romperse en dos, le azotaban vengativas la cara.

Cayó de bruces. En un segundo se arrastró de nuevo para ponerse en pie y volvió a correr, aunque cojeando ya, después de torcerse el tobillo, que palpitaba con fuerza. «Estoy armando demasiado ruido», pensó. «Soy más pesada que las pisadas de un elefante. Pero no pares, no pares…, porque él puede estar detrás de ti. ¡Sigue corriendo!»

Sin embargo, iba a ciegas entre aquellos árboles, sin otra cosa que las estrellas y aquel pobre remedo de luna para indicarle el camino. Sin luz, sin puntos de referencia. Sin la menor idea de dónde estaba o en qué dirección podía haber alguien que le ayudase. No conocía nada de aquel lugar, estaba perdida como un vagabundo en una pesadilla. Luchó por abrirse camino entre la maleza, dirigiéndose por instinto colina abajo, dejando que la gravedad decidiera qué dirección debía tomar. Las montañas conducían a los valles. Los valles conducían a los ríos. Los ríos llevaban a la gente. Oh, qué bien sonaba aquello, pero… ¿era verdad? Las rodillas ya se le anquilosaban a consecuencia de la caída sufrida. Otro traspiés y muy bien podía suceder que no fuera capaz de volver a levantarse.

Y entonces otro dolor se apoderó de ella. La obligó a detenerse con brusquedad, a contenerse a medio respirar.

Una contracción. Se dobló sobre sí misma, a la espera de que pasara. Cuando por fin pudo enderezarse otra vez, estaba empapada en sudor.

Percibió un susurro tras ella. Se volvió y se enfrentó a un muro de sombras impenetrables. Sintió que el diablo se acercaba. Casi al instante reanudó la carrera para huir de él. Las ramas de los árboles le golpeaban la cara y el pánico no paraba de chillarle: «¡Más deprisa! ¡Más deprisa!»

En la ladera de la colina dio un traspié, empezó a perder el equilibrio y habría aterrizado sobre su vientre de no haberse agarrado a una rama. «¡Mi pobre bebé, casi aterrizo sobre ti!» No percibió ruidos de que la persiguieran, pero sabía que él tenía que ir tras ella, siguiendo sus huellas. El terror la impulsó a continuar la huida en medio de una red de ramas entrelazadas.

Luego, como por arte de magia, los árboles se evaporaron. Se abrió paso a través de una última maraña de lianas y los pies pisaron sobre tierra batida. Aturdida y jadeante, distinguió al frente las ondulaciones reflejadas de la luz de la luna. Un lago. Un camino.

Y a lo lejos, elevada sobre un promontorio, la silueta de una pequeña cabaña.

Dio unos pocos pasos y se vio obligada a detenerse. Emitió un sordo gruñido cuando una nueva contracción la atenazó y la apretó con tal fuerza que apenas lograba respirar. No pudo hacer otra cosa que ponerse en cuclillas en medio del camino. Las náuseas le inundaron la garganta. Oyó el golpeteo del agua que chocaba contra la orilla y el chillido de un ave sobre el lago. El vahído le recorrió todo el cuerpo, amenazando con tirar de ella hasta hacerla caer de rodillas. «¡Aquí no! ¡No te detengas aquí, tan visible en medio del camino!»

Se meció hacia delante, la contracción ya aflojaba. Se obligó a seguir, la cabaña era una esperanza en sombras. Empezó a correr, la rodilla le palpitaba a cada golpe del zapato contra el camino de tierra. «Más rápido», pensó. «Aquí en medio, frente a los reflejos del lago, él puede verte. Corre antes de que el siguiente dolor te agarrote. ¿Cuántos minutos hasta el próximo? ¿Cinco, diez?» La cabaña se veía tan lejana…

Se esforzaba al máximo; las piernas la empujaban, el aire entraba y salía de sus pulmones. La esperanza era como el combustible de un cohete. «Voy a vivir. Voy a vivir.»

Las ventanas de la cabaña estaban a oscuras. Aun así llamó a la puerta, sin atreverse a gritar por miedo a que su voz la llevara otra vez al camino, a lo alto de la colina. No obtuvo respuesta.

Vaciló sólo un segundo. «Al diablo con ser una buena chica. ¡Limítate a romper la maldita ventana!» Cogió una piedra que había cerca de la puerta de entrada y golpeó el cristal. El ruido de cristales rotos hizo añicos el silencio de la noche. Con la piedra despejó las pocas astillas que quedaban, luego metió la mano en el hueco de la puerta y la abrió.

«Ahora empuja y entra. ¡Adelante, teniente O'Neil!»

Allí dentro olía a cedro y a rancio. Una casita de vacaciones que llevaba demasiado tiempo cerrada y desatendida. Los cristales crujieron bajo sus zapatos cuando buscó a tientas un interruptor en la pared. Un segundo después de que se encendiera la luz, se dio cuenta de lo que acababa de hacer. Él la habría visto. «Demasiado tarde ahora. Limítate a buscar un teléfono.»

Miró por la habitación y vio una chimenea, madera apilada, muebles tapizados con tela a cuadros, pero ningún teléfono.

Corrió a la cocina y descubrió un receptor telefónico en la encimera. Lo cogió y ya estaba marcando el 911 cuando advirtió que no había tono. La línea no funcionaba.

En la sala de estar, los cristales crujieron sobre el suelo.

«Él ya está en la casa. Sal. Sal de inmediato.»

Salió en silencio por la puerta de la cocina y la cerró con cautela a sus espaldas. Vio que estaba en un pequeño garaje. La luz de la luna se filtraba por una única ventana, lo bastante potente para que pudiera distinguir la baja silueta de un bote de remos colocado sobre su remolque. No había otro refugio, ningún otro sitio donde esconderse. Se apartó de la puerta de la cocina y se internó entre las sombras, lo más lejos que pudo. Golpeó con el hombro contra un estante y se produjo un traqueteo metálico, removiendo el olor a polvo acumulado durante mucho tiempo. Tanteó a ciegas por el estante en busca de un arma. Palpó botes de pintura con las tapas apelmazadas. Tocó brochas para pintar, con las cerdas sólidas por la pintura seca. Los dedos se cerraron en torno a un destornillador y lo cogió. Un arma ridícula, tan letal como una lima de uñas. El pariente pobre de todos los destornilladores.

La luz que se filtraba por debajo de la puerta de la cocina osciló. Una sombra se movía frente a la luminosa rendija. Se detuvo.

Y dejó de respirar. Retrocedió hacia la puerta oscilante del garaje, el corazón le martillaba la garganta. Sólo le quedaba una opción.

Bajó la mano en busca de la manilla y tiró. La puerta chirrió al deslizarse por las guías: era un grito que anunciaba «¡Aquí está ella! ¡Aquí está ella!»

Justo en el momento en que la puerta de la cocina se abrió de golpe, consiguió arrastrarse por debajo de la puerta oscilante y corrió hacia la noche. Sabía que él podría verla correr a lo largo de la orilla pobremente iluminada. Sabía que no conseguiría correr más y dejarle atrás. Aun así, siguió con dificultad a lo largo del lago plateado por la luna. El barro se le adhería a los zapatos. Oyó que él se le acercaba en medio de un estrépito de cañas de enea. «Échate a nadar», pensó. «Entra en el lago.»

Cambió de rumbo en dirección al agua.

Y de repente se dobló sobre sí misma, en el momento en que la siguiente contracción la paralizó. Aquel dolor no se parecía a ninguno de los que había experimentado antes. Cayó de rodillas. Y levantó salpicaduras en aquel palmo de agua a medida que el dolor iba en aumento, inmovilizándola entre sus fauces con tal fuerza que, por un momento, se le oscureció la visión y sintió que oscilaba de un lado a otro hasta perder el equilibrio. Notó lodo en la boca. Se contorsionó en medio de toses hasta quedar tendida de espaldas, tan indefensa como una tortuga que hubiese caído sobre el caparazón. La contracción remitió.

Poco a poco las estrellas volvieron a brillar en el cielo. Y pudo sentir que el agua le acariciaba el cabello, le lamía las mejillas. No estaba fría en absoluto sino tibia como la de un baño. Oyó el chapoteo de las pisadas de su secuestrador, el chasquido de las cañas. Vio que los tallos de enea se separaban.

Y entonces la silueta surgió por encima de ella, elevándose contra el cielo. Él estaba allí, reclamando su premio.

Se arrodilló junto a ella. El reflejo del agua brilló en sus ojos como dos puntitos de luz. Pero lo que empuñaba en la mano brilló con toda claridad: el haz plateado de un cuchillo. Fue como si él adivinara, en cuanto se inclinó sobre ella, que estaba agotada. Que su espíritu sólo esperaba liberarse del exhausto caparazón.

Le agarró la cinturilla de los pantalones de embarazada y tiró hacia abajo, descubriendo la pálida bóveda de su vientre. Aun así, ella no se movió; permaneció como en estado catatónico. Ya rendida. Ya muerta.

Entonces él le puso una mano sobre el vientre, mientras con la otra agarraba el cuchillo y bajaba la hoja hacia la carne desnuda, inclinándose encima de ella para realizar el primer corte.

El agua se elevó en una salpicadura plateada cuando Mattie sacó bruscamente la mano del lodo. Entretanto apuntaba el destornillador hacia la cara de su secuestrador. Con los músculos tensos por la rabia, empujó el destornillador hacia arriba, y la patética arma impactó de repente con puntería letal en el ojo del hombre.

«¡Éste es por mí, gilipollas!»

«¡Y éste por mi bebé!»

Empujó con todas sus fuerzas, y sintió que el arma penetraba a través del hueso y del cerebro, hasta que la empuñadura se alojó en la cuenca del ojo y ya no pudo hundirse más.

El otro cayó sin emitir un solo sonido.

Por un momento, Mattie fue incapaz de poder moverse. El cuerpo inerte había caído de través sobre sus muslos, y ella sintió que el calor de la sangre se le filtraba entre la ropa. «Los muertos son muy pesados», pensó; «mucho más que los vivos». Empujó el cadáver y soltó un gruñido a causa del esfuerzo, dominada por la repulsión de tocarlo. Al final consiguió que rodara a un lado; el cuerpo chapoteó al caer de espaldas entre las cañas de enea.

Mattie se puso en pie con dificultad y avanzó con pasos inseguros hacia un terreno más elevado. Lejos del agua, lejos de la sangre... Se desplomó a media altura del terraplén, dejándose caer sobre un lecho de hierba.

Allí se quedó tendida mientras llegaba la siguiente contracción y después se iba. Para dar paso a otra. Y luego a otra... Con los ojos eclipsados por el dolor, observó cómo la luna menguante avanzaba por el cielo. Vio cómo las estrellas iban apagándose y un resplandor rosado se filtraba por el cielo desde el este.

Cuando el sol surgió en el horizonte, Mattie Purvis dio la bienvenida al mundo a su hija.

30

Los zopilotes trazaban lentos círculos en el cielo, heraldos de alas negras que anunciaban carroña fresca. Los muertos no escapan por mucho tiempo a la atención de la madre naturaleza.

El olor de la descomposición atrae a moscardas y escarabajos, cuervos y roedores, convergiendo todos ante la generosidad de la muerte. «¿Cómo iba a ser yo distinta?», pensó Maura mientras bajaba la herbosa pendiente hacia el lago. También ella se sentía atraída hacia los muertos, a hurgar y picotear en la carne fría como cualquier animal carroñero. Aquél era un sitio demasiado hermoso para tarea tan macabra. El cielo era azul y sin una nube, el lago parecía un espejo plateado. Sin embargo, en el borde del agua, un plástico blanco ocultaba lo que los zopilotes que trazaban lentos círculos en lo alto estaban ansiosos por catar.

Jane Rizzoli, que estaba allí con Barry Frost y dos agentes de la policía estatal de Massachusetts, se adelantó para recibir a Maura.

—El cadáver estaba medio sumergido en el agua, junto a aquellas cañas de enea. Lo hemos sacado a la orilla. Sólo quiero que sepas que lo hemos cambiado de sitio.

Maura lanzó un vistazo al cadáver tapado, pero no lo

tocó. No estaba preparada para enfrentarse a lo que yacía debajo del plástico blanco.

—¿La mujer está bien?

—He visto a la señora Purvis en la sala de urgencias. Tiene algunas magulladuras, pero se encuentra bien. Y la niña ha salido estupendamente —Rizzoli señaló hacia el terraplén, donde crecían los penachos de mullida hierba—. La tuvo allí mismo. Consiguió dar a luz sin ayuda de nadie. En torno a las siete, cuando el guarda del parque pasó por aquí, se la encontró sentada a un lado del camino, amamantando a la pequeña.

Maura miró la pendiente de la orilla y pensó en la mujer dando a luz a solas y a cielo abierto, sin que nadie oyera sus gritos de dolor, mientras a veinte metros de donde estaba, un cadáver se enfriaba y se ponía rígido.

—¿Dónde la tenía escondida?

—En un hoyo, a unos tres kilómetros de aquí.

Maura la miró frunciendo las cejas.

—¿E hizo todo este recorrido a pie?

—Sí. Imagina, huyendo en plena oscuridad entre los árboles y, además, a punto de parir. Bajar por toda aquella pendiente y salir sana y salva.

—Me cuesta imaginarlo.

—Deberías ver el cajón donde la tuvo encerrada, es como un ataúd. Enterrada viva durante una semana. No sé cómo ha logrado salir cuerda de todo esto.

Maura pensó en la joven Alice Rose, atrapada en un pozo muchos años atrás. Una sola noche de desespero y oscuridad la había perseguido durante el resto de su corta vida y, al final, se había suicidado. Mattie Purvis, en cambio, no sólo no había perdido la razón: había salido dispuesta a contraatacar. A sobrevivir.

—Hemos encontrado la furgoneta blanca —dijo Rizzoli.

—¿Dónde?

—Aparcada arriba, en uno de los caminos de mantenimiento. A unos treinta o cuarenta metros del hoyo donde la había enterrado. Nunca la habríamos encontrado allí.

—¿No habéis descubierto otros restos aún? Tiene que haber más víctimas enterradas por allí cerca.

—Acabamos de iniciar la búsqueda. Hay muchos árboles y es una zona extensa para registrar. Nos llevará tiempo peinar toda la colina en busca de tumbas.

—Todos estos años, todas esas mujeres desaparecidas. Una de ellas podría ser mi... —Maura se interrumpió y miró hacia los árboles de la ladera.

«Una de ellas podría ser mi madre. Tal vez por mis venas no circule la sangre de unos monstruos. Quizá mi verdadera madre lleve muerta todos estos años. Una víctima más, enterrada en algún lugar de ese bosque.»

—Antes de que empieces a hacer suposiciones —dijo Rizzoli—, quiero que veas el cadáver.

Maura la miró entornando los ojos, luego se volvió al cadáver amortajado que yacía a sus pies. Se arrodilló y cogió una esquina del plástico.

—Espera. Debo advertirte...

—¿Sí?

—No es lo que estás esperando.

Maura titubeó, la mano gravitaba sobre la tela. Los insectos ya zumbaban a su alrededor, ávidos por acceder a la carne fresca. Respiró hondo y levantó la esquina del plástico.

Por unos instantes, mientras contemplaba el rostro que acababa de descubrir, no dijo una sola palabra. Lo que la dejó perpleja no fue el ojo izquierdo destrozado ni el mango del destornillador hundido en la órbita del ojo. Aquel detalle horripilante era sólo un aspecto para tener en cuenta, que archivaría mentalmente a un lado, como haría con un informe que hubiese dictado. No, lo que captó su atención, lo que la horrorizó, fue el rostro en sí.

—Es demasiado joven —murmuró—. Este hombre es demasiado joven para ser Elijah Lank.

—Intuyo que tendrá entre treinta y treinta y cinco.

Maura soltó un grito ahogado de sorpresa.

—No entiendo...

—¿Lo has notado, verdad? —preguntó Rizzoli, en voz baja—. Cabello negro, ojos verdes...

«Como los míos.»

—Me refiero a que, con toda seguridad, puede haber un millón de tipos con el cabello y los ojos de ese color. Pero la semejanza... —se interrumpió—. Frost también la vio. Todos la vimos.

Maura dejó caer la tela de plástico sobre el cadáver, alejándose de la verdad que sin duda había visto en el rostro del hombre muerto.

—El doctor Bristol ya viene de camino —anunció Frost—. No creemos que usted quiera hacerse cargo de la autopsia.

—¿Entonces por qué me han llamado?

—Porque dijiste que querías que te tuviéramos al corriente —contestó Rizzoli—. Porque te prometí que lo haría. Y porque... —bajó la mirada hacia el cadáver cubierto—. Porque más pronto o más tarde ibas a descubrir quién era este individuo.

—Pero no sabemos quién es. Crees verle un parecido, pero eso no es una prueba.

—Hay más cosas. Algo que acabo de saber esta misma mañana.

Maura la miró inquisitiva.

—¿Qué?

—Hemos intentado seguir la pista del paradero de Elijah

395

Lank. Hemos buscado en todos los sitios donde su nombre pudiera surgir. Arrestos, multas de tráfico, todo. Esta mañana nos llegó un fax de un secretario del condado de Carolina del Norte. Era un certificado de defunción. Elijah Lank murió hace ocho años.

—¿Ocho años? Entonces no iba con Amalthea cuando ella mató a Theresa y a Nikki Wells.

—No. Para entonces Amalthea trabajaba con un nuevo socio. Alguien que pasó a ocupar el puesto de Elijah. A continuar el negocio de la familia.

Maura se volvió y contempló el lago, sus aguas cegadoramente luminosas a esa hora. «No quiero escuchar el resto de esa historia», pensó. «No quiero conocerla.»

—Hace ocho años —explicó Rizzoli—, Elijah murió de un ataque al corazón en un hospital de Greenville... Se presentó en urgencias quejándose de un fuerte dolor en el pecho. Según los informes, llegó a urgencias acompañado de su familia.

—Una familia.

—De su esposa, Amalthea —añadió Rizzoli—, y del hijo de ambos, Samuel.

Maura respiró profundamente, y en el aire olió a la vez a descomposición y a verano. La muerte y la vida se entremezclaban en un solo perfume.

—Lo siento —dijo Rizzoli—. Siento que hayas tenido que descubrirlo. Todavía queda una posibilidad de que nos equivoquemos con este hombre, ¿sabes? Todavía queda la posibilidad de que no esté relacionado en absoluto con ellos.

Pero no se equivocaban, y Maura lo sabía.

«Lo he sabido en cuanto he visto su cara.»

Esa noche, cuando Rizzoli y Frost entraron en J. P. Doyle's, los policías de la barra les saludaron con una sonora tanda de aplausos que hicieron ruborizar a Rizzoli. Diablos, hasta los muchachos que no la apreciaban demasiado aplaudían en señal de camaradería ante su éxito, que en aquel preciso momento pregonaba el televisor que colgaba encima de la barra en el noticiario de las cinco. Todos, al unísono, empezaron a dar golpes con las manos sobre la madera cuando Rizzoli y Frost se acercaron a la barra, donde el sonriente camarero les había preparado dos bebidas. Para Frost, una copa de whisky, y para Rizzoli...

Un enorme vaso de leche.

Mientras todos estallaban en risas, Frost se inclinó y le susurró al oído:

—Oye, no me encuentro muy bien del estómago. ¿Te importa si cambiamos las bebidas?

Lo curioso era que a Frost le encantaba la leche. Así que le dio su vaso y ella pidió al camarero una Coca-Cola.

A medida que los compañeros se acercaban para estrecharles la mano o darles una palmada con los cinco dedos abiertos, Frost y ella fueron comiendo cacahuetes y tomando sorbos de sus virtuosas bebidas. A Rizzoli se le olvidó tomar la Adams habitual. Esa noche se olvidó de muchas cosas: de su marido, de su cerveza, de su cintura... Sin embargo, fue un gran día. Siempre es un gran día cuando cae un criminal, pensó.

—¡Eh, Rizzoli! Las apuestas están a doscientos pavos que vas a tener una chica, y ciento veinte a que será chico.

Miró de reojo y vio a los detectives Vann y Dunleavy, que estaban de pie a su lado en la barra. El Hobbit grueso y el delgado sostenían en la mano sus dos pintas de Guinness.

—¿Y qué pasa si tengo a los dos? —dijo ella—. ¿Y si llevo gemelos?

—¡Vaya! —exclamó Dunleavy—. No habíamos considerado esta posibilidad.

—¿Quién ganaría entonces?

—Supongo que nadie.

—O todos —replicó Vann.

Los dos camaradas se quedaron un rato reflexionando sobre la cuestión. Sam y Frodo encallados en el monte Doom de los dilemas.

—Bueno —dijo Vann al fin—. Supongo que tendremos que añadir otra categoría.

Rizzoli rió.

—Sí, yo diría que es la solución, muchachos.

—Por cierto, habéis hecho un gran trabajo —dijo Dunleavy—. Vigila, porque en la próxima ocasión saldrás en la portada de *People*. Un criminal como ése, y todas esas mujeres... Menuda historia.

—¿Quieres que te diga la verdad más honesta? —Rizzoli suspiró y dejó a un lado su refresco—. No podemos atribuirnos el mérito.

—¿No?

Frost se volvió para mirar a Vann y a Dunleavy.

—No fuimos nosotros los que nos lo cargamos. Fue la víctima.

—Una simple ama de casa —añadió Rizzoli—. Una asustada, embarazada y corriente ama de casa. No necesitó ninguna pistola ni una porra, sólo un maldito calcetín lleno de pilas de una linterna.

En el televisor, las noticias locales habían finalizado y el camarero cambió al canal HBO. Una película en la que salían mujeres con minifalda. Mujeres con cintura estrecha.

—¿Entonces qué hay de las balas Black Talon? —preguntó Dunleavy—. ¿Cómo encajan ahí?

Rizzoli guardó silencio unos instantes, mientras tomaba un sorbo de Coca-Cola.

—Todavía no lo sabemos.

—¿Habéis encontrado el arma?

Ella vio que Frost la miraba, y experimentó un escalofrío de inquietud. Ése era el detalle que preocupaba a los dos. No habían encontrado arma alguna en la furgoneta. Allí había sogas anudadas y cuchillos con restos de sangre seca. También había un bloc de notas con los nombres de otros nueve tratantes de niños en todo el país: Terence Van Gates no era el único. Además, en el bloc figuraban anotaciones de pagos que se habían hecho a los Lank en el transcurso de los años. Un filón de información que mantendría ocupados a los investigadores durante mucho tiempo. Sin embargo, el arma que había matado a Anna Leoni no estaba en la furgoneta.

—Oh, bueno —concluyó Dunleavy—. Tal vez aparezca. O a lo mejor se deshizo de ella.

«Es posible. O quizá todavía se nos escape algo.»

Había oscurecido cuando Frost y ella salieron de Doyle's. En vez de ir a casa, Rizzoli condujo hasta Schroeder Plaza. La conversación con Vann y Dunleavy aún seguía flotando en su mente y se sentó al escritorio, ocupado por una montaña de expedientes. Encima estaban los registros del Centro Nacional de Información sobre el Crimen, varias décadas de informes sobre personas desaparecidas, recopilados durante la búsqueda de la Bestia. Pero había sido el asesinato de Anna Leoni lo que había puesto en marcha aquella investigación. Como un guijarro al caer en el agua, que envía ondas cada vez más amplias. El asesinato de Anna era lo que les había conducido a Amalthea y, finalmente, a la Bestia. Sin embargo, la muerte de Anna seguía siendo una cuestión sin resolver.

Rizzoli dejó a un lado los informes del CNIC hasta encontrar la carpeta de Anna Leoni. Aunque había leído y releído todo lo que figuraba en aquel expediente, volvió a pasar todas las hojas. Volvió a leer las declaraciones de los testigos, la autopsia, los informes sobre cabellos y fibras, huellas dactilares y ADN. Llegó a los informes de balística y su mirada se detuvo en las palabras Black Talon. Recordó la forma estrellada de la bala en la radiografía del cráneo de Anna Leoni. También recordó el rastro devastador que había dejado en su cerebro.

Una bala Black Talon. ¿Dónde estaría el arma que la disparó?

Cerró la carpeta y bajó la vista hacia la caja de cartón que durante la última semana había estado junto a su escritorio. En ella estaban los expedientes sobre el asesinato de Vassily Titov que Vann y Dunleavy le habían prestado. Titov había sido la otra víctima de una bala Black Talon en el área de Boston en los últimos cinco años. Sacó los expedientes del interior de la caja y los apiló encima del escritorio. Suspiró al ver lo alta que era la pila. Incluso una investigación relámpago generaba montones de papeles. Vann y Dunleavy le habían resumido el caso y ella había leído lo bastante en sus informes para convencerse de que, en efecto, habían practicado una buena detención. El juicio que siguió y la rápida condena de Antonin Leonov sólo habían reforzado su creencia. Sin embargo, allí estaba, repasando los archivos de un caso que no dejaba asomo de duda en cuanto a que habían condenado al hombre buscado.

El informe final del detective Dunleavy era minucioso y convincente. La policía llevaba una semana vigilando a Leonov, a la espera de una entrega de heroína procedente de Tayikistán. Cuando los dos detectives vigilaban desde su coche, Leonov se presentó ante la residencia de Titov, llamó a la puerta y le dejaron entrar. Momentos después, se oyeron dos disparos en el interior de la casa. Acto seguido salió Leonov, subió a su coche y se disponía a ponerlo en marcha cuando Vann y Dunleavy le cerraron el paso y lo detuvieron. Dentro de la casa hallaron muerto a Titov en la cocina, con dos balas Black Talon en el cerebro. Más tarde, el departamento de balística confirmó que las dos balas habían salido del arma de Leonov.

Caso abierto y cerrado. El asesino condenado, el arma bajo custodia de la policía. Rizzoli no veía vínculo alguno entre la muerte de Titov y la de Anna Leoni, salvo la utilización de las balas Black Talon. Si bien se trataba de un tipo de munición cada vez más rara, no era suficiente para constituir un vínculo entre ambos asesinatos.

No obstante, siguió hojeando los informes, leyendo durante la hora de la cena. Cuando llegó a la última carpeta, estaba tan cansada que estuvo a punto de dejarla a un lado. «Será mejor que termine con esto», pensó. Luego guardó los expedientes y dejó descansar el asunto.

Abrió la carpeta y encontró el informe del registro del almacén de Antonin Leonov. En él figuraba la descripción que el detective Vann había hecho de la operación, una lista de los empleados de Leonov arrestados, junto con un inventario de todo lo confiscado, desde las cajas de mercancía, el dinero en efectivo y los libros de contabilidad. Lo leyó por encima hasta que llegó a la lista de los agentes que habían participado. Diez agentes del departamento de policía de Boston. Su mirada se detuvo en un nombre en particular, un nombre que había pasado por alto cuando leyó el informe una semana atrás. «Será sólo una coincidencia. No tiene que significar necesariamente...»

Se detuvo y pensó un momento sobre el asunto. Se acordó de una redada antidroga en la que había participado cuando era una joven policía. Mucho ruido, mucha excitación y... confusión. Cuando una docena de policías cargados de adrenalina coinciden en un edificio hostil, todos están nerviosos, todo el mundo cuida de sí mismo. No te das cuenta de lo que hace tu compañero. Ni de lo que se mete en el bolsillo. Dine-

ro, drogas, una caja de balas que nunca van a echar en falta...
Siempre está presente esa tentación de llevarte un *souvenir*.
Un *souvenir* que tal vez más adelante te resulte útil.

Descolgó el teléfono y llamó a Frost.

31

Los muertos no eran buena compañía.

Maura se sentó ante el microscopio, examinó a través de la lente las secciones de pulmón, de hígado y de páncreas, trocitos de tejido cortados de los restos mortales de una víctima de suicidio, conservados bajo cristal y teñidos de un rosa chillón y púrpura con un preparado de hematoxilina. Salvo por el ocasional tintineo de los portaobjetos y el débil siseo del aparato de aire acondicionado, en el edificio reinaba absoluto silencio. Sin embargo, no estaba sola. Había personas en la sala fría de abajo. Media docena de silenciosos visitantes que yacían encerrados dentro de su mortaja. Invitados poco exigentes, cada uno con una historia que contar, pero sólo a quienes estuvieran dispuestos a cortar y a investigar.

El teléfono del escritorio empezó a sonar, pero dejó que grabaran el mensaje en el contestador, que siempre conectaba después del horario laboral. «No hay nadie aquí, salvo los muertos. Y yo.»

La historia que Maura contemplaba en aquellos momentos bajo la lente del microscopio no era nueva. Órganos jóvenes, tejidos saludables. Un cuerpo diseñado para vivir muchos años más, de haberlo querido el espíritu. Sólo con que la voz interna le hubiera susurrado al hombre desesperado: «Oye, espera un minuto, la angustia es algo pasajero. Este dolor pasará y el día menos pensado encontrarás a otra chica a quien amar.»

Terminó con el último portaobjetos y lo depositó en la caja. Se quedó sentada un momento, pero la mente no estaba centrada en las muestras que acababa de revisar, sino en otra imagen: la de un joven con el cabello negro y los ojos verdes. No había asistido a su autopsia; mientras el doctor Bristol lo abría y diseccionaba, ella había permanecido arriba, en su despacho. Sin embargo, mientras dictaba informes y revisaba portaobjetos bajo el microscopio hasta muy tarde, pensaba en él. «¿Quiero saber realmente quién es?» Aún no había tomado una decisión. Ni siquiera al levantarse de la mesa, mientras recogía el bolso y un puñado de carpetas, estaba muy segura de cuál sería su respuesta.

El teléfono volvió a sonar y, una vez más, no hizo el menor caso.

Al bajar por el silencioso pasillo, pasó ante puertas cerradas y despachos desiertos. Se acordó de otra noche, cuando salía de aquel edificio vacío y se encontró la marca de la garra en el coche. El corazón empezó a latirle con más celeridad.

«Pero él está muerto ahora. La Bestia se ha ido.»

Salió por la puerta de atrás y se encontró con una noche de verano suave y cálida. Se detuvo bajo la farola exterior del edificio mientras inspeccionaba el aparcamiento en sombras. Atraídas por el resplandor de la luz, las mariposas nocturnas revoloteaban alrededor de la farola y percibió el aleteo de las alas al chocar contra la bombilla. Luego oyó otro ruido: el de una portezuela al cerrarse. Una silueta avanzó hacia ella, adquiriendo forma y rasgos a medida que se acercaba al foco de luz.

Soltó un suspiro de alivio al ver que era Ballard.

—¿Me estabas esperando?

—He visto tu coche en el aparcamiento. Intenté telefonearte.

—Siempre conecto el contestador automático después de las cinco.

—Tampoco contestabas el móvil.

—Lo llevo desconectado. Rick, no necesito que me sigas vigilando. Estoy bien.

—¿De veras?

Maura dejó escapar un suspiro mientras se acercaban al coche. Alzó los ojos al cielo, donde las estrellas eran pálidas a causa del resplandor de la ciudad.

—Tengo que decidir qué hago respecto al ADN. Si de veras quiero conocer la verdad.

—Entonces no hagas la prueba. Poco importa si estás emparentada con ellos. Amalthea no tiene nada que ver con lo que tú eres.

—Eso es lo que habría dicho antes.

«Antes de saber qué ascendencia puedo compartir. Antes de descubrir que tal vez proceda de una familia de monstruos.»

—La maldad no es hereditaria.

—Sin embargo, no es agradable saber que en la familia puedo tener unos cuantos asesinos en serie.

Abrió la puerta del coche y se sentó al volante. Acababa de introducir la llave de encendido cuando Ballard se asomó por la ventanilla.

—Maura —dijo—. ¿Querrías cenar conmigo?

De momento no contestó. Tampoco le miró. Se limitó a fijar la vista en el verdoso resplandor de las luces del salpicadero mientras consideraba la invitación.

—Anoche me hiciste una pregunta —insistió él—. Me preguntaste si estaría interesado en ti en caso de no haber querido nunca a tu hermana. Pienso que, con independencia de cuál fuera mi respuesta, no ibas a creerme.

Ella se volvió para mirarle.

—No hay forma de averiguarlo, ¿verdad? Porque el hecho es que la quisiste.

—Entonces concédeme la oportunidad de conocernos. Creo que no me lo imaginé allá en el bosque. Tú lo sentiste y yo lo sentí... Hubo algo entre nosotros —se inclinó todavía más y, con voz suave, añadió—: Será sólo una cena.

Maura pensó en las horas que acababa de pasar trabajando en un edificio esterilizado, sin más compañía que la muerte. «No quiero estar sola esta noche», pensó. «Quiero estar con los vivos.»

—Al final de la calle está Chinatown —dijo—. ¿Qué te parece si vamos allí?

Rick se deslizó a su lado, en el asiento del pasajero y los dos se miraron un momento. El resplandor de la farola del aparcamiento caía en diagonal sobre el rostro de Ballard, dejando la mitad en sombras. Él estiró la mano para acariciarle la mejilla. Luego dobló el brazo con la intención de atraerla hacia sí, pero ella ya se inclinaba hacia él, dispuesta a encontrarse a medio camino. A más de medio camino. La boca de él se posó en la de Maura, y ella sintió su propio suspiro. Sintió que él la atraía hacia la calidez de sus brazos.

La explosión hizo que se estremeciera.

Dio un respingo cuando la ventanilla del lado de Rick estalló hacia dentro y un cristal le pinchó la mejilla. Volvió a abrir los ojos para mirarle. Para mirar lo que quedaba de su cara, convertida ahora en una masa sanguinolenta. Poco a poco, el cuerpo de él se inclinó sobre Maura. La cabeza aterrizó sobre sus muslos y el calor de la sangre le empapó el regazo.

—¡Rick! ¡Rick!

Afuera, unos movimientos atrajeron su mirada sobrecogida. Alzó los ojos y de la oscuridad vio surgir una silueta vestida de negro, que avanzaba hacia ella con la eficiencia de un robot.

«Viene a matarme.»

«Arranca. ¡Arranca!»

Empujó el cuerpo de Rick y forcejeó para apartarlo del cambio de marchas. El rostro destrozado rezumaba sangre sobre sus manos resbaladizas. Logró tirar de la palanca para poner marcha atrás y pisó a fondo el acelerador.

El Lexus retrocedió dando bandazos y salió de la plaza de aparcamiento.

Quien había disparado se encontraba en algún lugar a sus espaldas, avanzando.

Entre sollozos, se esforzó en empujar la cara de Rick lejos del cambio de marchas, y notó que los dedos se le hundían en la carne empapada en sangre. Tiró de la palanca y puso la marcha automática.

Entonces la ventanilla posterior saltó por los aires. Maura se encogió mientras los cristales le salpicaban el cabello.

Volvió a pisar a fondo el acelerador y el Lexus chirrió al saltar hacia delante. El tirador le había cortado la salida más cercana del aparcamiento. Sólo quedaba una dirección por donde huir: hacia el aparcamiento contiguo, perteneciente al Centro Médico de la Universidad de Boston. Ambos aparcamientos estaban separados sólo por un bordillo, y Maura avanzó recta hacia ese bordillo, preparándose para dar el salto. Sintió que la barbilla se le disparaba hacia delante, que los dientes castañeteaban cuando las ruedas rebotaron sobre el suelo de cemento.

Otra bala impactó contra el parabrisas y lo desintegró.

Maura se agachó con celeridad cuando los cristales rotos cayeron como lluvia encima del salpicadero y rebotaron igual que perdigones contra su cara. El Lexus, fuera de control, dio varios bandazos. Entonces ella alzó la vista y descubrió la farola justo al frente. Insoslayable. Cerró los ojos un segundo antes de que estallara el airbag y sintió que la aplastaban contra el asiento.

Aturdida, abrió lentamente los ojos. El claxon había empezado a sonar, y lo hacía cada vez con más intensidad. No enmudeció siquiera cuando ella rodó de lado, lejos de la bolsa de aire desprendida, ni siquiera cuando abrió la portezuela y se dejó caer afuera, sobre el suelo de cemento.

Se levantó tambaleante. Las orejas le zumbaban por el continuo aullido del claxon. Consiguió avanzar agachada tras la protección de un coche aparcado allí cerca. Con las piernas inestables, se forzó a continuar, pegada a la hilera de coches, hasta que de repente se vio obligada a detenerse.

Frente a ella había una amplia extensión de cemento sin protección.

Se arrodilló detrás de una rueda y se asomó por detrás del parachoques. Sintió que la sangre se le helaba en las venas al ver que la oscura silueta salía de entre las sombras, persistente como una máquina, avanzando hacia el Lexus abollado, hasta que entró bajo el cono de luz que proyectaba la farola.

Maura distinguió un destello de cabello rubio. La estela de una cola de caballo.

La mujer que había disparado abrió de un tirón la puerta del pasajero y se inclinó para examinar el cuerpo de Ballard. De pronto volvió a sacar la cabeza y, girándola con celeridad, barrió con la mirada el solar del aparcamiento.

Maura volvió a ocultarse detrás de la rueda. El pulso le palpitaba en las sienes, cada inspiración era una bocanada de pánico. Miró hacia el pavimento despejado, fríamente iluminado por la siguiente farola. Más allá, al otro lado de la calle, estaba el luminoso letrero rojo del centro médico que ponía URGENCIAS. Lo único que necesitaba era cruzar aquella zona desierta y pasar al otro lado de Albany Street. El escándalo del claxon debía de haber atraído ya la atención del personal del hospital.

«Tan cerca. La ayuda está tan cerca.»

El corazón le golpeaba contra el pecho, se meció sobre la punta de los pies. Miedo a moverse, miedo a quedarse. Con lentitud, se estiró hacia delante y se asomó por detrás de la rueda.

Al otro lado del coche, plantadas como una estaca, distinguió dos botas negras.

«Corre.»

En la fracción de un segundo, corría ya a toda velocidad y en línea recta por aquel espacio desierto. No pensó en hacer movimientos de distracción, ni fintas a derecha e izquierda. Se limitó a huir, dominada por el pánico. Al frente brillaba el letrero rojo de URGENCIAS. «Puedo conseguirlo», pensó. «Puedo…»

La bala fue como un porrazo en el hombro. La lanzó hacia delante y cayó despatarrada sobre el asfalto. Intentó ponerse de rodillas, pero el brazo izquierdo se le había quedado trabado debajo del cuerpo. «¿Qué le pasa a mi brazo? ¿Por qué no puedo utilizarlo?», se preguntó. Soltó un gruñido al rodar sobre la espalda, el resplandor de la farola brillaba por encima de ella.

Entonces, dentro de su campo visual, surgió el rostro de Carmen Ballard.

—Ya te maté una vez —dijo Carmen—, y ahora tendré que hacerlo de nuevo.

—Por favor. Rick y yo… Nosotros nunca…

—Él no era tuyo para que te lo llevaras —Carmen levantó la pistola: el cañón era un ojo negro que miraba fijamente a

Maura—. Jodida zorra... —la mano se le tensó, a punto para efectuar el disparo letal.

Y de repente la interrumpió otra voz:

—¡Suelte el arma!

Carmen pestañeó sorprendida. Miró hacia ambos lados.

De pie, a pocos metros de distancia, un guarda de seguridad del hospital le apuntaba con su arma.

—¿Me ha oído, señora? —le gritó—. ¡Suelte el arma!

La determinación de Carmen vaciló. Miró hacia abajo, a Maura, luego de nuevo al guarda. Su rabia, sus ansias de venganza, pugnaban con la realidad de las consecuencias.

—Nunca hemos sido amantes —insistió Maura, con la voz tan débil que se preguntó si Carmen lo habría oído por encima del lejano aullido del claxon del coche—. Y ellos tampoco lo fueron.

—Eso es mentira —la mirada colérica de Carmen se volvió hacia Maura—. Eres igual que ella. Rick me dejó por culpa de ella. Me abandonó.

—No fue por culpa de Anna...

—Sí lo fue. Y ahora es por tu culpa.

Siguió apuntando a Maura incluso cuando unos neumáticos chirriaron al frenar, incluso cuando una nueva voz le gritó:

—¡Suelte el arma, agente Ballard!

«Rizzoli.»

Carmen miró a ambos lados, una última mirada calculadora, sopesando las posibilidades. En aquel momento le apuntaban dos armas. Había perdido. Con independencia de lo que decidiera, su vida estaba acabada. Cuando Carmen volvió a mirarla, Maura pudo ver en sus ojos la decisión que ya había tomado. Observó cómo tensaba los brazos, cómo afianzaba la puntería sobre ella, dispuesto el cañón para el impacto final. Observó cómo las manos de Carmen se tensaban en torno a la culata, preparándose para disparar el tiro definitivo.

La detonación conmocionó a Maura. Vio que empujaba de lado a Carmen. Que ésta se tambaleaba. Que caía.

Entonces oyó pasos apresurados, un crescendo de sirenas... Y una voz familiar que murmuraba:

—¡Oh, Jesús, Doc!

Vio que el rostro de Rizzoli se cernía sobre ella. Luces que parpadeaban en la calle. Y que a su alrededor se aproximaban las sombras. Fantasmas que le daban la bienvenida a su mundo.

32

Ahora lo veía desde el otro lado. Como paciente, no como médico. Las luces del techo pasaron veloces por encima de ella mientras empujaban la camilla por el pasillo, mientras la enfermera de gorra abombada le examinaba los ojos con preocupación. Las ruedas chirriaron y la enfermera jadeó un poco al empujar la camilla contra las puertas batientes de la sala de operaciones. Entonces, en lo alto brillaron unas luces distintas, más potentes, cegadoras. Como las luces de la sala de autopsias.

Maura cerró los ojos frente a aquellas luces. Mientras las enfermeras de la sala de cirugía la colocaban en la mesa de operaciones, pensó en Anna, tendida desnuda bajo luces idénticas, con el cuerpo abierto y desconocidos examinándola. Sintió que el espíritu de Anna planeaba encima de ella, observándola, tal como Maura la había observado antes a ella. «Mi hermana», pensó mientras el pentobarbital penetraba en sus venas y las luces se extinguían. «¿Me estás esperando?»

Pero cuando despertó no fue a Anna a quien vio, sino a Jane Rizzoli. Delgadas franjas de luz diurna se filtraban a través de las persianas parcialmente cerradas y proyectaban luminosas rayas horizontales sobre la cara de Rizzoli cuando se inclinó hacia Maura.

—Hola, Doc.

—Hola —contestó con un hilo de voz.

—¿Cómo te encuentras?

—No muy bien. El brazo... —Maura dio un respingo.

—Creo que ha llegado la hora de que te administren la droga.

Rizzoli se estiró y pulsó el botón de la enfermera.

—Gracias. Gracias por todo.

Guardaron silencio cuando la enfermera entró para inyectar una dosis de morfina en la intravenosa. El silencio persistió después de que la enfermera se marchara; la droga empezó a surtir su magia.

—Rick... —murmuró Maura, en voz baja.

—Lo siento. Debes saber que ha...

«Lo sé.» Contuvo las lágrimas.

—Nunca tuvimos una oportunidad.

—Ella no estaba dispuesta a permitir que la tuvieras. La marca de aquella garra en tu coche, todo era por él. Para decirte que te mantuvieras lejos de su marido. La tela metálica acuchillada, el pájaro muerto en el buzón, todas las amenazas que Anna atribuía a Cassell... Pienso que la responsable era Carmen, en su intento por asustar a Anna a fin de que abandonara la ciudad. Para que dejase en paz a su marido.

—Pero luego Anna regresó a Boston.

Rizzoli asintió.

—Regresó porque se enteró de que tenía una hermana.

«Yo.»

—De modo que Carmen averiguó que la novia había vuelto —dijo Rizzoli—. Anna había dejado aquel mensaje en el contestador de Rick, ¿te acuerdas? La hija debió de oírlo y se lo comentó a la madre. Con eso se esfumaba para Carmen toda esperanza de reconciliación. La otra mujer actuaba de nuevo, y en su territorio. En su familia.

Maura recordó lo que Carmen le había dicho: «Él no era tuyo para que te lo llevaras.»

—Charles Cassell me comentó algo sobre el amor —prosiguió Rizzoli—. Dijo que hay una clase de amor que, hagas lo que hagas, nunca te abandona. Suena romántico, ¿verdad? Hasta que la muerte nos separe… Luego piensas en cuánta gente ha matado porque un enamorado no consiente que le abandonen, porque se niega a renunciar.

A esas alturas, la morfina ya se había diseminado por el flujo sanguíneo. Maura cerró los ojos, acogiendo gustosa el abrazo de la droga.

—¿Cómo lo averiguaste? —murmuró—. ¿Cómo se te ocurrió que lo había hecho Carmen?

—Por la Black Talon. Ésa era la pista que debíamos haber seguido hasta el final, aquella bala. Pero descarté la pista por los Lank. Por la Bestia…

—Lo mismo me pasó a mí —musitó Maura, sintiendo que la morfina la arrastraba hacia el sueño—. Creo que ya estoy preparada para la respuesta, Jane.

—¿La respuesta a qué?

—A Amalthea. Necesito saberlo.

—¿Si es tu madre?

—Sí.

—Aunque lo sea, eso no significa absolutamente nada. Es sólo una cuestión biológica. ¿Qué ganarás con saberlo?

—La verdad —Maura suspiró—. Por lo menos sabré la verdad.

«La verdad no es lo que la gente suele querer oír», pensó Rizzoli cuando se dirigía hacia su coche. ¿No sería mejor asirse a la más leve brizna de esperanza de que no eres el vástago de unos monstruos? Sin embargo, Maura quería conocer los hechos y Rizzoli sabía que serían brutales. Los investigadores ya habían encontrado restos de dos mujeres enterradas en la ladera boscosa, no lejos de donde Mattie Purvis había estado confinada. ¿Cuántas mujeres embarazadas habrían conocido los horrores de aquella misma caja? ¿Cuántas se habían despertado en la oscuridad y habían arañado y chillado frente a aquellos muros impenetrables? ¿Y cuántas habían comprendido, como la misma Mattie, el terrible final que les aguardaba una vez que llegara a su fin su utilidad como incubadoras vivientes?

«¿Habría sobrevivido yo a semejante horror? Nunca voy a conocer la respuesta. Hasta que no sea yo la que me encuentre dentro de aquella caja.»

Cuando llegó al coche aparcado en el garaje, descubrió que examinaba las cuatro ruedas para confirmar si estaban intactas, que inspeccionaba los coches que había alrededor del suyo, que buscaba a alguien que pudiera estar vigilando. «En esto te convierte la profesión», pensó. «Empiezas a sospechar que la maldad está a tu alrededor, aunque no esté ahí.»

Subió al Subaru y puso el motor en marcha. Aguardó un momento mientras funcionaba al ralentí, mientras el soplo de aire que salía de los conductos de ventilación se enfriaba. Registró el bolso en busca del móvil. «Necesito oír la voz de Gabriel», pensó. «Necesito convencerme de que no soy Mattie Purvis, de que mi esposo me quiere de verdad. Tal como yo le quiero a él.»

Contestaron a la primera llamada.

—Aquí el agente Dean.

—Hola —dijo ella.

Gabriel soltó una risa de sorpresa.

—Estaba a punto de telefonearte.

—Te echo de menos.

—Es lo que esperaba que dijeras. Me dirijo al aeropuerto ahora.

—¿Al aeropuerto? ¿Significa eso...?

—Cojo el primer vuelo a Boston. ¿Qué te parece una cita con tu marido esta noche? ¿Crees que podrás incluirme en tu agenda?

—Con tinta imborrable. Pero vuelve a casa. Por favor, vuelve a casa.

Se produjo un silencio. Luego, con voz queda, preguntó:

—Jane, ¿estás bien?

Lágrimas inesperadas le escocieron en los ojos.

—Oh, son estas malditas hormonas... —se limpió la cara y rió—. Creo que te necesito ahora mismo.

—No cambies de idea, porque voy para allá.

Rizzoli sonreía mientras se dirigía hacia Natwick para visitar un hospital distinto y a una paciente distinta. A la otra superviviente de aquella carnicería. «Las dos son mujeres extraordinarias», pensó, «y yo he tenido el privilegio de conocerlas a ambas».

A juzgar por las furgonetas de las cadenas de televisión que había en el aparcamiento del hospital y por todos los periodistas que pululaban cerca del vestíbulo de la entrada, también la prensa había decidido que Mattie Purvis era una mujer a quien valía la pena conocer. Rizzoli tuvo que pasar entre una jauría de reporteros para llegar a la recepción. La historia de la mujer enterrada en una caja había disparado el frenesí en las noticias de ámbito nacional. Rizzoli se vio obligada a enseñar la placa a diversos guardias de seguridad antes de que por fin se le permitiera llamar a la habitación de Mattie en el hospital. Al ver que no obtenía respuesta, decidió entrar.

El televisor estaba encendido, pero sin sonido. Las imágenes fluctuaban en la pantalla sin que nadie las viera. Mattie estaba acostada en la cama, con los ojos cerrados, sin parecerse en absoluto a la joven novia acicalada de la foto de boda. Los labios estaban hinchados y partidos, la cara era un mapa de pinchazos y arañazos. Tenía el tubo del suero conectado a una mano, los dedos llenos de costras y las uñas quebradas. Semejaba la garra de una fiera. Pero la expresión de su rostro era serena: el suyo era un sueño sin pesadillas.

—Señora Purvis —musitó Rizzoli, en voz baja.

Mattie abrió los ojos y parpadeó varias veces antes de centrar por completo la vista en su visitante.

—Oh, detective Rizzoli. Ha vuelto.

—He pensado que debía hacerle una visita. ¿Cómo se encuentra hoy?

Mattie dejó escapar un suspiro profundo.

—Mucho mejor. ¿Qué hora es?

—Casi mediodía.

—¿He dormido toda la mañana?

—Lo necesita. No, no se siente, tómeselo con calma.

—Pero si estoy cansada de permanecer tumbada de espaldas.

Mattie apartó las sábanas y se sentó. El cabello, sin arreglar, le cayó en fláccidos mechones.

—He visto a su niña al otro lado del cristal de la guardería. Está preciosa.

—¿Verdad que sí? —Mattie sonrió—. Le voy a poner Rose. Siempre me ha gustado ese nombre.

«Rose.» Rizzoli experimentó un escalofrío. Era solamente una coincidencia, una de esas confluencias inexplicables en el universo. «Alice Rose. Rose Purvis.» Una chica muerta hacía muchos años; otra que acababa de empezar su vida. Y, a pesar de todo, otro hilo, por muy frágil que fuera, conectaba la vida de aquellas dos chicas a lo largo de varias décadas.

—¿Quería hacerme algunas preguntas? —inquirió Mattie.

—Bueno, la verdad... —Rizzoli arrastró una silla junto a la cama y se sentó—. Le pregunté ya muchas cosas ayer, Mattie. Pero no le pregunté cómo lo logró. ¿Cómo lo consiguió?

—¿Cómo conseguí qué?

—Conservar la cordura. No rendirse.

La sonrisa se extinguió en los labios de Mattie. Contempló a Rizzoli con los ojos muy abiertos, como poseídos.

—No sé cómo lo hice —murmuró—. Nunca imaginé que fuera capaz de... —se interrumpió—. Quería vivir, eso es todo. Quería que mi niña viviera.

Se quedaron en silencio unos instantes. Luego Rizzoli dijo:

—Quiero prevenirla sobre la prensa. Todos querrán un trozo de usted... He tenido que cruzar en medio de una turba ahí fuera. El hospital ha conseguido mantenerlos alejados de momento, sin embargo, cuando regrese a casa, la historia será muy distinta. Sobre todo desde... —Rizzoli se interrumpió.

—¿Desde cuándo?

—Sólo quiero que esté preparada, eso es todo. No deje que nadie la empuje a hacer algo que no desea.

Mattie frunció las cejas. Luego dirigió la mirada al televisor sin voz, donde estaban dando las noticias de las doce.

—Él sale en todos los canales —comentó.

En la pantalla, Dwayne Purvis estaba ante un mar de micrófonos. Mattie cogió el control remoto y pulsó el botón del volumen.

—Éste es el día más feliz de mi vida —anunció Dwayne a la multitud de reporteros—. He recuperado a mi maravillosa esposa y a mi hija. Ha sido una experiencia tan dura que me cuesta empezar a contarla. Una pesadilla que ninguno de ustedes podría siquiera imaginar. Doy gracias a Dios. Doy gracias a Dios por los finales felices.

Mattie pulsó el botón de apagar, pero mantuvo la mirada en la pantalla en blanco.

—No parece real —dijo—. Es como si nunca hubiese ocurrido. Por eso puedo permanecer aquí y estar tan tranquila al respecto. Porque no creo que haya estado allí en realidad, en aquella caja.

—Estuvo, Mattie. Necesitará su tiempo para procesarlo. Es posible que tenga pesadillas, escenas del pasado. Entrará en un ascensor o mirará dentro de un armario y de repente creerá estar de nuevo dentro de aquella caja. Pero mejorará, se lo prometo. Recuerde sólo que... irá a mejor.

Mattie la miró con ojos brillantes.

—Usted sabrá.

«Sí, lo sé», pensó Rizzoli, cerrando las manos sobre las cicatrices de las palmas. Allí estaba la prueba de su dura experiencia, de su batalla para conservar la cordura. «Sobrevivir es sólo el primer paso.»

Alguien llamó a la puerta. Rizzoli se levantó y Dwayne Purvis entró con un gran ramo de rosas rojas. Se dirigió directamente a la cama de su esposa.

—Hola, nena. Quería venir antes, pero ahí fuera aquello es una casa de fieras. Todos quieren entrevistas.

—Ya le hemos visto por televisión —dijo Rizzoli, procurando ser neutral, aunque no podía mirarle sin acordarse del interrogatorio en la comisaría de Natick.

«Oh, Mattie», pensó. «Puedes aspirar a alguien mejor que este hombre.»

Dwayne se volvió hacia Rizzoli, que reparó en su camisa a medida, su corbata de seda con el nudo perfecto. El olor de la loción para el afeitado ahogaba la fragancia de las rosas.

—¿Y qué tal lo he hecho? —preguntó ilusionado.

Le contestó la verdad:

—Parecía un auténtico profesional de la televisión.

—¿De veras? Es fantástico, con todas las cámaras ahí. Esto ha excitado a todo el mundo —se volvió hacia su esposa—. ¿Sabes, cariño? Tenemos que documentarlo todo. Guardar un registro de todo lo que hagamos.

—¿A qué te refieres?

—A esto, por ejemplo. A este momento. Hay que sacar una foto de este momento. Yo entregándote las flores mientras tú estás acostada en la cama del hospital. Ya he sacado fotos de la cría. He hecho que la enfermera la acercara al cristal. Pero necesitamos primeros planos. Tú con ella en brazos, quizá.

—Su nombre es Rose.

—Y no tenemos ninguna de nosotros dos juntos. Es indudable que necesitamos fotos de los dos. He traído una cámara.

—Voy sin peinar, Dwayne. Y estoy hecha un asco. No quiero ninguna foto.

—Anda... Ellos nos las van a pedir.

—¿Quiénes? ¿Para quién son las fotos?

—Eso es algo que decidiremos más adelante. Podemos tomarnos nuestro tiempo, sopesar las ofertas. La historia valdrá mucho más si va acompañada de fotos —sacó una cámara del bolsillo y se la entregó a Rizzoli—. Tenga. ¿Haría el favor de tomarnos una foto?

—Eso es algo que debe decidir su esposa.

—No se preocupe, no pasa nada —insistió él—. Lo único que debe hacer es tomar la foto.

Se inclinó junto a Mattie y le tendió el ramo de rosas.

—¿Qué tal así? Yo entregándole las flores. Saldrá fantástica.

Dwayne sonrió, le centellearon los dientes: el marido enamorado amparando a su esposa.

Rizzoli miró a Mattie. No vio protesta en su mirada, sólo

un brillo extraño, volcánico, que no fue capaz de interpretar. Levantó la cámara, centró a la pareja en el visor y apretó el disparador.

El flash estalló justo a tiempo para captar la imagen de Mattie Purvis cruzándole la cara a su marido con el ramo de rosas.

33

Cuatro semanas después

No hubo actuación esa vez, ningún fingimiento de locura. Amalthea Lank entró en la habitación de entrevistas privadas y se sentó ante la mesa. La mirada que le dirigió a Maura era transparente, la de una mujer completamente cuerda. El cabello, antes desmelenado, lo llevaba recogido hacia atrás con una pulcra cola de caballo, que realzaba sus rasgos de aspecto severo. Mientras observaba los altos pómulos de Amalthea, su mirada directa, Maura se preguntó: «¿Por qué me negaba a verlo antes? Es tan obvio... Estoy mirando mi rostro dentro de veinticinco años.»

—Sabía que volverías —dijo Amalthea—. Y aquí estás.

—¿Sabes por qué estoy aquí?

—Has recibido los resultados del análisis, ¿eh? Ahora ya sabes que te decía la verdad. Aunque te negaras a creerme.

—Necesitaba pruebas. La gente no hace más que mentir, pero el ADN no.

—Aun así, deberías haber sabido la respuesta incluso antes de que tu precioso laboratorio te remitiera los resultados del análisis —Amalthea se inclinó hacia delante en la silla y la miró con una sonrisa casi de intimidad—. Tienes la boca de tu padre, Maura. ¿Lo sabías? De mí tienes los ojos y los pómulos. Veo a Elijah y a mí en tu rostro. Todos formamos una familia. Tenemos la misma sangre. Tú, yo, Elijah, y también tu hermano —hizo una breve pausa—. Porque sabes que él era tu hermano, ¿verdad?

Maura tragó saliva.

—Sí.

«El único hijo que conservaste. Nos vendiste a mi hermana y a mí, pero a él lo conservaste.»

—Nunca me has contado cómo murió Samuel —dijo Amalthea—. Cómo le mató aquella mujer.

—Fue en defensa propia. Es todo lo que necesitas saber. A ella no le quedó más remedio que defenderse.

—¿Y quién es esa mujer, esa Mathilda Purvis? Me gustaría saber más cosas de ella.

Maura no contestó.

—Vi su foto en la televisión. No me pareció alguien muy especial. No entiendo cómo pudo conseguirlo.

—La gente es capaz de hacer cualquier cosa para sobrevivir.

—¿Y dónde vive? ¿En qué calle? Por televisión dijeron que es de Natick.

Maura miró al interior de los oscuros ojos de su madre y de repente experimentó un escalofrío. No por ella misma, sino por Mattie Purvis.

—¿Para qué lo preguntas?

—Tengo derecho a saberlo. Por mi condición de madre.

—¿De madre? —Maura casi se echa a reír—. ¿De veras piensas que mereces ese título?

—Soy la madre de Samuel. Y tú su hermana —Amalthea se acercó aún más—. Tenemos derecho a saberlo. Somos su familia, Maura. En esta vida no hay nada más poderoso que los lazos de sangre.

423

Maura miró dentro de unos ojos tan misteriosos como los propios y en ellos reconoció una inteligencia que concordaba con la suya, incluso un destello de brillantez. Pero era una luz sesgada, un reflejo distorsionado en un espejo hecho añicos.

—La sangre no significa nada —replicó.

—¿Entonces por qué estás aquí?

—He venido porque quería echarte una última ojeada. Luego me iré. Porque he decidido que, con independencia de lo que diga el ADN, tú no eres mi madre.

—¿Entonces quién lo es?

—La mujer que me quiso. Tú no sabes querer.

—Yo quise a tu hermano. Puedo quererte a ti también —Amalthea tendió la mano por encima de la mesa y acarició a Maura en la mejilla: una caricia suave, tan cálida como la mano de una madre de verdad—. Concédeme esta oportunidad —susurró.

—Adiós, Amalthea —Maura se levantó y pulsó el botón para avisar a la celadora—. Aquí ya he acabado —avisó por el interfono—. Estoy lista para salir.

—Volverás —dijo Amalthea.

Maura no la miró, ni siquiera le echó una ojeada por encima del hombro cuando salió de la habitación. Mientras, oyó que a sus espaldas Amalthea la llamaba:

—¡Maura! ¡Sé que volverás!

En el vestuario de las visitas, Maura se detuvo para recuperar el bolso, el permiso de conducir, las tarjetas de crédito. Todas las pruebas de su identidad. «Pero ahora ya sé quién soy», pensó.

«Y también quién no soy.»

Fuera, bajo el calor de la tarde de verano, Maura se detuvo y respiró hondo. Sintió que el calor del día limpiaba de sus pulmones los residuos de la prisión. Y sintió también que el veneno de Amalthea Lank desaparecía de su vida.

En su rostro, en sus ojos, Maura llevaba la huella de sus padres. En sus venas fluía la sangre de unos asesinos. Pero la maldad no era hereditaria. Aunque pudiera llevar su potencial en los genes, también lo llevaba cualquier recién nacido. «En eso no soy distinta. Todos descendemos de unos monstruos.»

Se alejó de aquel edificio de espíritus cautivos. Al frente estaba su coche y el camino que conducía a casa.

No se volvió a mirar hacia atrás.

AGRADECIMIENTOS

La escritura es un trabajo solitario, pero en realidad ningún escritor trabaja solo. He sido muy afortunada al disponer de la ayuda y el apoyo de Linda Marrow y Gina Centrello de Ballantine Books; de Meg Ruley, Jane Berkey, Don Cleary y el espléndido equipo de la Jane Rotrosen Agency; de Selina Walker, de Transworld; y —el más importante de todos— de mi esposo Jacob. ¡Mis más afectuosas gracias a todos ellos!